Carte blanche

Esther Kreukniet bij Boekerij:

Façade
Beau ravage
Carte blanche

www.boekerij.nl

Esther Kreukniet

Carte blanche

Alles in dit boek is fictie, verzonnen en geënsceneerd. Denk goed na voordat je oordeelt: ieder verhaal heeft twee kanten.

Eerste druk maart 2011
Tweede druk mei 2011

ISBN 978-90-225-5471-5
NUR 301

Omslagontwerp: Roald Triebels
Omslagbeeld: Getty Images
Zetwerk: CeevanWee, Amsterdam

Wie zonder zonden is, werpe de eerste steen.
(Johannes 8:7)

Voor Hendriksje Cornelia Kreukniet-Verspoor,
mijn lieve mama.

Uw wijsheid nodigt mij uit tot nadenken.

Profielschets op Facebook:

Facts over mezelf...
Naam: Roos Maasbruggen
Leeftijd: 36 jaar
Woonplaats: Barendrecht
Relatie: single
Kids: Luna (7)
Best friend: Wick

Werk & Opleiding...
Job: secretaresse bij Woonnet Rijnmond
Middelbare school: Het Emmauscollege
Studie: Schoevers Rotterdam

Voorkeuren en interesses...
Televisie: Net5, *Gooische Vrouwen, Sex & the City,* CSI
Muziek: Madonna, Toppers, Robbie Williams, eigenlijk van alles
Films: *Love Actually,* Bridget Jones, *Notting Hill* (Hugh Grant ;-))
Spots: Cafe Pol, De Tuin, Boudoir, Beachclub Salsa Rockanje
Boeken: Sonja Bakker, *The Secret,* Esther Verhoef, Saskia Noort
Tijdschriften: *Beau Monde, Esta, Linda, Talkies, Grazia*
Links: H&M, Uggs, Vinginho, Villa, Marlies Dekkers
Eten: carpaccio, sushi, pasta, stamppot
Vind ik leuk: Luna, rondje Kralingse Plas skaten, shoppen, wandelen met Wicks mopshondje Pepita (niet te ver), uitgaan
Sport: pilates, volleybal
What's on my mind: happiness ☺
Mijn helden: mijn ouders, Luna & Wick!
Valt voor: type foute man
Motto: Carpe *Fucking* Diem!
Aantal vrienden: 168
Foto's: Last Christmas, Marbella, Gerlos, Life!
Prikbord:
Roos Maasbruggen:
Vanavond oud-en-nieuwfeest bij Wickermans – Happy New Year allemaal – wens jullie veel gezondheid, liefde en plezier in 2010!
Roos en Luna

Roos 1.

Voordat ik mijn ogen opende, voelde ik het al: onmiskenbaar een kater. Mijn hart bonkte in mijn keel, mijn armen en benen waren verzuurd van de alcohol en ik had spijt. Waarom kende ik verdomme geen grenzen?! Ik hield het nooit bij twee, drie glaasjes wijn, nee, ik zoop door tot ik erbij neerviel. Beelden van de avond ervoor flitsten door mijn hoofd. Elk jaar spraken we af met dezelfde club vrienden op het Kruininger Gors om oud en nieuw te vieren. De meesten hadden net als mijn beste vriend Wick een vaste staplek op het recreatiepark of waren vrienden van hem. Het was niet toegestaan om er tijdens de wintermaanden te overnachten, maar dat maakte het juist zo leuk. We brachten zelf lekkere hapjes, oliebollen en genoeg drank mee. Wick regelde een aggregaat, een mobiel buitentoilet, de muziek en de versiering. Het thema was dit jaar 'de Skihut' dus we konden lekker onze dikke winterjassen en warme laarzen aan. Wick had alle Skihut cd's gedownload en ik zou champagne, apfelkorn en appelflappen meenemen. Het had een beetje gesneeuwd en de meesten zouden in hun caravan blijven slapen.

Huiverend krulde ik me op, het was ontzettend koud in de stacaravan van Wick. De herinneringen aan gisteravond begonnen terug te keren. Lachende vrienden gehuld in dikke jassen en winterlaarzen hadden rond de vuurkorven staan kletsen. Er stonden straalkachels in de partytent en statafels waren versierd met Tiroler tafellakens en nepsneeuw; Wick sloeg altijd door in zijn fetisjisme voor decoreren. Arjan ging rond met een schaal oliebollen en deelde servetjes uit. André Hazes schalde uit de speakers, waarop sommige vrienden elkaar liederlijk omarmden en meezongen. Marcel stak met gevaar voor eigen leven om tien uur al vuurpijlen af en

Emmy ontkurkte de ene na de andere fles prosecco. Shotjes apfelkorn werden onder luid gejoel achterover geslagen, en ik deed natuurlijk weer mee met de grote jongens.

Ik slikte moeizaam, mijn mond was droog en mijn hartslag onregelmatig. Tot zover was er gisteravond niets aan de hand geweest. Ik draaide me om op het harde logeerbed en vroeg me af wanneer het dan fout was gegaan. Daar hoefde ik niet lang over na te denken. Telkens als ik te veel dronk, zocht ik de spanning op, een deformatie die ik moeilijk kon verklaren. De remmingen vielen na een paar glazen wijn weg en dan herkende ik mezelf nauwelijks meer.

Zelfs Wick had me waarschuwend aangekeken toen ik met Bart stond te kletsen. Het kon me niets schelen, want eigenlijk vond ik dat het zijn schuld was dat er zo veel saaie stellen op ons jaarlijkse oud-en-nieuwfeestje waren. De enige knappe vrijgezel die er rondliep had meer interesse in Wick. Ter plekke besloot ik dat Bart mijn nieuwe slachtoffer werd. Afgelopen zomer had hij me bij elk dorpsfeest of borreluurtje waar we elkaar tegen het lijf liepen, subtiele hints gegeven dat hij me wel zag zitten. Hij vertrouwde me toe dat hij eigenlijk veel te jong getrouwd was, en meer van het leven had moeten genieten. Dat hij best wel van zijn vrouw hield, maar dat de passie weg was, dat ze als broer en zus samenleefden. Na een paar bier keek hij me dan lodderig aan en vroeg: 'Denk je dat wij een setje waren geworden als ik niet getrouwd was?!' Ik vond het gênant maar ook wel een beetje vleiend. Gisteravond besloot ik na vijf glazen met apfelkorn gemixte champagne dat het tijd werd om die eeuwige vraag, die als een bijna zichtbare wolk tussen ons in hing, te beantwoorden. Zo moeilijk was het niet geweest, Bart hapte onmiddellijk toe. Binnen vijf minuten waren we diep in gesprek.

Weer draaide ik me om in het koude bed. Ik probeerde de slaap te vatten maar nu buitelden de herinneringen van de vorige avond razendsnel door mijn hoofd. Bart die me van onder de stamtafel een sms'je stuurde dat ik er lekker uitzag terwijl zijn echtgenote iets verderop stond te hupsen op de muziek van Mika. Bart die me ongegeneerd vroeg of ik Marlies Dekkersondergoed droeg en voor de vierde keer in mijn oor lispelde dat hij me een lekker wijf vond. Dat zijn huwelijk eigenlijk niets meer voorstelde. Dat hij een goeie jongen was, dat hij zijn verantwoordelijkheden heus wel kende, maar dat ik iets met hem deed. Intussen liet hij zijn hand langzaam onder mijn trui dwalen en fluisterde in mijn oor dat hij wel zou weten wat hij allemaal met me ging doen. Dat hij al een tijd gek op me was, dat er een onuitgesproken spanning tussen ons hing. Of ik die spanning ook voelde. En of ik wel genoeg bemind werd, want ik leek hem een zinnelijk type dat ook behoefte had aan liefde. En gepassioneerde seks. Net als hij. Ik hoorde het aan en glimlachte. Verleidelijk leunde ik naar hem toe en fluisterde in zijn oor: 'Laat maar zien, als je durft...' Ongezien speelde mijn tong vluchtig met zijn oorlel. Hij keek me doordringend aan en zei toen net iets te hard dat hij even naar de wc ging. Niet dat iemand luisterde. 'Check je mobiel maar,' zei hij voor hij wegliep. Ik wachtte tot hij uit het zicht was verdwenen, en dook daarna mijn tas in, zogenaamd om mijn lipgloss bij te werken en de berichten op mijn mobiel te checken. Eén nieuw bericht. Tergend langzaam opende de inbox zich.

Ik wil je. NU! X Bart.

Ik was om het recreatiehuisje van Arjan heen gelopen naar het mobiele toilet, en in het flauwe schijnsel van de sierverlichting stond Bart me met een jongensachtige grijns op te wachten. Zonder pardon had hij me beetgepakt en gezoend, vastberaden en hartstochtelijk. Hij zoende lekker, het verraste me aangenaam. Bart wist wat hij deed en pakte mijn hand. Ik hield van doortastende mannen en liet me zonder verzet meetronen. Hij stak het slecht verlichte pad over en sleurde me de stacaravan van Wick in, waar we zoenend op het bed belandden. Hij knoopte mijn blouse los en streelde met zijn koude vingers mijn borsten, kreunend en mompelend dat hij me al zo lang wilde, dat ik hem helemaal gek maakte van verlangen. Langzaam trok hij met zijn tong een spoor langs mijn tepels en ik leunde achterover. Hij verkende mijn lichaam en ik ging met mijn hand in zijn boxershort. Hij kreunde en zoende me weer. Overmoedig bewogen we op de klanken van de muziek en hij trok met een ruk mijn blouse uit. Bart was vreselijk opgewonden, dat was wel duidelijk. Ik huiverde en schoof de gedachte aan condooms opzij. Langzaam liet hij zijn hand in mijn broekje afdwalen. Ik likte plagerig langs zijn lippen en hoorde in de verte 'Happy New Year' van Abba.

Plotseling stopte hij, hief geschrokken zijn hoofd op en luisterde ingespannen. Het drong vaag tot me door dat ik iedereen in de verte hoorde aftellen: 'Vijf, vier, drie, twee, één: GELUKKIG NIEUWJAAR!' Ik hoorde mensen uitgelaten gillen en er klonk geknal van vuurwerk. Met bonzend hart realiseerde ik me dat Bart als bevroren boven op me lag. Angstig keek hij in mijn ogen, en ik wist genoeg. Haastig rolde hij van me af, mompelde 'gelukkig nieuwjaar', hees zijn broek op en ritste zijn gulp dicht. Het feest was over: wat een begin van het nieuwe jaar! Ik had geen idee waar zijn echtgenote was, maar Bart maakte zich uit de voeten. Hij keek niet eens om voor hij de caravandeur dichtknalde.

Ik schudde onwillekeurig mijn hoofd, vooral het laatste deel van die gebeurtenissen wilde ik uit mijn geheugen wissen. Moeizaam gooide ik mijn verstijfde benen over de rand van het bed, het was zo koud in de stacaravan dat mijn adem wolkjes vormde. Op de tast graaide ik naar mijn tas en zocht mijn mobieltje. Het daglicht deed pijn aan mijn ogen en de digitale letters zweefden door elkaar. Zelfs het blonde koppie van Luna, de screensaver, kon me niet tot een glimlachje verleiden. 1 januari 2010, en ik voelde me als een natte krant die zes keer door een betonwagen was overreden. Het liefst bleef ik de hele dag in bed liggen, maar ik wist dat ik beter iets kon gaan doen. De geur van Bart zat nog in mijn haren en ik had een bedorven smaak in mijn mond. Godzijdank was Bart met zijn vrouw halsoverkop vertrokken naar zijn rottige, verhypothekeerde rijtjeshuis. De heldhaftige lul. Ik peinsde verder. Waarom had ik het in godsnaam zo ver laten komen, hoe had ik me zo kunnen laten meeslepen in een kansloos verhaal? Ik onderdrukte een boer en wist één ding heel zeker: dit nooit meer. Pislink was ik, vooral op mezelf.

Abrupt stond ik op. Ik wankelde naar de kleine badkamer, plensde eerst ijskoud water in mijn gezicht en keek toen pas in de spiegel. Ik schrok: zesendertig jaar en nu al een oude kop. Couperose op mijn wangen, hangende oogleden, diepe lijnen op mijn voorhoofd en een kalkoenennek. Mijn blik gleed naar beneden, naar mijn bovenbenen. Met twee handen kneep ik in mijn witte vlees tot er putten ontstonden. Ik pakte de rol op mijn buik en was het opeens zo vreselijk zat. Sinds mijn scheiding, alweer ruim drie jaar geleden, had ik elk excuus aangepakt om me in zelfmedelijden te verliezen. Eten, zuipen en roken om mijn gevoel te verdoven, en daarna vet vreten en drinken om mijn kater te bestrijden; minimaal een keer per week. Ik staarde naar mezelf en zag een vreemde. Ik leek verdomme wel vijftig in plaats van zesendertig.

Ik voelde de woede in me opborrelen. Weer een dag naar de klote. Zo goedkoop had ik me lang niet gevoeld, ik baalde van mezelf. De onrust greep me bij de keel, dit wilde ik nooit meer. Sterker nog: dit gebeurde nooit meer. Ik wilde terug naar de sterke, opgewekte Roos die ik vroeger was. Die ik was kwijtgeraakt en die ik miste. De altijd vrolijke Roos, die droomde van een man en een groot gezin. Burgerlijk maar tevreden.

Gehaast trok ik mijn broek en laarzen aan en ritste mijn vest dicht. Ik keek om het hoekje. Wick lag op zijn buik te slapen, zijn kale hoofd rustend op zijn onderarm. De lieverd. Snel scheurde ik een blaadje uit mijn agenda en krabbelde er een verontschuldigend verhaaltje op.

> Lieve Wick, het was weer een geweldig ouderwets gezellig feest, maar ik ben bang dat ik iets te diep in het glaasje heb gekeken... Het is nu elf uur en ik ga vast naar huis, ik wil Luna graag ophalen. Bedankt voor de gezelligheid, lieverd, bel je vanmiddag!
> XXX Roos

Voorzichtig opende ik de deur van de stacaravan en stapte naar buiten. De kou benam me de adem maar ik zette door en liep naar mijn auto.

Met verkleumde handen om het stuur draaide ik de snelweg op en zette het geluid van de radio op volle sterkte om wakker te blijven. 'Dochters' van Marco Borsato schalde door de ruimte. Bij het refrein biggelden de tranen over mijn wangen, ik miste Luna. Daardoor voelde ik me nog rotter: zo'n goedkope sloerie als moeder verdiende zij niet. Ze leunde blindelings op mij, ik was haar grote voorbeeld en ik schaamde me diep. Ik dacht aan haar mooie blonde koppie met haar prachtige onschuldige ogen, en de tranen bleven stromen. Dit zou me nooit meer gebeuren, ik ging het helemaal anders doen. Er was niemand op de weg, ik zag alleen een paar verdwaalde konijnen bij de golfbaan. Ik haalde opgelucht adem toen ik de straat waar ik woonde in het vizier kreeg en parkeerde snel de auto. Boomgaard nummer zes was sinds drie jaar mijn veilige onderkomen.

Moeizaam raapte ik een stapeltje reclamefolders van de deurmat en liet de deur met een zachte plof achter me dichtvallen. Ik rook een muffe geur, spiedde om me heen en zag de troep in mijn huis, de overdadige kerstversiering en het stof. Ik liet mijn ski-jack van mijn schouders vallen en liep naar de bezemkast, pakte een emmer en liet die volstromen met heet water. Ik spoot er een flinke scheut Ajax in en ging gedreven aan de slag: alle kerstversiering rukte ik van de muren en ik tuigde de kerstboom af. De zilveren ballen, de piek en de breekbare vogeltjes wikkelde ik in keukenpapier en legde ze terug in de doos. Half opgebrande kaarsen, kranten, kapot speelgoed, kerststukjes en overtollige meuk verdwenen in een vuilniszak. Vervolgens leegde ik de koelkast en de broodtrommel. Langzaam zag ik alles weer helder worden, en het drong tot me door hoe erg ik de afgelopen weken mijn huis had laten vervuilen. Verwoed klopte ik de kussens van de bank op, zoog met de stofzuiger achter de gordijnen en viste nog een pepernoot onder de bank vandaan. Ik sorteerde de was, sopte de badkamer en verschoonde het beddengoed. Ik werd steeds energieker en voelde me zelfs lichter worden. Tot slot inspecteerde ik Luna's kamertje en stopte haar te klein geworden kleding en schoenen in een grote zak. Voor Max.

Tevreden sloot ik de deur van de meisjeskamer en keek op mijn horloge. Kwart over drie, tijd voor een kop thee met ontbijtkoek. Vanuit mijn ooghoek zag ik het overzicht van het jaar 2009 in de krant staan: economische crisis, werkloosheid, Michael Jackson dood, DSB failliet, een vliegtuig van Turkish Airlines neergestort, het Koninginnedagdrama in Apeldoorn en de stille armoede. Tel daarbij op dat ik maar liefst twee keer gedumpt was – 2009 was met recht een shitjaar. Ik beloofde mezelf plechtig nooit meer in deze toestand terecht te komen. Automatisch schoot mijn ex Roland door mijn hoofd, maar ik kapte de verwijten af en stuurde hem in gedachten een grote bos bloemen; in het nieuwe jaar zou ik me positief opstellen. Ik pakte een blocnote, voelde een idee opkomen en speelde met mijn pen. Als ik, Roos Maasbruggen, op deze eerste januari 2010 eens opnieuw mijn leven mocht invullen, wat zou ik dan doen? Mijn hart klopte sneller, en deze keer niet van de alcohol in mijn bloed. Ik had een lumineus idee: ik zou mezelf carte blanche geven! Een nieuw hoofdstuk, een verse fase, een verbeterde versie van mezelf! De vragen gonsden door mijn hoofd. Hoe voelt het als je in je leven een tweede kans krijgt? Hoe voelt het als je opnieuw mag beginnen, met een schone lei? Wat zou je dan doen, hoe zou je je leven dan invullen?

Aarzelend keek ik naar buiten, dit werd leuk, hier had ik zin in. Ik schoof mijn stoel achteruit, liep naar de keuken, smeet het pakje Kent menthol in de vuilnisbak, klokte de halflege fles rode wijn door de gootsteen en ging weer aan de tafel zitten. Dit voelde zo goed, de energie stroomde door mijn lijf. Ik gaf mezelf een nieuwe kans, ik mocht mijn leven opnieuw invullen, waarom had ik dit nooit eerder bedacht?! Wat ging ik doen nu ik die tweede kans kreeg? Er schoot van alles door mijn hoofd, maar ik moest het beperken tot wat haalbaar was en wat ik echt graag wilde. Drie wensen, besloot ik, ik mocht drie haalbare wensen opschrijven. Ik besloot dit heugelijke inzicht te vieren en stak de kaarsjes alvast aan.

Een schoon kladblok lag voor me, Skyradio vulde de woonkamer met zachte, rustgevende muziek. In sierlijke letters schreef ik *Goede voornemens 2010* boven aan de lege pagina. Met kringetjes trok de damp van de thee naar het plafond en ik voelde een soort opwinding naar boven komen.

Wensen:
10 kilo afvallen, gezond worden
Uitdagende nieuwe baan
Leuke, knappe en betrouwbare vent

Actiemiddel:
Stoppen met roken/zuipen/vreten
Stoppen met negatieve gedachten
Stoppen met FOUTE mannen

Resultaat: de oude vertrouwde, verbeterde en zelfverzekerde Roos worden en... misschien nog een baby???

Het laatste kraste ik snel door, nog een kind was dan misschien wel de allergrootste wens, maar ik moest niet overdrijven. Een groot gezin was mijn droom, maar ik moest eerst mezelf weer op de rit krijgen. Een leuke man, een uitdagende baan en tien kilo eraf waren realistische wensen, een baby betekende de kers op de slagroom. Een mens mocht blijven dromen, nietwaar?

Ik trok een dikke streep onder mijn wensenlijst, zo was het goed. Ik had mezelf een nieuwe kans gegeven, wat een cadeau! Dit moment moest ik onthouden. Tevreden blies ik in mijn thee en keek op mijn horloge. Nog twee uur voor Luna thuiskwam van het weekend bij haar vader en Nanette-de-slet. Ik schoof mijn stoel naar achteren en viste mijn sportschoenen uit de schoenenmand. Voortaan ging ik elke dag een flink stuk hardlopen. *2010 werd mijn jaar!*

Miljonair Magazine for the Luxury Lifestyle – Charity Issue Stichting Teddybeer – Eveline van Amerongen

Eveline van Amerongen kreeg tijdens haar studie kinderpsychologie te maken met slachtoffers van kindermishandeling. Ze verbaasde zich over de gebrekkige opvang van mishandelde kinderen en besloot haar idealen na te streven: een opvang creëren in een huiselijke sfeer, waar de kinderen op adem konden komen nadat ze uit huis waren geplaatst. De kans deed zich voor toen de monumentale oranjerie in het gemeentelijke domein Schildehof in België vrijkwam. Met hulp van haar man riep Eveline Stichting Teddybeer in het leven, en sinds 2003 biedt de oranjerie in samenwerking met het Nederlands Jeugdinstituut opvang aan kinderen die slachtoffer zijn van mishandeling. Kinderen krijgen veiligheid en verzorging aangeboden, en na een half jaar wordt er een passende, veilige plek voor hen gezocht. Dat kan terugplaatsing in hun eigen gezin betekenen of in een pleeggezin of bij een familielid. Eveline van Amerongen: 'Ik heb Stichting Teddybeer opgericht omdat ik vind dat ieder kind recht heeft op een veilige omgeving en een zorgeloze jeugd. Door huiselijk geweld of mishandeling kunnen sommige kinderen niet onbekommerd van hun jeugd genieten. Stichting Teddybeer vangt ze op. Het Nederlands Jeugdinstituut levert een intensieve ondersteuning en als regiocoördinator probeer ik de mishandelde kinderen weer vertrouwen te geven. Een kind moet kind kunnen zijn, zo simpel is het. Bij Stichting Teddybeer kunnen kinderen zich weer kind voelen, hun angst en verdriet achter zich laten. Hier wordt voor kinderen gezorgd, er wordt naar ze geluisterd, ze krijgen begeleiding van psychologen en therapeuten zodat ze langzaam weer vertrouwen krijgen in de wereld om hen heen. Stichting Teddybeer is een veilige plek waar ze niet langer gepest, geïntimideerd of geschoffeerd worden. Door liefde en met gezonde voeding sterken de kinderen weer aan. Maar ze kunnen hier ook lekker klauteren in het bos, tikkertje spelen in het plantsoen en er wordt hun elke avond een verhaaltje voorgelezen. Vandaar de naam “Teddybeer”: een knuffel biedt kinderen heel veel troost en geeft vertrouwen in tijden dat ze dat nodig hebben. Het gezin krijgt tegelijkertijd intensieve begeleiding om een leefbare thuissituatie te creëren.’

Stichting Teddybeer werkt ook nauw samen met No Kidding, hét landelijk netwerk tegen kindermishandeling, dat volledig achter de stichting staat. Initiatiefneemster Eveline zet zich belangeloos in en werft naast giften ook pleeggezinnen in haar uitgebreide netwerk. ‘Het is zulk ongelooflijk dankbaar werk om een kind een veilig huis te geven, en het gaat lang niet altijd over geld. Liefde en aandacht is vele malen meer waard.’

Eveline van Amerongen heeft expansiedrift naar het buitenland: ‘We organiseren ook vakanties voor weeshuizen in Roemenië, en mijn droom is om uiteindelijk in elk land een Stichting Teddybeer op te zetten. Het voelt goed om mijn bekendheid en mijn netwerk in te zetten voor het goede doel.’ Inmiddels is de familie Van Amerongen zelf pleegouder van Suzy Wong uit China. Evelines man Rutger (eigenaar van ICT-bedrijf Expertise International BV) is een grote steun. ‘Zonder mijn man had ik dit nooit kunnen bewerkstelligen,’ zegt Eveline beslist. Zijn inspanningen hebben inmiddels ook een missionaristintje: ICT-tycoon Rutger van Amerongen, nummer 226 in de *Quote*-500, komt alleen opdraven voor een lezing als de gastheren geld schenken aan Stichting Teddybeer. Meer informatie? www.stichtingteddybeer.nl

Eveline 1.

Ongeduldig nam Eveline het magazine aan. 'En? Wat vind je ervan?' Stephan blies in zijn café latte, zocht naar de juiste woorden. 'Je komt precies over zoals ze je hebben beschreven.' Hij liet een stilte vallen. 'Prachtig artikel, echt heel mooi. Je bent een sterke vrouw met het hart op de juiste plaats, mijn complimenten...' Hij keek haar peinzend aan. 'Misschien had je nog iets meer nadruk moeten leggen op het feit dat gezinnen zich als pleeggezin kunnen opgeven en wat voor goodwill dat kweekt. Leuk dat je Rutger ook nog noemt!' Hij lachte luid en pakte het tijdschrift nog eens op. 'En een geweldige foto!'

Eveline kon een glimlach niet onderdrukken, ze had het gevoel dat haar leven nu echt ging beginnen, ze tintelde helemaal. Eindelijk stond ze *in the picture* en op de plaats waar ze wilde staan. Ze glimlachte weer en keek naar Stephan, ordende snel haar gedachten en gaf hem een knipoog.

'Ja, ik zocht een chique sfeer, een beetje een Gwyneth Paltrowachtige ambiance...'

Stephan trok zijn wenkbrauwen op en knikte. 'Nou, ik zie meer een lekker wijf met heel lange benen...'

Eveline schudde haar hoofd en glimlachte bij de herinnering aan de fotoshoot: een paar uur voor het productieteam kwam, had ze een lome vrijpartij met Stephan gehad. Haar ogen en huid straalden, de visagist was lyrisch geweest. Dit artikel was een mooie kroon op haar onafgebroken werk voor Stichting Teddybeer. De wereld mocht weten wie ze was: een geslaagde vrouw, moeder van vier kinderen en getrouwd met een van de rijkste zakenmannen van Nederland. Stephan keek op zijn horloge.

'Ik moet opschieten, schatje, ik heb om vijf uur een date.' Hij lachte en trok snel zijn jas aan. Ze kon het niet uitstaan als hij over andere vrouwen sprak. Nog steeds niet, al duurde hun verhouding inmiddels vijftien jaar, inclusief de tussenpozen.

'En wie is deze keer de gelukkige?'

Hij drukte een kus op haar wang. 'Lieverd, je hoeft niet alles te weten...' Haar buik trok samen bij de gedachte dat er een andere vrouw was in zijn leven. 'Maar ze kan nooit aan jou tippen, dat weet je.'

Langzaam liet hij zijn hand tussen haar dijen glijden en de vlinders in haar buik maakten salto's. Ze schoof haar rokje overmoedig opzij en voelde zijn vingers de binnenkant van haar dijen masseren. Brandend van verlangen sloot ze haar ogen. Ze voelde zijn volle gewicht tegen haar aan leunen en zijn ademhaling was zwaar. Plagend kuste hij haar lippen en ze opende haar mond een beetje. In de verte hoorde ze Beer blaffen op zijn kenmerkende manier. Ineens vloog de deur open en een schare kinderen stormde luidruchtig binnen, samen met de nanny Irina.

'Verdomme!' mompelde Stephan zacht, en Eveline duwde hem met kracht van zich af. De seksuele geladenheid was in een klap verdwenen en onbeheerst schreeuwde ze tegen de kinderen dat ze stil moesten zijn. Stephan viste nonchalant een appel van de fruitschaal en nam een hap. Evelines hart bonkte in haar keel en aarzelend keek ze hem aan. Bij wijze van groet stak hij zijn arm in de lucht en verdween door de openslaande keukendeuren. Verdomme, zat ze weer de hele avond alleen thuis.

Een paar uur later klapte ze zuchtend het in leer gebonden fotoalbum dicht en staarde in de vlammen van de open haard. Babette en Benjamin lagen lekker te slapen. Samen hadden ze een liedje voor Suzy gezongen en ze hoopte maar dat haar Chinese meisje vannacht niet in haar bed zou plassen. Florine sliep bij een hockeyvriendinnetje en Rutger was naar de formule 1-races in Kuala Lumpur. Ze pakte het *Miljonair Magazine* en streek liefdevol over haar eigen foto. Daar stond ze dan: *power woman*, supermoeder en maîtresse, maar ze zat op zaterdagavond wederom alleen. Tranen prikten in haar ogen. Was dit het nou?! Snel bande ze die belachelijke gedachte uit. Mijmerend tuurde ze in de vlammen die aan het Franse kalksteen van de grote open haard likten. Eveline had jarenlang keihard gewerkt om te worden wie ze was. Vroeger, toen ze in het godvergeten Aalten woonde, droomde ze ervan zo snel mogelijk de smerigheid en bekrompenheid van haar dorp te ontvluchten. Telkens als ze haar ouders hoorde ruziën of ze haar vader de trap op hoorde stommelen en haar kamerdeur openen, riep ze in haar hoofd een beeld op van hoe het later moest worden. En in dat beeld leefde ze nu.

Ze wilde vroeger au pair worden, of lerares in exotische landen, de wereld zien en culturen leren kennen. Om te sparen voor haar studie nam ze een bijbaantje bij de Hema. Hoewel ze probeerde er zo onopvallend mogelijk uit te zien, werd ze aangesproken om model te worden; een vrouw gaf haar een kaartje van Elite Model Agency in Amsterdam, dat ze angstvallig bewaarde. Ze besefte dat de wereld aan haar voeten lag zodra ze Aalten achter zich zou laten. Haar dronken vader met zijn agressieve gedrag, haar slaafse moeder, haar dominante zus met haar grote bek en het eeuwige geruzie: ze zou het allemaal anders doen.

Na het vwo op het Christelijk College Schaersvoorde was ze direct naar Amsterdam verhuisd om psychologie te studeren en ze meldde zich aan bij Elite Models. Het verbaasde haar regelmatig dat het leven zo goed voor haar was: ze kreeg leuke opdrachten en maakte vrienden. Eindelijk mocht ze van de vrijheid proeven, en ze daagde het leven uit door alles te proberen. Niemand die over haar schouder meekeek of haar honend uitlachte. Niemand die vroeg naar haar achtergrond of wie ze was, het modellenwereldje was vluchtig en Eveline bestudeerde de maniertjes en het sociale gedrag van andere modellen. Ze nam het accent moeiteloos over en absorbeerde het leven.

Tot ze Stephan ontmoette: de brutale blik in zijn ogen sloeg in als een bom. Eveline stond in de Roxy te dansen en plotseling stond hij voor haar. Hun lichamen bewogen in hetzelfde ritme maar verder spraken ze niet. Voor het eerst kreeg ze trillende benen. Hij had met zijn uitdagende grijns naar haar gelachen en die zelfverzekerdheid werkte magnetisch. Aan het einde van de avond nodigde hij haar uit voor een diner. Hij haalde haar de volgende avond op en reed direct door naar Parijs. De maanden daarna verliepen als in een roes; Eveline was voor het eerst verliefd. Terwijl ze soms uren, soms dagen smachtend zat te wachten op een telefoontje van Stephan, kon ze hem niet weerstaan. Stephan was niet te peilen en vooral niet vast te houden; hoe ze ook haar best deed, ze had het gevoel dat ze hem nooit helemaal onder controle kreeg. En daar lag ook de uitdaging: Stephan was snel verveeld. Alles was voor hem een spel, behalve als hij ergens geld mee kon verdienen; hij wilde op een snelle manier rijk worden, zonder er te veel voor te doen. Met zijn beste vriend Rutger in zijn kielzog onderzocht hij de grenzen van het leven. Rutger werd al snel Evelines vertrouwenspersoon die haar kon helpen achterhalen waar Stephan uithing. Vaak kwam Rutger in plaats van Stephan op een afspraakje en dan gingen ze samen naar de bioscoop of een kroeg, tot het grijnzende gezicht van Stephan weer opdook. Het was een stilzwijgend pact. Rutger nam hen mee op wintersport, leerde haar zeilen en nam haar mee naar recepties en gala's. Rutger werd de troostprijs.

Langzaam werd ze onderdeel van zijn familie, leerde ze de namen van broers en zusters kennen en luisterde ze naar de wijze verhalen van opa en oma Van Amerongen. Rutgers broer kreeg een kind en in hetzelfde jaar overleed zijn opa. Nu was Eveline er om lief en leed te delen en ze begon steeds meer om Rutger te geven, als mens. Intussen had ze seks met Stephan, meer was het niet; haar gevoelsleven deelde ze met Rutger. Toen Evelines moeder ernstig ziek werd, schakelde Rutger zijn connecties in om haar de beste behandelingen te geven, helaas zonder resultaat. Op haar moeders sterfbed moest Eveline beloven voor een goede toekomst te kiezen, voor een man op wie ze kon bouwen. Eveline beloofde het, en in tranen nam ze afscheid van haar moeder en van haar verlangens. Niet lang daarna kuste ze Rutger.

Rutger was een alfamannetje: dominant, erop gebrand succesvol te worden en boven op de apenrots te staan. Na zijn studie nam hij het accountantskantoor van zijn vader over en breidde het uit met een service die software op maat leverde aan het MKB. Zijn visie sloeg in als een bom, en binnen twee jaar verdubbelde de omzet. Rutger kocht een mooi stuk grond in België om daarop voor het gezin een droomhuis te laten bouwen. Eveline raakte binnen een jaar zwanger en het leven lachte hen toe. Babette werd geboren, Rutger breidde zijn bedrijf uit naar München, Kopenhagen, Parijs, Manchester en Warschau en kocht aandelen in een voetbalclub. Ze waren begin dertig en het kon niet op. Hun levens draaiden om verjaardagen, openingen, recepties, party's en Rutger kwam in de *Quote*-500 te staan. Zijn expansiedrift joeg hem Europa uit, op zoek naar meer. Hij zette een trainingscentrum op in India en opende vlak bij Shanghai een softwarefabriek. In het begin reisde Eveline mee en bezocht de lokale bevolking; in die tijd nam het idee voor Stichting Teddybeer vaste vormen aan. Toen Babette geboren was, wilde Eveline minder reizen, maar Rutger breidde zijn imperium onverstoorbaar uit. Op dat moment kwam Stephan haar leven weer binnenzeilen. Knap, bruin en met flair kroop hij op een zondagmiddag achter de piano en zong een lied van Patrick Bruel. Ze besefte in een klap wat ze al die jaren had gemist. Toen Rutger lag te snurken in zijn Chesterfield bij de open haard, vertelde Stephan dat hij eindelijk uitgespeeld was en naar een gezin verlangde. Die avond bedreven ze stiekem de liefde in het gastenverblijf. Stephan kwam nog twee keer langs toen Rutger op zakenreis was, en daarna hoorde Eveline niets meer. Tot Rutger haar vanuit München belde met de mededeling dat Stephan ging trouwen met Aurelie Petit, een Belgische presentatrice. Een half jaar later werd Evelines tweede dochter geboren, Florine. Ze had de oogopslag van Stephan.

Daarna was het niet anders geweest: Stephan kwam en ging in Evelines leven. Met tussenpozen en zonder enige belofte. Achteraf dacht Eveline wel eens dat ze haar leven met Rutger kon volhouden omdat Stephan haar af en toe een injectie van kortstondig geluk gaf. Zestien maanden na Florine kwam Benjamin. Met drie kinderen had ze haar man voorgoed aan zich gebonden zodat haar toekomst zeker was gesteld, en ze liet zich steriliseren. En haar borsten vergroten, haar buik gladtrekken en haar ogen liften. Eveline werd veertig.

Intussen vond ze afschriften van creditcards: chique etentjes bij Alain Ducasse, dure laarzen van Dior, een witgouden Tank-horloge van Cartier en de seniorsuite in Hotel Crillon, Parijs. Een ding wist ze absoluut zeker: zij was er niet bij geweest en slangenleren laarzen droeg ze niet. Eveline liet doorschemeren dat ze iets vermoedde en dat dit niet de afspraak was; discretie stond immers hoog in het vaandel. Rutger probeerde het te sussen en wrong zich in allerlei bochten om Eveline te overtuigen. Ze adopteerden Suzy, het onroerend goed van de oranjerie voor Stichting Teddybeer kwam op haar naam te staan en jaarlijks schonk Rutger een vast bedrag dat het voortbestaan kon garanderen.

Stephans bliksemhuwelijk met Aurelie liep een jaar na de geboorte van Timothy stuk. Aurelie keerde terug naar Brussel, en de kleine Tim bleef bij zijn vader in Nederland. Stephan vroeg Rutger te investeren in Smit Makelaardij en ontwikkelde onroerend goedprojecten in België en Spanje. Rutger was sinds hun huwelijk twintig kilo aangekomen. Hij was veranderd in Bokito, schreeuwde om aandacht in de pers en sleurde stiekem vrouwen zijn hol in om zijn mannelijkheid te bewijzen.

Eveline deed alsof ze niets doorhad. Nooit zou ze de belofte aan haar moeder verbreken; ze gedoogde Rutger en hield intens veel van haar kinderen, van haar leven in België en van de stichting; maar ondanks alles voelde ze een knagende leegte. En met de jaren vulde Stephan die eenzaamheid een klein beetje op. Als Rutger zou weten dat ze hem al jaren met zijn beste vriend bedroog, zou hij haar eigenhandig kapotmaken, dat wist ze zeker. Om de aandacht van haarzelf af te leiden, had ze besloten dat Stephan een vriendin moest nemen. Een degelijk type, een onnozel gansje dat zo geïmponeerd was door Stephans leven dat ze nog niet vermoedde dat hij Evelines minnaar was. Stephan zocht een nieuwe secretaresse, dat was een mooie gelegenheid. Eveline had de sollicitatiebrieven geselecteerd en Roos leek haar de perfecte kandidate. Gescheiden, met een doorsnee-uiterlijk, iets te dik, een dochtertje van zeven jaar en een schuld van dertigduizend euro bij Becam. Het was slechts een kwestie van tijd.

Roos 2.

Ik hoorde mijn mobiel rinkelen en spoelde snel de shampoo uit mijn haar. Ik kon mijn nieuwsgierigheid niet bedwingen en stapte uit de douche, sloeg een handdoek om en schuifelde naar de wastafel waar mijn mobieltje lag. Ik zag het al: Wick.

'*Yes, darling!*'

'Schat, zit je of sta je?!'

'Ik sta, ik kom net onder de douche vandaan.'

'Oké lieverd, hou je handdoekje dan maar stevig vast want ik heb kaartjes voor het concert van Gino Vannelliiii!!!'

Uitgelaten gilde ik met hem mee, keek naar mijn hupsende spiegelbeeld en kwam dichterbij. Toen zag ik dat mijn kaaklijn iets geprononceerder naar voren kwam. Opgewonden stapte ik op de weegschaal: 68 kilo. Yes! Vier kilo kwijt.

'O, wat erg! Gino Vannelli, je jeugdliefde!'

'*I know*, schat, *I know*; niemand mocht het weten.'

Bij wijze van antwoord neuriede ik het refreintje van 'Crazy People'.

'Ja, het is té erg, *but what can I do*?!' Wick zuchtte theatraal.

'Het geeft niets, hoor, ik hou nog steeds van je.' Ik schoot in de lach. 'Ook al ben je fan van Gino, en van Julio Iglesias, Barbra Streisand, Boney M en André Hazes...' We eindigden gierend in koor.

'Ik waardeer mijn klassiekers!'

'Ik zal het aan niemand vertellen, oké? We houden gewoon je stoere imago in stand en gaan incognito naar Gino. Jij in je leren broek en met een plaksnor, ik in mijn Dolly Parton-pakje met franjes. O, ik heb er hé-le-maal zin in! Treedt-ie op in een zaaltje of in een bejaardencentrum?! En wanneer is hij in het land?' Het was te grappig. Niemand hield van de *Pauper of Paradise*, maar voor Wick was het cult.

'1 Februari, *darling*, in de Heineken Music Hall, dus neem 2 februari maar vrij!'

Ik dacht na. Volgens mij had ik iets, die dag.

'Of zullen we er gelijk een weekendje Amsterdam van maken? Heerlijk een beetje slettenbakken over de PC, wijntje slempen bij George, etentje bij Momo...'

Mijn nek deed pijn en ik zette mijn mobieltje op de luidspreker. 'Even wachten, ik kijk gelijk in mijn agenda.'

Ik viste mijn agenda uit mijn tas en zag in een oogopslag dat ik 2 februari een sollicitatiegesprek had bij Smit Makelaars. Shit, hoe moest ik dit aan Wick uitleggen?

'Eh, Wick?'

Nieuwsgierig hield hij op met ratelen.

'Ja, nee, shit, ik zie net dat ik 2 februari een sollicitatiegesprek heb bij Smit Makelaars...'

Even was het stil.

'Smit Makelaars?' vroeg Wick verbaasd, 'als in Smit-*fucking*-Makelaars?!' Hij sprak het uit alsof het een enge ziekte was.

'Ik ben uitgenodigd voor een sollicitatiegesprek voor de functie van Hoofd Secretariaat.'

Ik beet op mijn lip om niet te lachen, want ik wist precies wat er nu ging komen.

'Waarom moet jij in godsnaam solliciteren?' Dat bedoelde ik. 'Je zit toch prima waar je zit, je werkt verdomme al acht jaar bij Woonnet Rijnmond, je klanten kennen je, je kunt Luna ophalen wanneer je maar wilt, je hoeft nooit voor negen uur te beginnen en je hebt een prima salaris. Plus een telefoon van de zaak en dat is in jouw geval minstens driehonderd euro per maand waard!'

Ik haalde diep adem en bleef beheerst.

'Omdat, lieve Wick, ik het na acht jaar misschien wel eens zat ben? Dat ik misschien wel eens een andere werkomgeving wil met nieuwe mensen, nieuwe klanten en nieuwe gezichten? Omdat ik misschien toe ben aan een inspirerende omgeving met vooruitzichten waarin ik kan groeien en meer verantwoordelijkheden krijg? Waarin ik de spil van het bedrijf word en de rechterhand van de directeur? Waarin twee talen vereist zijn, een representatief uiterlijk een pre is, en het organiseren van beurzen en evenementen een onderdeel van het takenpakket?' Ik kende de wervende tekst van de vacature ongeveer uit mijn hoofd en ik wist dat ik Wick daar mateloos mee kon irriteren.

'Als je zo nodig twee talen wilt spreken en nieuwe mensen wil leren kennen, dan... dan ga je maar op vakantie naar Club Med! Of neem drie maanden een pleegkind uit Haïti! Ik wil gewoon dat je meegaat naar Gino!'

Ik schoot in de lach.

'Voor je verdergaat, Wick, wil ik je even attenderen op het feit dat je een ongelooflijk drammerige nicht begint te worden. Een over de datum geraakt lelijk secreet waar zelfs Gerard Joling een puntje aan kan zuigen.'

'Joling mag willen dat hij er bij mij een puntje aan mag zuigen, maar als ik later met dertig beeldschone inboorlingen op mijn privéeiland zit, moet jij me niet bellen vanuit een telefooncel van je laatste centen om te *jenken* dat je zogenaamde carrière is mislukt en je moet solliciteren als caissière bij de Lidl...'

Ik hield het niet meer en schudde van het lachen.

'O, my god! Wat een frustratie! Zelfs Gordon is bij jou vergeleken een mak schaap!'

'Klopt, een mak schaap met wijkende inhammen...'

Met moeite bracht ik mascara aan op mijn wimpers.

'Goed, mijn valse secreet, zullen we nu weer lief doen? We maken een deal: ik ga mee naar Gino maar ik ga de volgende dag ook naar het sollicitatiegesprek...'

Mokkend hing Wick op en ik begon mijn haar te föhnen.

Sinds mijn goede voornemens van 1 januari leek mijn leven voorspoedig te verlopen. Het concert van Gino Vanelli was hilarisch geweest, Wick had de hele weg terug liederlijk gezongen maar ik was nuchter gebleven; ik was gestopt met drankorgiën in het weekend en bovendien wilde ik de volgende dag helder zijn voor het sollicitatiegesprek bij Smit Makelaars.

Smit Makelaars was gehuisvest in een monumentaal pand in de oude haven van Rotterdam. De receptie leek op de lobby van een chic hotel: met een Belgisch-hardstenen vloer, een gebleekte eikenhouten balie en een uitnodigende loungehoek rond een strakke open haard. Het bedrijf ademde exclusiviteit uit, en daarom was ik blij dat ik me een nieuwe look had aangemeten. Ik keek in de ruit en trok de ceintuur van mijn trenchcoat recht. Plotseling kreeg ik een onbehaaglijk gevoel en spiedde om me heen; ik zag niemand, maar voelde me toch bekeken.

Ik werd keurig ontvangen en het klikte met de bedrijfsleider. De directeur kwam ook nog een praatje maken, en iedereen was vriendelijk. Na een week werd ik gebeld dat ik voor de tweede sollicitatieronde mocht komen, want ik wist waarover ik praatte. Ik voelde me een professional en zag mezelf al helemaal voor me in mijn nieuwe werkomgeving. Een maand later kreeg ik eindelijk het bericht dat ik was aangenomen. Ik, Roos Maasbruggen: Hoofd Secretariaat, de personal assistent van Stephan Smit. Ik voelde de energie door me heen stromen.

Op mijn eerste werkdag was ik een kwartier te vroeg. Ik duwde de enorme deur open en stapte naar binnen met een licht gevoel in mijn buik. De warme glimlach van de receptioniste nam mijn gespannen stemming weg. Mariska, hamerde ik in mijn geheugen, het meisje van de receptie heet Mariska. Professionaliteit, daar ging het om.

Mijn collega's van het secretariaat waren er ook al. Ik trof ze keuvelend aan rond het Nespresso-apparaat, en ze begroetten me enthousiast. Ik hing mijn jas op, kreeg een cappuccino in mijn handen geduwd en luisterde naar hun verhalen over het weekend. Midden in het gesprek zag ik de oudste van het gezelschap plotseling weglopen. De collega's hielden meteen op met kletsen en gingen snel aan het werk. Verbaasd bleef ik achter bij het koffieapparaat.

Achter me hoorde ik voetstappen en ik huiverde. Langzaam draaide ik me om en keek in de helblauwe ogen van mijn nieuwe directeur. Hij rook fris en droeg een donkerblauw maatpak. Vriendelijk mompelde ik goedemorgen en schudde zijn hand. Hij heette me welkom en keek ongeduldig op zijn horloge. Ik liep snel naar zijn kantoor.

De eerste weken was ik kapot. Elke morgen stond ik om half zeven op, maakte ontbijt en stopte lunchpakketjes in respectievelijk Luna's rugzak en mijn grote leren laptoptas. Ik douchte, maakte me op en koos met zorg mijn outfit. Uiterlijk om half acht racete ik naar de voorschoolse opvang om Luna af te zetten en dan was ik om acht uur op kantoor. Gelukkig haalde mijn moeder Luna om kwart over drie uit school; ik was meestal rond half zes weer thuis. En dat vier keer per week, op woensdag was ik vrij. Het grote verschil met vroeger was dat ik nu iedere ochtend met een blij gevoel wakker werd. Dat was voorheen wel anders, dan bleef ik tot de laatste minuut in mijn bed liggen, griste de kleren van de grond en deed mascara op in de auto. Het ochtendritueel was altijd een race tegen de klok geweest en dan liep ik de hele dag achter de feiten aan. Nu moest ik alert zijn; het tempo waarin orders aan me werden gegeven en ik zaken moest afhandelen, lag hoog. Ik moest constant op mijn tenen lopen, maar dat was ook een uitdaging.

Stephan was het type troubleshooter: alle activiteiten van het bedrijf kwamen uiteindelijk op zijn bord terecht en hij kon ad hoc overschakelen van sales naar acquisitie, van projecten die hij ontwikkelde naar gesprekken met architecten of gemeente. Stephan Smit was boven alles een echte verkoper, met zijn charme kon hij nog een pak melk aan een koe slijten. Iedereen liep met hem weg of wilde bij hem zijn: hij straalde succes en vertrouwen uit.

Smit Makelaars verkocht niet alleen huizen en winkelpanden, ze ontwikkelden ook projecten. Het werkterrein beperkte zich niet tot de omgeving van Rotterdam; in België, Spanje en Portugal liet hij een aantal luxe vakantievilla's rond golfbanen bouwen. Zijn ideeën waren onuitputtelijk, zijn energie gonsde door het bedrijf en alles kwam op kleine post-itbriefjes op mijn bureau: of ik even kon regelen/uitvoeren/nabellen.

Langzaam begon ik te wennen aan zijn gebruiken: Stephan vroeg dingen beleefd maar bleef gereserveerd. En als hij mij eens een keer recht aankeek, dan loenste hij licht met zijn linkeroog. Het gaf hem iets menselijks.

'Schat, waarom kap je niet met dat Relatieplanet-gedoe?' Wick nam een slok wijn en zette het nieuwe cd'tje van Gino op. Hij was na het concert nog steeds in de ban van het schapenkopje. 'These are the days' vulde de ruimte.

Ik haalde mijn schouders op en mompelde: 'Ik weet het niet, ergens op deze aardkloot moet toch een geschikte vent voor me rondlopen?'

Wick knikte instemmend. 'Natuurlijk, schat, maar als je voor de tweede keer in je leven een keuze maakt voor een geschikte partner, moet hij wel aan het basispakket voldoen. Dus geen losers in een huurflatje of zonder job. Jij verdient alleen het beste.' Pepita streek langs mijn been en keek me verwachtingsvol aan.

'Vind die maar,' mompelde ik. 'De mannen die ik tegenkom hebben bindings- en verlatingsangst tegelijkertijd. Willen wel een snelle wip zonder verplichtingen, maar een re-la-tie??? Bij het woord alleen al zetten ze het op een lopen.' Ik slobberde mijn witte wijn naar binnen en hief mijn vinger in de lucht. 'Echt waar, ik heb alle smoezen inmiddels gehoord. Net uit een relatie, nog midden in een scheiding, nog bezig met de kinderen, of ik ben óf te mooi óf te lief óf te kattig, of ik ga niet van mijn eigen kracht uit, of ze willen wel liefde maar geen relatie, of ze willen wel een relatie maar geen liefde; echt, ík weet het niet meer met die mannen!' Snel nam ik nog een slok. 'Maar ik weet wel dat al die *fucking* getrouwde stellen geen idee hebben hoe het voelt als je maandenlang niet wordt gebeld of een aai over je bol krijgt. Dat je werkelijk je telefoon tot leven zit te stáren!' Ik zag dat Wick onderuitzakte van het lachen, ik was weer lekker op dreef. 'O ja, deze is ook nog heel leuk: het "het ligt niet aan jou maar aan mij"-scenario. Ik ben er nog niet aan toe.

Mijn hart is nog niet open. Met andere woorden: jij bent zó niet wat ik zoek, er is zelfs geen ruimte om er iets aan te doen of het uit te proberen. Sorry, jíj bent een fantastische vrouw maar het ligt aan míj. Om hem een week later hand in hand met een barbie een restaurant binnen te zien wandelen...'

'Stop, Roos, alsjeblieft, ik kán niet meer!' Wick masseerde zijn kaken. 'Heeft iemand je ooit verteld dat je lichtelijk manisch-depressief bent?' Ik schudde mijn hoofd. 'Verbitterd? Verzuurd? Latent borderlinertje?' Nu schoot ik in de lach, haalde mijn schouders op. 'Lieve schat, hou alsjeblieft op met die eeuwige zoektocht: het geluk zit in jezelf!'

Ik rolde met mijn ogen. 'Ja hoor, het zit zo lekker in mezelf dat ik obsessief elke vent in de supermarkt met een half kilootje aardappels al als *potential* zie.'

Wick stopte zijn vingers in zijn oren. 'Roosje, Roosje, mijn lieve Roosje. Stop toch eens met zoeken, je hebt hem allang gevonden.'

Ik liet het laatste slokje wijn in mijn keelgat glijden en zette met een klap mijn glas op de tafel. 'Gevonden?!'

Wick draaide zich om en keek me lodderig aan. 'Lieverd, je zit erbovenop!' Wick ging er eens goed voor zitten. 'Echt, je verdoet je energie met dat date-gedoe op internet. Ten eerste is het zonde van je tijd, ten tweede zijn het inderdaad allemaal engerds met bindings- én verlatingsangst, of ze zoeken een vierentwintigjarig Roemeens mokkel met cup D, en ten derde heb je je oog allang laten vallen op je directeur.' Zijn ogen twinkelden uitdagend.

Ik zocht naar een bijdehand antwoord maar voelde mijn benen loodzwaar worden. Wick had me door voor ik het zelf doorhad.

Wick deed me drakerig na: 'Stephan dit, Stephan dat...'

Ik wierp de krant naar zijn kop en dacht aarzelend na. 'Ja, alleen geeft mr. Smit geen sjoege.' Ik staarde in het niets. 'Waarschijnlijk heeft hij een hele batterij twintigjarige barbies aan zijn arm bungelen,' mopperde ik verder. 'In elk geval kijkt hij geen nanoseconde naar mij...'

Wick strekte zich uit. 'Jaaaaah, maar dan moet je ook wat meer je bést doen, liefie...'

Ik reageerde verontwaardigd. 'Ik doe onwijs mijn best! Maar mijnheer ziet me amper staan!' Als troost knuffelde ik een aaibaar kussentje dat op de bank lag.

'Op zakelijk gebied geloof ik graag dat je je stinkende best doet, maar voor een man van het kaliber Stephan Smit moet je een extra dimensie creëren.' Wick sloeg zijn benen over elkaar. 'Hij is een jager, lieverd, zo'n man wil je veroveren. En nu ben je zijn secretaresse, heel gedienstig en ijverig maar niet direct een geile uitdaging.' Ik pakte een nieuwe fles witte wijn en schonk Wick een grote bel bij terwijl hij vrolijk vervolgde: 'Met zulke mannen moet je flirten, je moet hen uitdagen, het spel spelen. Je o-p-e-n-e-n.'

Ik zuchtte en keek naar de punten van mijn nieuwe laarzen. Zo vermoeiend, dit. 'Hoe dan? Schaamteloos strippen?'

Wick schoot in de lach en aaide Pepita. 'Nee, dat is te plat, je hebt gewoon wat *spice* nodig. Blouseje open, rokje aan, hoge hakken en flirten maar! Ik zal morgen je haar doen en even door je kledingkast lopen.' Ik keek hem stoïcijns aan. 'Beetje schudden met je haar, knipoogje, suggestief opmerkinkje, beetje aanraken...'

'Ach gat, bah nee, Wick: is het zo makkelijk? Dat ligt er toch veel te dik bovenop, dadelijk gooit-ie me in de papierversnipperaar met mijn sensuele blouseje!'

Mijn keel was rauw van het harde praten.

Wick schudde zijn hoofd. 'Mannen zijn visuele schepsels, schat, als jij de hele dag op hoge hakken en in een strakgespannen blouseje om hem heen loopt te draaien, loopt die niet te versmaden directeur van je binnen de kortste keren met een strakgespannen broekje!' Ik keek hem afkeurend aan. '*Trust me*, ik weet waar mannen van houden!' Hij hief zijn glas om te proosten.

'Ach man! Dat geloof je zelf toch niet? Je weet toch hoe onhandig ik ben? Ik laat altijd alles op het moment suprême uit mijn handen vallen of ik heb zo'n scheur in mijn panty. Ze noemden me bij Woonnet Rijnmond niet voor niets Bridget Jones!' Ik zag het al voor me. 'En dan nog iets: zo'n kort rokje werkt niet bij een man van dat kaliber, hoor. Dat is zo goedkoop!'

Wick keek me schuin aan en hikte mee.

'Vergis je niet Roos, vergeet je extra dimensie niet!' Ik keek hem lodderig aan. 'Je intelligentie! En dat hebben die achttienjarige kleuters met hun opgespoten lippen nou nét niet, schat. Een man van het kaliber Stephan Smit wil worden uitgedaagd, zowel op intellectueel als op sensueel vlak. En dat heb jij toevallig in huis.' Tevreden nam hij een slok.

Ik moest nog even aan het idee wennen. 'Dus jij denkt dat...'

Wick knikte overtuigd. 'Natuurlijk, neem het nou van mij aan. Ik kan het niet verklaren, maar het is gewoon zo. Stephan Smit moet je verleiden, heel simpel en geraffineerd. Interesse wekken, het spel spelen: een beetje uitdagen, een opening geven. Nu ben je een verschrikt ijskonijn waar hij niet eens naar durft te kijken. Nee, het is een beetje geven, nemen, duwen, trekken. Uitdagen, spelen; god, hoe moeilijk is het. Ge-raf-fi-neerd, dat wordt je nieuwe mantra. Niet vergeten.'

Ik nam een slok en zweeg even.

'Hoe weet jij dat eigenlijk allemaal?'

Wick haalde zijn schouders op. 'Ik ben een man, en ik hoor natuurlijk wel eens wat in het Rotterdamse... Stephan Smit is een bekende figuur, vrouwen zijn dol op de "eeuwige vrijgezel", zoals ze hem in de wandelgangen noemen. En jij zit zo dicht bij het vuur dat je zijn interesse moet opwekken. Vertel over je privéleven, dat een man je mee uit heeft gevraagd, of dat je een lang weekend weggaat met een vriendje. Maak hem jaloers. Of in elk geval geïnteresseerd.'

'O, gatver, nee, ik wil helemaal geen spelletjes spelen...'

Wick zuchtte. 'Mannen zijn net kleine jongetjes, Roos, die willen gewoon spelen. Zich kwajongen voelen. God, mens, hoe moeilijk kan het zijn? Je zit dag en nacht op die man z'n lip!' Hij wierp zijn hoofd achterover op de leuning van de bank en hief quasiwanhopig zijn handen in de lucht. 'Je hebt een totale *reset* nodig, Roos, het wordt hoog tijd dat je heel anders gaat denken.'

Ik bromde wat en schonk de glazen nog eens bij; heerlijk deze thuisdrinksessies op vrijdagavond. Vanavond mocht het, en ik had geen sigaretten in huis; ik was trots op mezelf. Luna lag heerlijk in haar bedje te slapen en had geen last van onze oeverloze relazen.

'Nou goed, in dit geval denk ik dat ik wel een spelletje kan spelen.'

'Tuurlijk, wat heb je te verliezen?' Wick nam nog een slok.

'Mijn baan, bijvoorbeeld?'

Ik zag een glimlach om zijn mondhoeken verschijnen. 'Bij de Lidl zoeken ze nog steeds caissières...'

Ik kneep mijn ogen dicht en aaide gedachteloos Pepita. 'Weet je wat?' herinnerde ik me plotseling. 'Hij vertelde dat hij zondagmiddag een zeilwedstrijd heeft en de prijsuitreiking is bij Cinq, dé nieuwe strandtent in Rockanje!'

'Nou, dan gaan we daar toch "toevallig" naartoe?' Wick gaf me een knipoog. 'In je beste outfit en met je haar in de krul ga jij beeldig mysterieus zitten wezen. Laat de rest maar aan mij over!'

Hij stak zijn wijnglas in de lucht en ik toostte met hem. 'Op de missie-Smit!'

We gierden het uit.

Eveline 2.

Drie keer per week reed Eveline naar de oranjerie van Stichting Teddybeer. Die ochtenden begonnen om zeven uur, om iedereen op tijd en gedoucht aan het ontbijt te krijgen. Na dit huiselijke spitsuur gespte ze haar kinderen in de auto, zette ze af bij het Sint-Juliaan Auderghem Instituut in Antwerpen en reed door naar de stichting. Haar nanny Irina zorgde er altijd voor dat haar Starbucksbeker gevuld was met een café latte, en in een fijne gedachteloosheid reed ze over de Turnhoutsebaan naar Wommelgem. Een paar kilometer van hun huis lag het gemeentelijke domein Affligheim, dat uit 1106 dateerde en omringd werd door een natuurreservaat van ongeveer 42 hectare, dat tevens als openbaar park diende. Op het domein waren de ruïnes van het kasteel nog te vinden, evenals de restanten van de tempel van Venus en het badhuis Bobines-les-Bains. De orangerie werd begin vorige eeuw mooi gerestaureerd door de Heemkring, onder de bezielende leiding van baron Henri van Wommel. Hij werd omschreven als een romantische zonderling die aan grootheidswaanzin leed. Zo liet hij de boomstammen langs de oprit vanaf de Oevelse Dreef oppoetsen door de meiden, en hij liet zich rondrijden in een kruiwagen. Op zijn kale schedel liet hij haar schilderen, en zijn knechten hulde hij in militaire kledij. Eveline grinnikte in zichzelf; ze mocht die baron Henri wel.

Stapvoets reed ze door de ingangspoort bij de Oevelse Dreef langs de eeuwenoude linden, en sloeg links af. Toen ze net in België woonde, liep ze vaak door het desolate park met Beer, haar Berner Senner. Het stemde haar altijd treurig als ze zag hoe dit historische landgoed werd verwaarloosd. Het domein was door de gemeente afgesloten, het achterliggende gedeelte werd zelfs misbruikt als vuilstortplaats. Toen ze in verwachting was van Babette nam ze Rutger een keer mee om naar de verwaarloosde oranjerie te kijken. Op die dag scheen de zon door de bomen en dat zorgde voor een betoverend plaatje. Eveline legde haar plannen uit voor Stichting Teddybeer, en Rutger raakte enthousiast. Binnen anderhalf jaar was de oranjerie omgebouwd tot een schitterend monumentaal opvanghuis voor mishandelde kinderen.

De autobanden van de Range Rover knerpten over het grind. Evelines hart maakte altijd een opgewonden sprongetje wanneer ze bij het opvangcentrum aankwam. Ze zag de gekleurde tekeningen voor de ramen hangen en het nieuwe speeltoestel was geleverd. Snel parkeerde ze haar auto en pakte haar Birkin-handtas. De koele boslucht maakte haar hoofd helder. Hier deed ze het allemaal voor, hier betekende ze echt iets.

De vaste groepsleidster Annegreet kwam naar haar toe gelopen met twee jonge meisjes in haar kielzog die met gietertjes om haar heen dansten. 'Goedemorgen, mevrouw Van Amerongen!'

Eveline gaf Annegreet lichtjes twee zoenen op de wangen en aaide de meisjes over hun haren. Die kwetterden vrolijk door en besproeiden de plantenbakken bij de ingang. Ze liepen de gezellige keuken in, waar de open haard brandde. De oranjerie was omgebouwd tot een leefbare ruimte; alle kinderen hadden hun eigen kamer. De huiselijke sfeer was het belangrijkst; er was een grote keuken waarin gezamenlijk werd gegeten en een heerlijke huiskamer met grote zachte banken en een tv; voor de kleintjes was er een speelkamer en de wat groteren hadden een studeerkamer of 'playlounge' zoals dat tegenwoordig werd genoemd. Er was ruimte voor acht kinderen, die er om verschillende redenen verbleven. Annegreet pakte haar map erbij.

'Deze week gaan Ghislaine en Arend ons verlaten.'

Eveline knikte. 'Is er een plek voor hen gevonden?'

'Arend gaat weer naar huis en Ghislaine gaat naar een pleeggezin in Brasschaat.'

'Naar de familie Bestebreur?'

Annegreet knikte. 'Ja, ze zijn eindelijk overstag.'

'Mooi,' zei Eveline en ze herkende een gevoel van overwinning in haar buik. Meneer en mevrouw Bestebreur waren kennissen van Eveline en Rutger en ze hadden twee kinderen van veertien en zestien jaar. Eveline had Marion weten te overtuigen toen ze tijdens een lunch klaagde over haar lege bestaan nu de kinderen langzaam begonnen uit te vliegen. Eerst had haar man bezwaren gehad, maar hoe meer hij zich verzette, hoe vastberadener Marion werd. Met resultaat. Ghislaine zou zich geen lievere pleegmoeder kunnen wensen, bedacht Eveline terwijl ze in haar koffie blies.

'Heerlijk, zo. Komt die groep uit Roemenië volgende week vakantie vieren?'

Annegreet keek in haar agenda. 'Vrijdag over een week.'

'Ik kan niet wachten. Hebben ze nog iets bijzonders nodig?'

Annegreet schudde haar hoofd. 'Nee hoor, die kinderen weten waarschijnlijk niet wat ze zien!'

Eveline dacht na. 'Zal ik zo'n opblaasbaar zwembad laten komen?'

Annegreet schoot in de lach en raakte haar arm aan. 'Welnee, mevrouw, dat is veel te gevaarlijk en de kinderen hebben al zo veel lol met de tuinsproeier... Maar weet u wat een goed idee is? Op een mooie dag kunnen ze bij u in het zwembad komen zwemmen!'

Eveline knikte, dat leek inderdaad een goed idee en ze maakte in gedachten meteen een lijstje van benodigdheden. Toen stond ze op en ze begonnen aan de inspectieronde langs de kamers. Overal hingen tekeningen, het zag er vrolijk uit. Eveline kon niet nalaten om bij elk bed een chocolaatje te leggen, gewoon een klein gebaar voor het slapengaan.

Annegreet schudde haar hoofd. 'U verwent ze veel te veel, mevrouw.'

Eveline lachte en keek op haar horloge. Ze moest opschieten voor haar manicure- en pedicureafspraak. 'Je kunt dit soort kinderen nooit genoeg verwennen met aandacht, Annegreet.'

Ze spraken af donderdag een ronde met de psychologe mee te

lopen en de beoordelingen te bespreken. Licht als een veertje stapte Eveline in haar auto en toetste de pincode van haar telefoon in in het audiosysteem.

'U hebt twee nieuwe berichten,' klonk de blikkerige stem van de voicemail.

'Ja, madame Van Amerongen, hier is je zus, *the one and only* Lisa Marie!' Bij het horen van die stem voelde Eveline haar gezicht verstrakken. 'Bel me terug, zuster, het gaat om Vanessa, ze moet een beugel. En aangezien je zo begaan bent met zielige kindertjes zou je je bloedeigen nichtje best kunnen helpen... En o ja, ik denk dat ik over twee weken, als het vakantie is, lekker een paar daagjes in jouw buitenverblijf kom logeren met het hele spul, dus bel me!'

Evelines hart ging tekeer, ze vloekte luid. Niet dat spook uit haar verleden. Die beugel betaalde ze met liefde, de tweeling mocht in de vakantie langskomen, maar níét haar zus met haar nutteloze vent.

Het tweede bericht was van Stephan en weer schoot haar hartslag omhoog. 'Dag, schoonheid! Wilde je even een update geven over ons avontuurtje: volgend weekend ga ik met Roosje zeilen! Die uitnodiging ging erin als boterkoek, ik zie het nu al aan haar smachtende ogen! O ja, ik kom het weekend langs met Timmetje, want ik moet met Rutger wat financiële dingetjes rondbreien en waar kan dat nou beter dan in jouw uitnodigende *maison d'amour*?' Hij lachte hard. 'Ik stuur je een virtuele kus, en voor ik het vergeet: je was weer verrukkelijk! Voor herhaling vatbaar!' Hij lachte nogmaals om zijn eigen gevatheid. 'Mocht je vandaag of morgen goesting hebben, zullen we dan afspreken in hotel De Witte Lely?' Hij verbrak de verbinding zonder te groeten.

Eveline had vuurrode wangen en haar hart klopte onregelmatig. Snel wiste ze de berichtjes: stel je voor dat iemand ze zou onderscheppen. Zo gênant. Ze schudde onwillekeurig haar hoofd. Het was maar goed dat hij er als dekmantel een vriendin bij nam, want dit werd gevaarlijk. Ze wilde niet aan de consequenties denken en deed dat dus ook niet. In het niets starend wachtte ze tot het stoplicht groen werd en ze haar auto de ring van Antwerpen op mocht sturen. Haar gedachten flitsten terug naar haar jeugd, en als ze daaraan terugdacht, zag ze altijd eerst een grijze mist voor zich.

Evelines vader was haar moeders eerste liefde; toen ze hem leerde kennen, leek hij naar haar zeggen op Elvis Presley. Hij werkte als vrachtwagenchauffeur en haar moeder zat op de huishoudschool. Ze ontmoetten elkaar in het dorpscafé in Aalten bij de jukebox, en haar moeder was op haar zeventiende zwanger van Lisa Marie, genoemd naar Elvis' dochter; het was te erg voor woorden. Twee jaar later volgde Eveline en godzijdank vernoemden ze haar naar haar vaders moeder. Ondertussen werkte haar vader zich op tot internationaal vrachtwagenchauffeur. Om wat bij te verdienen, werkte haar moeder drie dagen in de week in het bejaardentehuis als verpleeghulp. Evelines vader was doordeweeks van huis en zoop in het weekend twee kratten bier leeg. Als hij veel dronk, werd hij luidruchtig en agressief. Haar moeder was niet tegen hem opgewassen en kroop voor hem door het stof. Ze deed wat hij wilde en bediende hem op zijn wenken. Als ze een keer tegen hem in ging of iets deed wat hem niet zinde, gaf hij haar een grote bek of smeet de asbak door de kamer; als hij echt dronken was, haalde hij uit en sloeg haar met vlakke hand in het gezicht.

Eveline hoorde in het weekend onophoudelijk het geruzie en hoopte altijd dat haar moeder hen zou meenemen. Ze fantaseerde erover dat ze in het holst van de nacht zouden vluchten en nooit meer zouden terugkeren. Dan zouden ze een nieuwe identiteit aannemen en in een boerderijtje bij het bos gaan wonen. Haar moeder ging dan in een gezellig bejaardencentrum werken en zij kreeg een pony. Maar dat gebeurde nooit. Haar moeder was een nerveuze vrouw die telkens weer in de mooie praatjes van haar man trapte, net zo hard meedronk en in liederlijk gebrabbel verzandde. Gelukkig was hij meestal weg, dan konden ze allemaal een beetje bijkomen.

Haar moeder bestelde kleding en meubels op afbetaling bij de Wehkamp en ging vijf dagen werken toen Eveline zes werd. 's Zomers gingen ze drie weken met de caravan naar Malgrat de Mar, waar haar ouders al om drie uur aan de sangria zaten en roodbruin verbrandden.

Eveline groeide met haar zus op in troosteloos Aalten, met de kermis als hoogtepunt van het jaar. Het leven van haar ouders werd voor haar een voorbeeld van alles wat ze níét wilde. Eveline verafschuwde de vrachtwagen met posters van halfnaakte vrouwen en haar vaders countrymuziek. Haar moeders handen roken altijd naar bleek als ze thuiskwam van haar werk. Dagelijks vertelde ze haar dochters verhalen over ziektes, dementie en dat zij nooit zo wilde eindigen: zielig en eenzaam. Maar dan dacht Eveline cynisch: wat is het verschil? Haar moeder draaide altijd vroege diensten en zat 's middags met thee en koekjes te wachten op haar dochters, zodat die haar later niet konden verwijten dat ze nooit thuis was. Maar in haar mok zat sherry en ze viel steevast om half zes op de bank in slaap. Eveline kookte dan een eenvoudige prak terwijl ze door het keukenraam de vaders uit de buurt thuis zag komen, kinderen naar de voetbal of hockey zag fietsen en moeders gezellig kaarsjes zag aansteken. Bij haar thuis gebeurde dat allemaal niet, en ze wist toen al zeker dat ze het later heel anders zou doen.

Getoeter wekte haar uit de dagdroom en ze gaf een dot gas. Ze baalde dat ze deze herinneringen toeliet. Ze haatte haar jeugd en ze had die ver weggestopt, maar soms doken de beelden als parasieten op. Ze zocht in haar Birkin in het speciale zijvakje. Niets. Daar werd ze nerveus van, want haar homeopathische middeltje hielp haar helder te worden en nare gedachten te verbannen.

Ze toetste het telefoonnummer van haar zus in. Voicemail. Ze drukte op de rode knop, ze zou het later nog wel proberen. Opgetogen belde ze hotel De Witte Lely en reserveerde de suite voor vrijdagmiddag. Een glimlach brak door op haar gezicht toen ze de auto voor Beautycenter Elysée op de Charlottalei parkeerde.

Irina kwam naar buiten en nam de bossen bloemen van Eveline aan. Ze had de kinderen van school gehaald en er liep een voetbalelftal van jongens en meisjes door de pas gemaaide tuin te sprinten. Kleine Suzy kwam op potsierlijke roze hakjes naar Eveline toe geschuifeld en vloog haar om de nek. Eveline was weer thuis en klaar voor het weekend. God, wat was het heerlijk om die twee mollige kinderarmpjes te voelen.

Ze was zich bewust van de stijve spieren in haar bovenbenen en de ze moest blozen bij gedachte aan Stephan. Ze hadden in hotel De Witte Lely geluncht met champagne en oesters, en daarna gevreeën. Eveline genoot van Stephans mannelijkheid. Hij was een zorgzame minnaar, wilde haar altijd tot een hoogtepunt brengen, kon uren doorgaan met strelen, aaien en vrijen. Hij beminde haar lichaam echt, wist alle plekjes te vinden en zo aan te raken dat ze wild werd. 'Je bent zo mooi,' fluisterde hij dan teder. 'Laat me je zien, Eefje, geef je aan mij over!' Hij wist hoe hij haar kon laten genieten van seks, van totale overgave en bij de gedachte aan dat hij langzaam haar lichaam kuste en naar beneden ging, ging er een stroomstoot door haar buik. Er was geen betere minnaar dan Stephan: wat hij in haar losmaakte kon geen ander. Bij hem kon ze eindelijk zichzelf zijn, los van alle blokkades, overtuigingen en opgelegde verplichtingen. Alleen aan hem kon ze zich volledig overgeven, alleen bij hem voelde ze zich uitermate vrouwelijk en sexy, bemind en gewild.

Eveline riep zichzelf tot de orde. Ze was weer thuis, met twee benen op de grond. Plotseling hoorde ze getoeter en ze zag de donkerblauwe Bentley het pad op rijden. De chauffeur reed tot aan de voordeur, en Rutger sprong uit de auto. Hij was roodverbrand en ze zag in een oogopslag dat zijn lichtblauwe overhemd onder de vlekken zat.

'Schat, ik ben thuis!' schreeuwde hij. Eveline merkte dat haar mond openstond. Ze herstelde zich snel en liep lachend op hem af.

'Wat doe jij hier?' vroeg ze glimlachend en ze drukte een kus op zijn mond. Hij glom van het zweet en omarmde haar hardhandig.

'Ja, ja, lieve Eef, ik zat daar in dat bloedverziekend hete Kuala Lumpur en dacht opeens: kom, laat ik mijn prinses eens verrassen en een dag eerder naar huis gaan!'

Beer sprong tegen hem op en Benjamin rende gillend naar zijn vader toe om zich achter hem te verstoppen voor zijn vriendjes. Rutger bedekte lachend zijn oren.

'Ik dacht, ik wil weer naar mijn schatjes toe, ik had in Kuala Lumpur genoeg spleetogen gezien!'

Tegelijk keken ze geschrokken naar Suzy, maar die had blijkbaar niets gehoord. Dat was typisch Rutger: bot en ontactisch. En ze raakte ook niet opgewonden als ze hem zag. Sterker nog: ze voelde alle energie uit haar benen stromen.

Onvervaard sloeg ze haar arm om zijn forse taille en liep met hem de voordeur door. Eerst wat eten, dan de kinderen naar bed, een flesje rode wijn soldaat maken en een verplicht nummertje seks. Na vanmiddag kon ze alles aan.

Roos 3.

'Mam, je haar danst!' Wick en ik schoten in de lach. Luna huppelde met Pepita achter ons aan de heuvel op bij het strand van Rockanje. Ze stak haar kleine handje in de mijne en ik aaide haar engelachtige haar, zuchtend van geluk maar ook een beetje van de spanning. Luna maakte me altijd zo blij, nee, zo ongelooflijk gewenst was een betere uitdrukking. Zonder haar zou mijn leven doelloos zijn, ze vulde de ruimte. Ik genoot van haar slaperige gezicht als ze 's morgens bij me in bed kroop. En van haar zachte stem, haar slaapgeur, haar vrolijkheid. Haar kleine voetjes die over het parket dribbelden. Soms kon ik haar wel fijnknijpen van geluk. Vandaag ook, we hadden uitgebreid gebadderd, samen leuke kleren uitgezocht, ontbijt gemaakt en luidkeels met Nick en Simon meegezongen.

Het was een ouderwets gezellig weekend geweest, ik had me geen minuut eenzaam gevoeld. De aanwezigheid van Wick sterkte me en terugkijkend op de afgelopen maanden zag ik me langzaam weer mezelf worden: een energieke, zelfstandige vrouw met een missie.

Op het strand wemelde het van de dagjesmensen die zuurstof kwamen happen. Het was een van de eerste mooie lentedagen en een waterig zonnetje liet zich voor het eerst deze week zien. Wick stak zijn arm door de mijne en we liepen het betonnen pad op. In de verte lag Club de Plage Cinq, van interieurdesigner Eric Kuster. Mijn hart bonkte in mijn keel: ik moest er niet aan denken dat Stephan uit de hoogte deed of me zou negeren. Aan mijn outfit en haar kon het niet liggen: helemaal Leontien Borsato, volgens Wick. Met toegeknepen ogen speurde ik het terras af, maar mijn intuïtie verraadde het al: Stephan was er. Ik voelde gewoon dat hij er was, hetzelfde onrustige gevoel dat ik had wanneer ik naar mijn werk reed.

Wick en Luna liepen voor me uit naar een loungehoek met witte kussens en ik volgde braaf, te nerveus om nog na te kunnen denken. Met veel bravoure bestelde Wick twee glazen witte wijn en een Fristi. Een knappe ober nam de bestelling op en gaf Wick een knipoog.

Opgewonden stootte mijn beste vriend me aan. 'Zag je dat?' Ik knikte. 'Dit wordt zo'n leuke middag, schat, ik voel het aan mijn Fristi.'

Ik leunde achterover en sloot mijn ogen, genietend van het eerste voorjaarszonnetje. De ober kwam terug met een fles witte wijn en twee glazen en schonk de bestelling uit op het houten bijzettafeltje. Wick legde een hand op zijn bovenarm. 'Wat dacht je? Bonnie St. Claire is binnen?'

De ober glimlachte vriendelijk en ontkurkte de fles. 'Nee hoor, u krijgt de complimenten van de heer in die hoek daar.'

Ik schoot omhoog, tuurde met mijn hand boven mijn ogen tegen de zon in en keek recht in de lachende ogen van Stephan Smit. Wick zwaaide naar Stephan met een grote grijns op zijn gezicht en siste in mijn oor: 'Rustig, lieverd, beeldig blijven! Mysterieus en geraffineerd, weet je nog? Niet te happig, latent gedesinteresseerd. Herhaal je mantra en adem in, adem uit. En knoop je blouse wat verder open.'

Ik gaf hem zijdelings een por en zakte terug in de kussens. De ober reikte ons de glazen aan en Wick hief zelfverzekerd zijn glas richting Stephan. Aarzelend volgde ik zijn voorbeeld. Stephan stond op en slenterde nonchalant naar ons toe. Hij gaf Wick een hand, mij drie zoenen en Luna een handje. Ik wist niet wat ik moest zeggen.

'Wat toevallig dat je hier bent, Roos! Fijn om je eens na werktijd te zien!' Ik knikte stijfjes en keek hulpeloos om me heen. 'Hebben jullie zin om bij ons te komen zitten? We hebben aan een zeilwedstrijd meegedaan op het Haringvliet in Hellevoetsluis en zitten hier een beetje bij te komen...' Hij boog zich voorover en fluisterde in mijn oor: 'En zonder naar te doen: ik ben die kerels na een weekend aardig zat, ik zou een beetje vrouwelijke gezelschap wel prettig vinden.' Hij gaf me een knipoog en ik voelde het bloed naar mijn wangen stijgen. Wick sprong direct op en pakte de fles wijn en de glazen.

'Nou, ik kan er nooit genoeg van krijgen, kom maar op met die mannen!' Ik keek hem waarschuwend aan.

Stephan liep voor me uit en ik keek naar zijn gebruinde benen onder zijn short. Hij was zo sexy dat mijn hart overuren maakte. Hij stelde me aan de rest van het gezelschap voor als zijn personal assistant en ergens in de hoek werd een opmerking gemaakt en gelachen. Stephan bood me een stoel aan en Wick gaf me een duwtje.

'Wordt het toch nog gezellig,' zei Stephan en onze glazen raakten elkaar. Hij keek me belangstellend aan en ik voelde me warm worden. Een jongensachtige grijns speelde om zijn lippen. 'Hou je van zeilen?' vroeg hij. Ik voelde dat Wick me onder de tafel aanstootte en mompelde dat ik wel eens gezeild had, waarop Wick het gesprek overnam. Stephan gaf me een knipoog, raakte mijn hand even aan en nodigde me uit om volgend weekend te gaan zeilen.

'Gooi de trossen maar los!' IJverig wond ik de dikke landvasten van de meerpaal en gooide ze op het voordek van het schip, zoals Stephan me had geïnstrueerd. Na onze ontmoeting in de strandtent had hij me donderdag per e-mail uitgenodigd om zaterdag met hem naar Willemstad te varen. Ik had amper kunnen slapen van opwinding; telkens schrok ik wakker uit een zalige droom met een helderblauwe zee en krijsende meeuwen. Stipt om half tien meldde ik me in de haven van Hellevoetsluis bij de havenmeester. Ik zag Stephan al boenend op het dek staan in zijn typerende voorovergebogen houding. Aarzelend hield ik de picknickmand vast en kuchte. Hij veerde op en begroette me met een kus op mijn wang. Zijn zonnebril hield hij op.

'Môgge, schoonheid.' Lachend bekeek hij me van top tot teen. 'Goede outfit, maar ik denk niet dat die broek lang wit zal blijven!'

Beschermend legde hij een arm om me heen en loodste me de kajuit in. Ik manoeuvreerde zo elegant mogelijk het trappetje af en ging aan de ovale tafel zitten. Vanmorgen had ik nog getwijfeld aan mijn outfit, maar ik vond wit wel bij zeilen passen. Gelukkig had ik ook een dik vest meegenomen, het was nog koud voor de tijd van het jaar.

'Koffie?' vroeg Stephan, en hij hield een mok omhoog. Ik knikte.

'Prachtige boot heb je...' Ik streek over de zachte kussens. 'Chic, dat donkerblauw...'

'Alsjeblieft.' Stephan zette twee geurende cappuccino's neer. 'Een "Swan" noemen we dit jacht,' zei hij, 'een Swan 45, de Bentley onder de zeiljachten. Ik ben er helemaal verzot op, hier doe ik het allemaal voor.' Peinzend keek hij me aan, liet de koffie in zijn mok ronddraaien en nam nog een slok. 'Elk jaar doe ik mee aan de Swan Regatta's, echt ongekend. De organisator is Leonardo Ferragamo, ken je die?' Ik knikte, volgens mij had ik er wel eens een reclame over gezien. Hij rekte zich uit en pakte een fotoalbum uit de mand. 'Dat zijn de waanzinnigste races op fantastische locaties als Capri, Sardinië, Saint-Tropez, Mallorca, Antigua maar ook in Scheveningen, hoor.' Ik zag de fijne lachrimpeltjes rond zijn ogen. Hij wees op een foto. 'Zie je?! Vroeger als jong ventje ging ik al mee als bemanningslid. Een waanzinnige tijd. Ik verdiende geen cent, als ik maar kon zeilen.' Hij glimlachte bij de gedachte. 'En feesten natuurlijk, na gedane zaken moet er gefeest worden!' Hij klapte het album dicht en zuchtte. 'Dat waren nog eens tijden... En nu doe ik aan die regatta's mee als eigenaar, een jongensdroom die uitkwam.' Hij keek op zijn horloge. 'Maar die kostbare hobby moet wel betaald worden, natuurlijk, daarom werk ik mezelf drie slagen in de ronde. En mijn vriend Rutger sponsort mee, hij speelt graag de grote kapitein.' Bij de gedachte bulderde hij van het lachen. 'Als hij niet van het schip dondert, tenminste, hij weegt inmiddels honderdtwintig kilo.' Stephan schudde zijn hoofd en keek me zijdelings aan. 'Als je het leuk vindt mag je wel eens met me mee naar zo'n regatta... Als personal assistant, beetje mijn zaakjes regelen, beetje bijbruinen...' Hij kon een glimlach nauwelijks onderdrukken. 'Ben je wel eens op Capri geweest?' Ik schudde mijn hoofd. 'O god, je zult het er heerlijk vinden, Capri is het eiland van de bloemen, geweldig! Het eten, de zee, het klimaat, de ambiance! En feesten, ongekend!' Hij tuurde naar buiten. 'Heel wat anders dan dit troosteloze haventje van Hellevoetsluis.'

Onzeker nam ik snel een slok. Stephan lachte weer en pakte een zeekaart uit een mand.

'We zijn samen, schoonheid, mijn zeilmaatje heeft gisteravond afgezegd. Te druk, je kent het wel.' Hij zuchtte, ik knikte. 'We zullen het dus met ons tweeën moeten doen, vandaag, maar rustig aan. Op volle zee zeilen we, in de haven varen we gewoon op de motor.' Zijn ogen lachten ondeugend. 'Heb je wel eens gezeild?' vroeg hij en zijn hand raakte de mijne.

'Eh ja, nou, een keer zijn we meegevaren op een zeilschip in Griekenland.' Dat telde vast niet mee.

'Vond je het leuk?'

Ik knikte. 'Geweldig,' zei ik, naar mijn gevoel té enthousiast. Ik snakte op ongemakkelijke momenten als deze naar een glas witte wijn en een sigaret, maar ik bande die gedachte snel uit. 'Ja, ik vond het zalig om over het water te scheren met de wind door je haren en niets dan stilte om je heen, echt de ultieme vrijheid!' Ik zag Stephan glimlachen en ik ontspande. 'Dus ik zou het graag leren!'

'Fijn,' zei Stephan zacht, 'ik zal het je leren...' Hij zette nu eindelijk zijn zonnebril af en was zo dichtbij dat ik zijn geur rook en zijn baard van twee dagen bijna op mijn gezicht voelde prikken. Hij keek me intens aan en ik moest me inhouden om mijn ogen niet te sluiten en me over te geven aan een oneindig durende zoen. Ik voelde zijn hand op mijn arm en mijn haartjes gingen rechtop staan. God, was dit een slechte Bouquetreeks? Ik moest cool blijven, me niet binnen vijf minuten al in de armen van de kapitein storten. Ik schraapte mijn keel en schoof een stukje van hem weg. Hij pakte de kaart en nam een slok koffie, de betovering was verbroken.

Met zijn vinger volgde hij de stippellijn van de haven van Hellevoetsluis naar Willemstad en flarden van zinnen bereikten mijn bewustzijn zonder echt door te dringen. Stephan pakte een leeg vel papier en schetste het schip. Hij gaf me een spoedcursus zeilen, maar mijn hoofd zat vol watten. Als in slow motion zag ik de woorden uit zijn mond rollen terwijl zijn gespierde onderarmen de verschillende standen van het zeil tekenden. Ik genoot intussen van zijn non-verbale kracht, zijn gebruinde huid, die rij witte tanden, dat heerlijke haar dat erom vroeg er met je handen door te woelen en zijn sprankelende ogen. Ik snoof nogmaals zijn geur op, het was bedwelmend.

'En nu jij!' Ik schrok op en nam een slok inmiddels koude koffie, rechtte mijn rug en draaide het vel papier om. Kordaat tekende ik een zeilschip, ik had gisteravond op Wikipedia alvast voorbereidingen getroffen om niet als een onnozele gans over te komen.

'Goed, dit is het zeilschip en als een zeilschip met de windrichting mee vaart, heeft het baat bij een bol zeil dat in staat is de aanstromende wind effectief te vertragen, zodat de in de wind aanwezige stromingsenergie goed wordt benut. Als een zeilschip een andere koers vaart en met name als het schuin tegen de wind in voortgang wil boeken, is een strakker zeil effectiever. De wind valt dan schuin in het zeil. Wegdrijven van het schip wordt verhinderd door kiel, midzwaard of zijzwaarden en het stuur. Tja, en dan heb je nog begrippen als overstag gaan, oploeven, enzovoort, maar als ik eerlijk ben, leer ik dat liever van jou in de praktijk...'

Stephan keek me geamuseerd aan en ik zag dat zijn linkeroog weer neigde tot loensen. Hij liet mijn hand op zijn onderarm liggen.

'Je hebt je huiswerk goed gedaan, meisje,' mompelde hij en ik rook de koffie in zijn adem.

Glimlachend haalde ik mijn schouders op, stond op en pakte de kopjes. '*Let's go*, maestro!' riep ik uitgelaten en ik snelde het trappetje op naar buiten.

Ik sloot mijn ogen: dit was de droom die ik had gehad: opspattend water, een groot zeil boven me en af en toe krijsende meeuwen die de stilte verbraken. Ik lag heerlijk onderuit op een paar dikke kussens met de zon op mijn gezicht. Ik had mijn witte jeans uitgetrokken om mijn benen te bruinen; mijn kaftan hield ik aan. Alles gelijk blootgeven was niet wijs, had Wick me toevertrouwd. 'Dat is zo ordinair, schat, zo 2009! Nee, je doet een beeldig bikinietje aan met een wapperende, dunne katoenen kaftan, en je laat je benen zien, je hebt prachtige benen!'

Dus was ik aan de slag gegaan met ontharingscrème, scrub en selftanner voor een weergaloos effect. Stephan droeg simpelweg een verwassen poloshirt op een kakibroek. Eenvoudig en casual, mannen hadden het veel makkelijker.

Ik glimlachte terwijl ik naar Stephan gluurde, de wind speelde met zijn haren en zijn voeten stonden stevig op het dek. Hij had me aanwijzingen gegeven en redelijk soepel waren we de haven uit gevaren. Nu lag ik te genieten en dit moment mocht voor mij eeuwig duren. Ik sloot mijn ogen weer en dacht aan de picknickmand.

'Heb je al trek?' vroeg ik Stephan, maar hij schudde zijn hoofd.

'Zo meteen, in Willemstad,' riep hij kortaf terug en ik liet hem in zijn eigen wereld. Na een uur zag ik een vuurtoren en ik nam aan dat die van Willemstad was. Ik keek naar Stephan, maar hij leek wel in trance.

'Wil jij de stootboeien zo meteen losmaken, Roos? En op mijn commando de landvasten op de kade gooien en vastmaken, weet je nog?'

Stephan reefde razendsnel de zeilen en schakelde over op de motor om de haven in te varen. De wind was sterk en met moeite hield ik me staande. Ingespannen stond ik te wachten terwijl nieuwsgierige gezichten vanaf de andere boten naar ons keken. We voeren behoorlijk snel. Ik gooide de stootboeien overboord en hield de nylon gevlochten lijnen stevig vast.

'Nu nog niet!' foeterde Stephan. Geschrokken keek ik achterom. De wind wervelde om me heen en ik greep me snel vast.

'Laat maar,' schreeuwde hij toen ik de boeien weer binnen wilde halen.

Ik stond gespannen, ontweek Stephans blik. Het schip voer te hard, mijn hart bonkte in mijn keel terwijl ik de kade gevaarlijk snel op me af zag komen. Op vijf meter afstand riep een man: 'Gooi de lijnen maar naar mij!' Ik wachtte even en gooide toen met al mijn kracht de touwen naar de kade, maar de wind werkte tegen. Mis. Ik durfde niet achterom te kijken, kon wel raden wat Stephan dacht. Razendsnel en met enig risico voor mijn armen haalde ik de natte lijnen uit het water en gooide ze alsnog op de kade. De man gaf me een bemoedigende knipoog.

'Dat scheelde niet veel, zeg!' riep hij naar Stephan.

Hoofdschuddend kwam die naast me staan, ik rook zijn zweet.

'Onervaren zeilster, voor mij wederom een les om nooit met een beginneling te gaan zeilen.' Verontwaardigd keek ik hem aan, en hij sloeg een arm om me heen. 'Maar ze is wel een leuk plaatje op het dek, vind je niet?' De mannen bulderden het uit van het lachen.

Na ons mislukte aanmeeravontuur ging eindelijk de fles rosé open. Ontspannen zaten we op het achterdek, met tapas, stokbrood en heerlijke salades tussen ons in.

'En, wat vind je ervan?' vroeg Stephan.

'Heerlijk,' zei ik recht uit mijn hart terwijl ik me de rosé goed liet smaken. Ik keek de haven rond en zag de gezelligheid. Ik zette mijn glas neer en vouwde mijn benen onder me. 'Dit is genieten,' zei ik, 'maar het echte zeilen moet ik nog leren...'

Stephan lachte en pakte mijn hand. 'Dat bedoel ik niet, Roos. Wat vind je van ons samen, zo?' Hij keek diep in mijn ogen. Ik voelde me vanbinnen smelten en dacht koortsachtig na over een antwoord. Zijn linkeroog draaide naar binnen, maar ik bleef hem aankijken.

'Denk je dat we een goed team zijn?' fluisterde hij. Ik knikte en ik voelde de tranen in mijn ogen branden. Stephan zag dat en trok me voorzichtig naar zich toe. Met gesloten ogen kuste hij mijn lippen en duwde zijn tong in mijn mond. Ik proefde de rosé.

Met een diepe zucht keek ik naar de sterrenhemel. De afgelopen uren waren eenvoudig verdwenen in de lome duisternis van vrijen, elkaar hapjes voeren en van elkaar proeven. *To good to be true*, zou

Wick zeggen. Zuchtend pakte ik mijn telefoon, drukte op INBOX en checkte mijn sms'jes.

Hoe gaat het? Tell me more, tell me more! Wick

Hoi mama, ik mis je maar heb het ook leuk! Papa vraagt hoe laat je me morgen komt halen! X Luna

Waar ben je sloerie? Lig je al in het vooronder? Details, details please! Wick

Hallo Roos, kom je vanavond eten? Je bent toch alleen thuis? x Mama

Ik was heel graag in het luchtledige nirvana gebleven, maar het thuisfront vroeg om aandacht. Opeens voelde ik een arm om me heen en ik huiverde. Stephan kuste me loom in mijn nek.

'Zou je een keertje met me mee willen naar Capri, lief, klein, lekker zeilmeisje van me?' Hij streek mijn haren uit mijn gezicht en drukte een zoen op mijn mond. Glimlachend bestudeerde hij mijn gezicht. 'Is er iets?' vroeg hij bezorgd toen hij zag dat ik weer tranen in mijn ogen kreeg. Ik schudde ontkennend mijn hoofd maar hij tilde mijn kin op. Ik kon toch moeilijk zeggen hoe gelukkig ik was, dat zou alles verstoren. Teder kuste hij mijn lippen en streek nog eens met zijn hand door mijn haar.

'Waarschijnlijk verpest ik alles door te zeggen hoe ik van dit moment geniet...' Zijn schorre stem werd gedragen door het water, en ik sloot mijn ogen. 'Maar ik doe het toch.' Ik omhelsde hem nog steviger, zijn kin rustte op mijn haren. 'Ik heb me in tijden niet zo happy gevoeld, Roos, echt waar.'

Ik kuste zijn borst en keek naar de sterren. Die sms'jes zou ik morgen wel versturen.

Eveline 3.

Neuriënd en in gedachten verzonken liep Eveline de trap af, de woonkamer door en toen opende ze de deur naar haar heiligdom. Sinds die morgen zeven uur was de dag een aaneenschakeling geweest van gestreste kinderen en een even gestreste Rutger. Nu was iedereen opgehoepeld en had ze eindelijk tijd voor zichzelf. Haar gedachten dwaalden af naar Stephan en een glimlach verscheen om haar lippen. Ze praatte in haar hoofd tegen zichzelf, op die manier kon ze zich afsluiten van de boze buitenwereld. *Er is geen enkele man die zo'n effect op me heeft als Stephan. Hij hoeft maar naar me te kijken en ik wil hem de bezemkast in trekken. Ik wil in zijn buurt zijn, zijn aandacht hebben. Ik wil hem gek maken van verlangen, het is een spel. Er is ook geen enkele man bij wie ik zo intens geniet, ik moet soms in mijn kussen bijten om het niet uit te schreeuwen van genot. Dat heb ik bij Rutger niet. Met hem is seks routinematig. Soms vind ik het jammer, maar je kunt niet alles hebben. Nu heb ik het beste van twee werelden.*

Ze was in haar bibliotheek waar ze altijd ging zitten als ze de drukte buiten wilde sluiten. De bibliotheek was verdeeld over twee verdiepingen: beneden had ze een halfrond eikenhouten bureau laten maken met een enorme wand met archiefkasten erachter. Een smeedijzeren wenteltrap leidde naar de vide, die ze tot een echte bibliotheek had omgetoverd, haar tempel. Daar had ze een oude, gebleekte, eikenhouten kloostervloer laten leggen en de wanden tot aan de plafonds vol laten bouwen met boekenkasten. Verder stond er een leestafel met een antieke, leren stoel en een bureaulamp; er waren geen ramen. Hier kon ze ongestoord een boek lezen of mijmeren over wat komen zou.

Ze pakte het stapeltje post van haar bureau en nam het mee naar boven, waar ze zich in de leren stoel nestelde. In de verte hoorde ze het monotone gezoem van de grasmaaier en een autoportier dat dichtsloeg. De motor werd gestart en de autobanden knerpten over het grind. Rutger was eindelijk vertrokken.

Geconcentreerd nam ze de stapel aanvragen door van het Nederlands Jeugdinstituut voor plaatsing van kinderen. Ze had al zo veel gevallen van mishandeling onder ogen gehad, maar het wende nooit. Soms vroeg ze zich af waarom mensen kinderen namen. Hier weer zo'n geval: Jamal, zes jaar, uit Gouda. Vader onbekend en moeder heeft vier kinderen. Haar nieuwe vriend mishandelt voornamelijk Jamal, omdat die ADHD heeft en licht autistisch is. Jamals moeder is inmiddels zwanger van de vijfde en haar nieuwe vriend kan Jamal er niet 'bij hebben'. Jamal volgt speciaal onderwijs waar hij echt zijn best doet, maar de situatie thuis is niet langer houdbaar. Vorige week heeft de vriend van zijn moeder hem zo hard geslagen dat hij met een ontzette kaak in het ziekenhuis is beland.

Eveline zuchtte, voelde zich aangeslagen en zette met een rode stift een groot uitroepteken op het dossier. Kort flitste het beeld voorbij van haarzelf, toen ze thuiskwam van het bijbaantje in de Hema en haar fiets op slot zette in het schuurtje. Meestal als haar vader thuis was, tuurde ze eerst even door het raam van de woonkamer om te peilen in wat voor bui hij was.

Ze herinnerde zich nog die keer dat haar vader op zijn sokken door de woonkamer ijsbeerde, de knoop van zijn spijkerbroek geopend. Ze zag zijn dikke, witte buik trillend onder zijn vale T-shirt prijken, en hoe hij wijdbeens op de geruite bank ging zitten en met zijn vlakke hand op tafel sloeg om zijn woorden kracht bij te zetten. Ze zag hoe haar moeder in een strakke legging en op haar hakjes heen en weer dribbelde terwijl ze het ene na het andere biertje voor haar man openmaakte. Eveline wist dat het foute boel was. Schoorvoetend liep ze naar binnen en haar vader sprak haar direct aan: waarom ze maar een zeven voor biologie had? Hij had zijn speech waarschijnlijk de hele week al voorbereid. Ze dacht toch zo intelligent te zijn, beter dan de rest? Ze wilde toch zo graag psycholoog worden? Waarom haalde ze dan verdomme geen betere cijfers, want nu was ze met dat arrogante gedrag de schande van de familie! Hij was dreigend voor haar gaan staan met vuurspuwende ogen, wachtend op een antwoord. Amper kon ze stamelen dat ze het ook niet wist, toen hij haar met zijn grote vuist al had geslagen. Brullend dat hij geen tegenspraak duldde en dat als ze zo intelligent dacht te zijn, ze met niet minder dan negens en tienen thuis mocht komen. Haar moeder jammerde en smeekte haar man de kinderen niet aan te raken, en Eveline zag de triomfantelijke blik van Lisa Marie: hun vader zou haar nooit aanraken. Hij sloeg Eveline nog een keer met vlakke hand en plofte daarna als een zak aardappels op de bank, liet zich achterover vallen en draaide zich op zijn zij.

'Geef me de afstandsbediening,' commandeerde hij zijn vrouw, die onmiddellijk gehoorzaamde. 'Zo gaat dat hier in huis,' had hij gemompeld, 'als ze niet willen luisteren, moeten ze maar voelen.'

Eveline haatte hem en zwoer wraak. Ze had een schrijnende kaak en een blauwe plek op haar jukbeen, die ze wegmoffelde met een camouflagestick van de Hema. De fysieke pijn kon ze wel aan, maar de innerlijke pijn zou nooit meer verdwijnen.

Met prikkende ogen zat ze voor zich uit te staren. Toen bande ze de onwelkome herinneringen uit. Automatisch grabbelde ze in het zijvakje van haar tas. Ze had het even nodig, ze moest helder denken.

Met de rode stift zette ze een grote cirkel om het uitroepteken. Prioriteit nummer één: Jamal moest naar Teddybeer en desnoods nam ze hem vervolgens in haar eigen gezin op. Ze bekeek nog drie dossiers en schreef een e-mail naar de directrice van het weeshuis in Roemenië.

De laatste brief ritste ze zuchtend open. Op geel papier stond geschreven: 'Waarschijnlijk wilt u dit wel weten.' Eveline vouwde de brief open en er vielen foto's op haar bureau. In het gelige licht van de lamp zag ze een geblinddoekte naakte man met zijn handen geboeid op zijn rug. Naast hem stond een vrouw op hoge leren laarzen en met een zweep in haar handen. Geschrokken gooide ze de foto van zich af en schoof rusteloos heen en weer, ze kon nu helemaal niet meer helder nadenken. Ze keek naar de foto die op de grond lag, zag de lange benen van de meesteres en het gebogen hoofd van de man, afwachtend, en als je lager keek duidelijk in opgewonden toestand; om hem heen stonden drie jonge vrouwen in zwarte laklederen pakjes toe te kijken. Eveline keek nog eens goed, de zenuwen in haar lijf waren gespannen, klaar voor het eindoordeel. Ze staarde naar het vette, ontblote lijf en herkende de moedervlek onder de linkertepel: dit was Rutger.

De hele dag had Eveline zich afgevraagd wat ze hiermee moest. Het was stil in haar hoofd. Dreigend stil. Ze was woedend en werd er nerveus van en vroeg zich voortdurend af of ze Rutger ermee moest confronteren. Of daar juist mee moest wachten. Stapelgek werd ze ervan, maar ze moest haar hoofd koel houden en strategisch nadenken. De foto's logen niet. Wat bezielde hem? Wat gaf hem zo'n kick dat hij al zijn verstand verloren leek te hebben? Hij zette alles op het spel; mogelijk waren die meisjes niet eens meerderjarig. Ze rilde ervan, het vieze vette zwijn. Ze voelde migraine opkomen, ook dat nog. Ze pakte de fles San Pellegrino en schonk een glas water in. Het kwam nu gewoon niet uit. Babettes verjaardag naderde, de Roemeense kindertjes die vakantie kwamen vieren, haar zus die met haar gezin tóch een paar dagen kwam logeren, Stephan, de kinderen, enzovoort. Dit moest maar even wachten, ze kon het zich nu niet permitteren. Ze legde de brief en de foto's in de brandkast, zoals ze wel meer gruwelijke herinneringen in haar persoonlijke kluis opborg.

Roos 4.

'Hai, mam, met mij.' Ik glimlachte, ik had mijn moeder al een tijdje niet gesproken.

'Ha, lieverd, hoe is het?' Ze wachtte mijn antwoord ongeduldig af en begon daarna direct over de zoon van haar vriendin Elly te vertellen, die er met een Dominicaanse vandoor was gegaan. Ik checkte mijn haar in het spiegeltje en keek naar de achterbank, waarop Luna met haar duim in haar mond naar buiten zat te turen. Daar moest ze echt van af, van dat duimen, het was geen gezicht meer.

'... en niet alleen het verdriet van die kindertjes maar ook het verdriet van zijn ouders...' Mijn moeder had het er nog over.

'Tja, mam, die dingen gebeuren nou eenmaal, ik kijk nergens meer van op! Een op de drie huwelijken gaat tegenwoordig kapot en in Amerika al een op de twee.' Ik schakelde terug en hoorde mijn moeder tegensputteren. 'Mam, tegenwoordig schrik ik eerder als mensen al twintig jaar bij elkaar zijn! Dan is mijn eerste reactie: hoe dóén die dat? Meestal hebben ze twee of drie kinderen, werkt zij parttime en hij fulltime, hebben ze een sociaal leven op de tennisclub en met vrienden, doen ze stedentrips en is zij luizenmoeder op school en doet aan yoga! Hij heeft waarschijnlijk een "papadag" en is ook nog trainer van het voetbalteam van zijn zoontje. Ik weet niet hoe al die stellen dat doen: schiet mij maar lek!' Nu was het stil aan de andere kant van de lijn. 'Klink ik erg gefrustreerd?' Mijn moeder had niet hetzelfde soort humor als mijn vader.

'Nou ja, lieverd, je moet wel een beetje uitkijken dat je niet té cynisch wordt.'

Ik zuchtte diep. 'Nee, maar tegenwoordig ligt de lat zo hoog dat ik er niet meer van opkijk dat mensen gaan scheiden als er een wulpse Dominicaanse langsloopt die met haar billen schudt...' Ik zuchtte nog eens theatraal. 'Ach, mam, het klinkt raar, maar ondanks al mijn verbitterde beschouwingen blijf ik in de liefde geloven.'

Mijn moeder was even uit het veld geslagen en deed toen waar ze goed in was: van onderwerp veranderen. 'God, dat is waar ook, hoe was je zeiltochtje?' Met gepaste trots vertelde ik een gekuiste versie, maar halverwege viel ze me in de rede: 'Kijk je wel uit, Roos? Ik bedoel, het is toch je báás, hè...'

Ik plukte zuchtend en aan mijn haar. 'Wéét ik, mam, ik doe het héél langzaam aan...'

'En waar ga je nu naartoe?' Handig veranderde ze weer van onderwerp.

'We gaan even bij Wick langs, even gezellig langs het strand wandelen, koffietje drinken, boodschapjes doen, je kent het wel.' We wisselden nog wat wetenswaardigheden uit en ik beloofde zondag te komen eten. Draadjesvlees met bloemkool, ik keek er al naar uit.

Crèmekleurig met oranje strepen over de gehele lengte, twee klapraampjes die halfopen konden en een oranje deur. Vijf meter lang, twee meter breed. Monsterlijk lelijk was Wicks stacaravan, maar dat durfde ik niet te zeggen, dat zou zijn alsof ik zijn kind beledigde. Binnen stond een ovale tafel met een U-vormige zitbank in seventies-bruin. Wick noemde het interieur 'retro' en hij was er dol op. Mij herinnerde het aan sherry, de Bee Gees, het suède jasje van mijn vader en de plateauzolen van mijn moeders patchworklaarzen uit de jaren zeventig. Ik wilde niet klagen over het muffe interieur, zeker niet nu de zon het liet afweten en de camping een armoedige indruk maakte. Van april tot oktober zat Wick, zodra het weer het toeliet, in zijn buitenverblijf in Oostvoorne. Dat was een kant van hem die ik nooit goed had begrepen, maar hij vond het geweldig op het Kruininger Gors, het recreatiepark onder de rook van Rotterdam. Hij had een heerlijk appartement vlak bij de Meent, maar moest af en toe 'zuurstof happen'. De kneuterigheid van de camping, het geroddel met de buurvrouwen en boodschappen doen op de markt vond Wick ultieme ontspanning. Zijn moeder Nelly kwam er al haar hele leven, en ik hield het maar op een vorm van jeugdsentiment.

Wick zat grijnzend voor zijn caravan in een plastic klapstoel met een plaid over zijn benen. Hij hield een mok koffie omhoog.

'Ga lekker zitten, schat.'

Eerst aaide ik Pepita, die op haar achterpootjes een vreugdedansje maakte. Luna sprong met haar plastic laarzen in de plassen.

'Wick, Wick, gaan we schelpen zoeken?'

Lachend keerde hij haar ondersteboven, en ze gilde het uit. 'Jij gaat eerst Pepietje uitlaten, prinses, mama en ik moeten nodig praten.' Voorzichtig zette hij haar weer neer.

'Maar jullie moeten altijd praten,' zei Luna met gespeelde verontwaardiging terwijl ze de riem aan Pepita's halsband met Swarowski-stenen klikte. Wick gaf haar een paar euro en vroeg haar bij het campingwinkeltje een krant te halen, dan mocht ze zelf Bubbalicious kopen. Opgewekt liep ze weg, Pepita trok snurkend aan de riem.

'Zo. Dat jij je hier nog durft te vertonen.' Hij trok zijn rechterwenkbrauw op en had zijn armen demonstratief over elkaar geslagen. Ik kon met moeite een glimlach onderdrukken, maar wachtte af wat er nog meer kwam.

'Je kunt toch béllen? Of een verdomd sms'je sturen, Roos, hoe moeilijk is dat nou?!'

Ik zuchtte diep. 'Wick, stel je verdomme niet zo aan, ik was heus niet op stap met een psychopaat, hoor!'

Wick klakte op zijn typerende wijze met zijn tong.

'Schat, ik leg het je nog één keer uit: al ga je uit eten met een Hell's Angel of een politieagent, je móét me gewoon laten weten waar je bent en of het goed met je gaat! Ik ben namelijk je contact met de rest van de wereld!' Ik fronste mijn wenkbrauwen. 'Geloof me, gisteren belden je moeder en zelfs je ex Roland om te vragen waar je was! Terwijl ik in de Tuin stond te dansen!' Wick leunde voorover om zijn woorden kracht bij te zetten. 'Luister, als ik niet weet dat jij veilig bent en het naar je zin hebt, kan ik ook niet genieten of me ontspannen. Voor hetzelfde geld had hij je in stukken gesneden en aan de haaien gevoerd...'

'In de Noordzee zwemmen geen haaien.'

Wick leunde achterover, goot het laatste restje koffie naar binnen. 'En van Fritzl wisten we ook niet dat hij al zevenentwintig jaar zijn dochter in de kelder had opgesloten.'

Ik gierde het uit. 'Stephan of Fritzl: kom op, Wick.'

Hij zette zijn mok op de grond en stak zijn hand op. 'Nee, ik ben nog niet klaar: voor hetzelfde geld had hij je in Willemstad poedelnaakt en zonder ene rooie rotcent achtergelaten op de kade...'

Ik wierp lachend mijn hoofd in mijn nek. 'Alsjeblieft, stop met die onzin, Wick, ik ben bijna veertig! Goed, ik heb de boodschap begrepen; ben je nu weer lief voor me?'

Hij bleef me streng aankijken. 'Ik vind het ook helemaal niks voor jou, normaal ben je altijd zo verantwoordelijk...'

Ik zwiepte mijn been over de leuning. 'Zal ik even je geheugen opfrissen? Getrouwde Bart, barman Hakkan, ene Manfred in dat hotel in Breda tijdens die kappersshow...'

Wick wreef met zijn hand over zijn gezicht en kneep zijn ogen dicht, ik zag een glimlach om zijn lippen verschijnen. 'Je bent verdomme ook een *lost soul* af en toe...' mompelde hij.

Ik lachte. 'Laten we afspreken dat ik je voortaan een sms stuur voor ik me overgeef aan een urenlange vrijpartij...'

'Deal.' Hij liet even een pauze vallen. 'En, hoe was-ie? Zijn ogen straalden van ongeduld.

'O, Wick, zááálig!'

Van opwinding klapte hij in zijn handen. 'Vertel, vertel! Was het de zonde waard?!'

In detail vertelde ik hoe lief en zorgzaam Stephan me had bemind, hoe hij uitgebreid de tijd nam om mijn lichaam te verkennen en hoe teder hij de liefde met me had bedreven.

'Dus je hebt seks gehad op de eerste date?' Hij keek me berispend aan.

Ik haalde mijn schouders op. 'Ja, ik kan er helaas niets anders van maken, maar het ging zo natuurlijk, het voelde zo goed...'

Verrukt sloot hij zijn ogen. 'Geweldig, lieverd, ge-wel-dig! Dat betekent dat er een niet te remmen aantrekkingskracht tussen jullie bestaat. Een goed teken, schat.'

Ik knikte en schonk wat water bij uit de kan op het tafeltje. 'Het voelde goed en vergeet niet dat ik hem inmiddels al een paar maanden ken, ik bedoel, het móést een keer gebeuren!' Ik dacht aan die avond onder de sterrenhemel en een warm gevoel overspoelde me. 'Het is zo anders, Wick, zo mooi, zo liefdevol en aandachtig...'

'Misschien zoals het eigenlijk hoort,' zei Wick.

Ik knikte. 'Precies zoals ik me als romantische ziel altijd had gewenst... Geen ranzige seks na drie flessen wijn, geen snelle onenightstand maar... liefdevol.' Ik kreeg een brok in mijn keel.

Wick pakte mijn hand. 'Dat is dan toch heerlijk voor je, schat, dat je na bijna veertig jaar eindelijk eens een normale vent tegenkomt...'

Ik kuchte. 'Daarom ben ik misschien emotioneel: Stephan is de eerste die me het gevoel geeft dat ik mijn best wil doen... dat ik er echt voor wil gaan en dat heb ik lang niet meer bij iemand gehad. Ik vergeet alles om me heen als ik in zijn buurt ben, zelfs mijn bloedeigen kind!' Ik staarde in het niets. 'Ik kan het niet bevatten, Wick, het lijkt *too good to be true*.' Wick streelde mijn hand. 'En als het te mooi lijkt om waar te zijn, is het meestal niet waar...' Mijn ogen prikten. 'Maar, dit – dit is anders, het is zó bijzonder, zó intens, het voelt zó ongelooflijk natuurlijk... Ik wist gewoon niet dat het zo makkelijk ging, soms ben ik...'

'Bang?'

Ik knikte en kneep mijn lippen samen, anders zou ik gaan huilen.

Wick pakte mijn beide handen. 'Ik begrijp het, lieverd, je bent ook zo op je hart getrapt dat het moeilijk is te geloven dat liefde nog kan bestaan.' Hij pauzeerde. 'Maar het bestaat, Roosje, je moet er alleen in geloven.'

Ik boog mijn hoofd en staarde naar mijn handen. 'Ik wil er ook graag in geloven, ik wil het zo graag... maar ik dúrf niet, snap je?! Je weet het nooit met Stephan, gezien zijn reputatie...'

Wick ging naast me zitten en wreef over mijn rug. 'Probeer nou eens vanuit je hart te leven, dommie, en niet altijd vanuit je hoofd. Stop toch eens met dat nadenken en ga alsjeblieft op je gevoel af. Jouw gevoel vertelt je of het goed is of niet; en dat is het toch? Hij nodigt je uit, hij neemt de tijd en vrijt liefdevol met je. Dan zit het toch goed? Volg gewoon je hart. Leef nu en geniet ervan. Misschien maak jij ook iets bij hem los, Roos, dat kan toch heel goed? Geloof er gewoon in, tuttebel, zo simpel kan de liefde namelijk zijn...'

Het gesprek met Wick werkte bevrijdend; mijn angst had plaatsgemaakt voor een bruisend gevoel. Ook op mijn werk ging het lekker. Ik raakte steeds beter ingewerkt, en bepaalde zaken gingen me goed af. De zomertijd was net ingegaan en de avonden werden langer, de narcissen staken vrolijk hun gele kopjes uit de grond en ik zag een frisse zweem jong groen als ik door het bos liep.

'Roos, ga je mee naar het Galjoen in Brielle?' riep Stephan vanuit zijn kantoor. Ik dacht snel na. In Brielle werd een nieuwbouwproject ontwikkeld met appartementen, rijtjeshuizen, herenhuizen en twee-onder-een-kapwoningen. Smit Projectontwikkelaars had de grond aangekocht en het project ontwikkeld. De bouw was in het voorjaar van 2009 begonnen, maar door de kredietcrisis was nog maar 40 procent van de geplande bebouwing verkocht: een ramp voor Stephan. Ik typte snel een mailtje af, riep dat ik eraan kwam en zette mijn computer op de slaapstand. Stephan liep mijn kantoor binnen.

'Zullen we dan gelijk een hapje lunchen?' vroeg hij terwijl hij op zijn horloge keek. 'Dan hoef je je boterhammetjes niet mee te nemen.' Hij vond het elke dag weer grappig dat ik mijn eigen lunchpakketje meebracht. Ik schoot mijn jas aan en pakte mijn tas.

'Ik ben naar het Galjoen in Brielle,' zei ik zakelijk tegen mijn collega's. 'Over een uurtje weer terug.'

Stephan grijnsde. 'Maak daar maar twee uurtjes meer van!' riep hij en hij hield de deur voor me open. Ik stapte in zijn Range Rover Sport en we zoefden de Maasboulevard op.

‘Ben je nou nooit bang dat ze erachter komen?’ vroeg ik.

Hij keek me vorsend aan. ‘Angst is een slechte raadgever, Roos.’

Ik rolde met mijn ogen. ‘Ja, jij hebt makkelijk praten, maar ik kan het me niet permitteren om mijn baan te verliezen.’

Stephan pakte mijn hand en speelde met mijn vingers terwijl we voor het stoplicht wachtten. ‘Wie niet waagt, die niet wint...’

Ik slaakte een zucht. ‘Heb je nog meer van die diepzinnige oneliners?’

Hij lachte hard, woest aantrekkelijk. ‘Wat kan mij het schelen, lieve, heerlijke, prachtige, slimme Roos! Het interesseert me werkelijk niets wat ze zeggen, zolang ze hun werk maar goed doen! Ik ben de baas, weet je nog?’ Hij keek me zijdelings aan. ‘Maak je niet zo druk, ze roddelen toch wel over ons. Laten we er dan maar van genieten: ik bedoel, het zou zonde zijn als ze denken dat we het samen doen en we doen het niet! Gemiste kans, zou ik zeggen!’

Nu moest ik ook lachen. We sloegen af na de Thomassentunnel, richting Brielle.

‘Ik moet een goed plan de campagne bedenken voor de verkoop, Roos,’ mompelde Stephan ineens ernstig. ‘Die aanhoudende teneur van de kredietcrisis moeten we doorbreken.’

Ik dacht na, had ook geen idee maar moest toch wat zeggen. ‘Als we nu eens aantrekkelijke financieringen beloven? Zoiets als het eerste jaar renteloos wonen?’

‘Daar heb ik ook al aan gedacht,’ mompelde Stephan, ‘of aan de overname van een overbruggingskrediet zolang het oude huis niet verkocht is. Volgend weekend ga ik even bij Rutger langs, er zijn vast wel mogelijkheden om uit te werken.’ Hij drukte een kus op mijn hand. ‘Na deze bouwvergadering gaan we tijdens de lunch eens lekker brainstormen in restaurant de Zalm, flesje wit erbij, we komen er wel!’

We stapten uit op de modderige vlakte waar het Galjoen moest verrijzen en liepen naar de bouwkeet. Zo zag ik Stephan het liefst: doelbewust en vol zelfvertrouwen. Hij schudde de hand van de aannemer, nam de plannen door met de uitvoerder, gaf hier en daar wat aanwijzingen en klom net zo makkelijk op een stellage om te kijken naar de vorderingen. Maakte een grap met de bouwvakkers en liep tenslotte weer naar zijn auto, waar hij galant het portier voor me openhield. Iedereen groette en ging verder aan het werk.

'*Work hard, play hard*, Roosje, geniet van het leven!' Het was inmiddels half drie en we hadden uitgebreid geluncht. 'Met jou kom ik tenminste verder!'

Ik gloeide helemaal, maar wist niet of het van de wijn kwam of van zijn complimenten.

'Volgende week ga ik naar mijn compagnon Rutger om alles te bespreken. Als jij voor die tijd onze ideeën op papier uitwerkt, komt het helemaal goed.' Ik knikte en maakte aantekeningen. Hij veegde zijn mond af met een servet. 'Of ga lekker mee met je dochter! Rutger en Eveline geven een verjaardagsfeestje voor hun oudste dochter, altijd beregezellig!'

Ik keek hem onderzoekend aan. 'Dus je bedoelt dat ik mee mag naar je beste vrienden?!'

Hij knikte. 'Dat is toch leuk? Tenminste, dat lijkt mij gezellig!'

Ik bestelde een cappuccino en dacht na. 'Maar moeten Luna en Tim elkaar niet eerst ontmoeten... is het niet beter als ik Tim eerst ontmoet?' Ik durfde Stephan niet aan te kijken en speelde met het koffielepeltje.

Stephan boog over de tafel en pakte mijn hand. 'Dat was ik al van plan, klein angsthaasje van me, wat ben je toch schattig als je zo kijkt...' Hij had me door. 'Ik wilde jullie dit weekend namelijk bij mij thuis uitnodigen voor mijn wereldberoemde lasagne à la Smit. Hebt u, hare majesteit de koningin, met kleine Maxima zaterdagavond wellicht tijd?'

Ik giechelde en gooide een chocoladekoffieboontje in zijn richting. 'Schei toch uit, alsjeblieft, doe nou maar gewoon!'

Stephan nam de rekening in ontvangst en keek me langdurig aan. 'Dat is het probleem juist, Roosje Maasbruggen: jij bent niet zomaar gewoon.' Hij verstrengelde zijn vingers met de mijne. 'Jij bent een warme vrouw, Roos, en ik heb je graag bij me...'

Wick schreeuwde het uit. 'Dus hij vroeg VERKERING! O, my god, Roos, wat romántisch!'

Ik gierde van het lachen. 'Ik weet het: het was zo knullig maar ook zo schattig! Stephan vroeg of ik vaker bij hem wilde zijn! Hij belde Rutger direct op om te vragen of hij zijn nieuwe vriendin mocht meenemen naar het verjaardagspartijtje! De wonderen zijn de wereld nog niet uit, Wick, maar echt waar, dit voelt zóóó goed! O ja, en ik ga mee naar Capriiiiii!'

Ik hield het telefoontoestel aan mijn andere oor, Wick was alleen maar aan het gillen: 'Schat, ik moet aan de zuurstof! Dit is zo 1989!' We gilden samen door de telefoon en toen was het stil.

'Zet je het op Facebook?'

Ik dacht na, sinds ik bij Smit Makelaars werkte was mijn Facebookverslaving afgenomen. Wick zette er werkelijk alles op, ook om zijn salon te promoten.

'Nah, denk het niet. Ik hou het nog even lekker voor mezelf, op de zaak hoeven ze het zeker niet te weten.' Wick mompelde wat en ik hoorde dat hij in de keuken bezig was. 'En zaterdag gaat hij voor ons koken, voor Luna en mij.'

'Bij hem thuis?'

'Bij hem thuis, hij trakteert op de wereldberoemde lasagne à la Smit!'

Wick kreunde. 'Blijf je slapen?'

Ik schrok. 'Nee, natuurlijk niet, idioot.'

Wick reageerde verongelijkt. 'Nou, dat kan toch?! Luna prop je bij Tim op de kamer en jij sluipt in je beeldige negligé bij Steef in bed!'

Ik zuchtte diep. 'Lieve schat, zullen we dat maar voor een andere keer bewaren? Ik vind het sowieso doodeng om te seksen als Luna in hetzelfde huis ligt te slapen.'

'O, god, daar gaan we weer!' Wick zuchtte. 'Hoe zit het dan met al die ouders van jonge kinderen? Hebben die nooit seks?'

Ik lachte en keek uit het raam. 'Dat is anders, Wick, ik vind dat gewoon anders.' Ik keek op mijn horloge. 'Lieverd, ik moet nu echt gaan, de plicht roept!'

'Oké, ik ga ook weer aan het werk, want vanmiddag komt die hysterische Serge uit Brussel weer botox spuiten... dus als jij nog een shotje wilt, vanmiddag zit het hier vol gillende opgespoten vissenkoppen uit Hillegersberg!'

Ik lachte. 'Vind je dat ik het nodig heb?'

Wick sprak tegen iemand anders in de kapsalon.

'Wat zei je? Nodig? Nee, ik denk dat je verkering je wel retestrak houdt!' Hij gierde het uit.

Ik lachte met hem mee en keek in het spiegeltje in mijn handtas. Misschien moest ik toch maar een shotje botox halen. *Just in case.*

Soms voelde ik me puberaal. In Wicks Mini Cooper was ik al twee keer langs het huis van Stephan in Oud-Beijerland gereden. Ik keek in mijn achteruitkijkspiegel en zag het zand achter me opstuiven. Het statige herenhuis en de groene weilanden verdwenen naar de achtergrond. Luna zat achterin en zong mee met Lady Gaga. Ik beet op mijn nagel en dacht na; waarom was ik zo nerveus? Ik werkte inmiddels een paar maanden voor Stephan, was talloze keren met hem uit eten geweest, we hadden gezoend en gevreeën, maar ik vond het doodeng om bij hem thuis langs te gaan. Ik sprak mezelf streng toe. Aan het einde van de straat keerde ik om en reed langzaam terug. Nummer 68. Met bonkend hart stapte ik uit en drukte op de bel bij het hek. Het bolle, zwarte oog boven de bel bekeek me ongetwijfeld. Plotseling hoorde ik een stem: 'Roos! Kom binnen!'

God, hij kon me gewoon zien, misschien had hij me ook al twee keer langs zien rijden. Met onvaste stem antwoordde ik een bevestiging, en het hek ging open. Ik reed langzaam over het pad dat naar rechts afboog, en parkeerde onder de lindebomen.

Ik zag Luna met haar helderblauwe ogen naar het huis kijken. 'Woont Maxima hier, mama?'

Ik schoot in de lach en zag de grijnzende kop van Stephan toen hij soepel de stenen trap af liep. In een donkerblauwe joggingbroek met een wit T-shirt, ik had hem bijna niet herkend. Ik pakte mijn tas van de achterbank en controleerde voor we uitstapten of ik genoeg kauwgum bij me had.

'Dag Roos, en wie is deze mooie prinses?' zei hij wijzend op Luna. Ze keek stralend naar hem op.

'Dit, dit is ehm, Luna, maar je hebt haar al op het strand gezien,' hoorde ik mezelf stamelen.

Stephan vroeg of ze trek had in een glaasje limonade. Keuvelend liepen ze voor me uit. 'Ik heb al veel over je gehoord, Luna, maar eindelijk kom je dan eens bij ons spelen!'

Nieuwsgierig keek ik over zijn schouder naar binnen. Ja hoor, een wenteltrap zoals je alleen in Amerikaanse soapseries ziet. Een natuurstenen vloer in zandkleur en aan beide zijden hoge donkergrijze lakdeuren die naar de overige vertrekken leidden. Overdreven veegde ik mijn voeten, liet de ruimte op me inwerken en keek naar de kroonluchter. Het schoot door mijn hoofd dat zijn hal waarschijnlijk groter was dan mijn woonkamer. Ik volgde Stephan langzaam door grote deuren en stond midden in een royale woonkeuken met uitzicht op een grote tuin.

'O, mijn god,' stamelde ik, 'wat woon je hier mooi!'

Geamuseerd keek hij me aan. 'Vind je het wat?' Zonder mijn antwoord af te wachten drukte hij op de knop van het Nespresso-apparaat. 'Melk en een zoetje, toch?' zei hij met een grijns om zijn mond. 'Tim! Kom eens hier, we hebben visite!' Ik zag iets op de sofa voor de open haard bewegen en een blond koppie kwam onder een bontplaid uit. 'Kijk eens, grote vriend, we hebben twee prachtige dames op visite.' Schuchter kwam het jochie dichterbij en Stephan pakte terloops zijn gameboy af. 'Timmie, ga jij Luna je trampoline maar eens laten zien.' Luna's ogen lichtten op en samen liepen ze door de openslaande deuren de tuin in. Stephan zette een kop koffie voor me neer, pakte zijn leesbrilletje en keek me geamuseerd aan.

'Zo, schoonheid, eindelijk ben je bij me thuis!'

Ik keek om me heen en woog mijn woorden. 'Tja, jeetje, wat moet ik zeggen? Ik weet eerlijk gezegd niet wat ik zie! Zulke huizen ken ik alleen van plaatjes, in de *Residence* of zo...'

Hij drukte een kus op mijn hand.

'Ik weet het, lieverd, het is een prachtig huis en ik voel me hier ook heel prettig. Ik heb het helemaal naar mijn eigen wens gebouwd voor Tim werd geboren; eigenhandig ontworpen en gebouwd.' Zijn stem stierf weg en in gedachten streelde hij met zijn prachtige handen het Belgisch-hardstenen blad van het kookeiland. Toen haalde hij zijn schouders op en keek me met een spijtige blik aan. 'Maar Aurelie kon hier niet aarden, ze noemde dit een gouden kooi...' Hij stak zijn handen in de zakken van zijn joggingbroek. 'Je weet hoe het geëindigd is.'

Ik knikte, mijn keel was droog. Drie minuten binnen en nu al in een diep gesprek.

'Maar ja, we moeten verder,' zei hij monter, 'je moet niet in het verleden blijven hangen.' Ik schudde mijn haar naar achter en toverde mijn liefste glimlach tevoorschijn. Stephan bood me een slagroomsoesje aan op een zilveren schaaltje. 'We wonen hier inmiddels acht jaar samen, Tim en ik, en we redden het prima, met onze hulp in de huishouding.' Inmiddels had hij zijn armen over elkaar geslagen en hij keek naar buiten. 'Ach, ja, het is mijn droomhuis maar toch mist het iets...' Hij strekte zijn arm uit en ik pakte zijn hand. 'Het mist liefde, Roos, liefde en gezelligheid.' Hij liep naar me toe en zoende me voorzichtig op mijn mond. Met een licht gebaar duwde ik hem van me af.

'Verover je alle vrouwen zo?' vroeg ik overmoedig.

Stephans gezicht vertrok en hij liep naar de koelkast. 'Na mijn scheiding zijn hier sporadisch vrouwen geweest, Roos, wat dacht jij dan? Tim woont bij mij en ik hou wel degelijk rekening met zijn gevoelens. Je denkt toch niet dat ik iedere verovering mee naar huis sleur? Bovendien zouden vrouwen wel eens een verkeerde indruk van me kunnen krijgen en ik ben juist allergisch voor golddiggers.'

Het was even pijnlijk stil, ik lachte schaapachtig. 'God, nou ja, beetje stomme opmerking, misschien.' De zogenaamde kras door de plaat, ik voelde me een dom schaap.

Hij knikte en pakte mijn beide bovenarmen. 'Zeker een heel domme opmerking. Maar het geeft niet, ik wil alleen niet dat jij zo over mij denkt.' Hij streek een lok uit mijn gezicht. 'Vanavond kun je het nog goedmaken...'

Ik giechelde. 'Geef me eerst maar een wit wijntje om een beetje te ontspannen,' zei ik en ik zoende hem licht op zijn lippen.

Op dat moment kwamen Tim en Luna binnen.

'Papa, Luna zegt dat ze een hond heeft!'

'O ja, is dat zo?' vroeg Stephan.

Luna knikte hevig, ze had rode konen. 'Jahaaa, wij hebben Pepita, ons mopshondje!'

Ik lachte ongemakkelijk, want het was eigenlijk Wicks hond die vaak bij ons kwam als hij op zaterdag in de kapsalon moest werken.

Stephan keek me aan. 'En hoe doe je dat dan met je werk?'

Ik legde de situatie uit.

Stephan sloeg een arm om Tim heen. 'Zie je wel, lieverd, zij lénen af en toe een hond.'

Verontwaardigd keek Tim naar Luna. 'Toch wil ik een hond!' zei hij drammerig.

'Weet je wat,' zei ik monter, 'dan kom je een keer bij ons met Pepita spelen, dat vindt Pietje vast heel leuk!'

Opgetogen sprong Luna op. 'Ja, ja, dan kunnen we 'm kunstjes leren en circus spelen!' Tim lachte weer en met een pakje Capri-Sonne in hun hand renden de kinderen de tuin weer in. Ik zag dat Stephan ze nastaarde. Hij keek me aan.

'Dat was lief van je.'

De zon scheen waterig door de ramen en opeens voelde ik zijn eenzaamheid. Ik ging achter hem staan en sloeg mijn armen om hem heen. Heel licht zoende ik hem in zijn nek en ik voelde hem ontspannen.

'Als jij je kookkunsten laat zien, mister Smit, steek ik gezellig de kaarsjes aan.'

Eveline 4.

Toen Eveline de volgende ochtend wakker werd, stapte ze meteen uit haar bed, in haar hardloopschoenen en trok de veters strak. Zeven uur. Ze gooide de deur achter zich dicht en rende naar het bos, waar ze tegen een stevige wind in moest lopen. Ze voelde zich niet eens zo slecht, op een lichte kater na. Ze zwaaide met haar armen en deed wat rek- en strekoefeningen voor ze er stevig de pas in zette; ze moest het verhaal van Rutger op orde krijgen.

Het grind knerpte onder haar sportschoenen. *Rutger met een meesteres. En drie jonge vrouwen.* God, sinds wanneer liet hij zich door vier vrouwen tegelijk behagen? Of juist vernederen? De wind waaide om haar hoofd, plaagde haar. Had ze dit eigenlijk wel willen weten? Ze had vele scenario's voor mogelijk gehouden toen ze destijds de afschriften van zijn creditcard had gezien, van een maîtresse op een flatje tot en met een zogenaamde secretaresse die hem op zijn wenken bediende; dat kon ze nog wel aan. Maar dit was anders. Ranziger. Gevaarlijker. *Waarschijnlijk wilt u dit wel weten.*

Het pad liep naar beneden en haar gedachten liepen gelijk met de cadans van haar benen. Haar hartslag was zeker honderdvijftig. Al had ze haar vermoedens gehad, het rauwe bewijs op de foto's deed toch wat met haar. Ze rende langs een weiland met schapen, die haar rustig kauwend aankeken. Stomme beesten. Geconcentreerd liep ze door. *Rutger vindt zijn heil bij vier goedkope hoeren. Smakeloos.* Ze leken nog geen achttien jaar oud. *Rutger hield van SM. Hardcore SM.* Ze wist dat ze iets moest doen en keek op haar horloge. Ze rende al vijftig minuten non-stop en kreeg een ingeving. *Rutger liet zich graag vernederen.* Eveline had wel eens gelezen dat juist mannen met macht zich graag lieten overmeesteren. Rutger, de grote zakenman, liet zich graag vertellen wat hij moest doen. Liet zich graag afranselen door een paar goedkope hoertjes. Hij was ziek in zijn hoofd, bedacht Eveline woedend. Als hij dan zo opgewonden werd van een rollenspel, dan kon hij dat krijgen ook.

Eveline had best actrice kunnen worden. Haar inlevingsvermogen en acteerprestaties deden niet veel onder voor die van Carice van Houten.

'Dit is de *bloody limit*!' schreeuwde ze.

Rutger zat haar beduusd met grote ogen aan te kijken. 'Is... is het geen trucage?' stamelde hij.

'Lieg niet!' schreeuwde ze hysterisch. 'Je was er zelf bij!' Wanhopig haalde ze beide handen door haar kapsel en bleef zo zitten.

Rutger zei niets, staarde naar zijn handen. Haar ogen vernauwden zich tot spleetjes.

'Het is dus waar.' Hij keek haar niet aan. 'Ik wist het, ik wist het, ik wist het.' Ze herhaalde het onophoudelijk.

Rutger zat voorovergebogen in zijn stoel en streek over zijn terugwijkende haargrens. Met waterige ogen keek hij haar voorzichtig aan. 'Alsjeblieft, Eef,' fluisterde hij, 'alsjeblieft, schreeuw niet zo. Straks maak je de kinderen nog wakker...'

Furieus priemde ze haar vinger in zijn borst. 'Alles, maar dan ook alles zet jij op het spel voor die goedkope hoeren!' Haar stem was schor. 'En je zit hier maar als een geslagen hond, vol berouw. Is dat wat je lekker vindt, vuile schoft?' Ze stond nu vlak voor hem en voelde de ader op haar slaap kloppen. Ongecontroleerd spuugde ze hem plotseling in zijn gezicht.

Hij sloeg met zijn vlakke hand op de leuning. 'Nu is het genoeg!' Hij duwde haar van zich af. 'Ik hoef jou niet uit te leggen wat ik tekortkom!'

Vorsend keek ze hem aan. 'Liefde?' Ze sloeg haar armen over elkaar. 'Uit liefde laat jij je door een paar hoeren op je wenken bedienen, mijnheer de president? Geeft dat je een kick? Is het om je ego te strelen? Noem jij dat dan liefde?!' Het was even onheilspellend stil. 'Ik walg van je.' Eveline spuugde de woorden uit. 'Ik walg van je,

Rutger van Amerongen! Je hebt schijt aan je familie, je eigen kinderen, je ouders, aan mij, je reputatie en de vierhonderd man die voor je werken. Heb je er dan nooit bij stilgestaan dat je zo chantabel bent? Dat ze weten waar we wonen, waar onze kinderen naar school gaan? Dat ze je in hun macht hebben? Dat ik *for Christ's sake* een stichting run? Wat denk je als de pers hier lucht van krijgt? De grote Rutger van Amerongen laat zich met een zweep afranselen door minderjarige hoeren? Wat denk jij dat de mensen zeggen als dit aan het licht komt? Dat je liefde tekortkomt? Laat me niet lachen, Rutger, humor was nooit een van je sterke kanten.' Ze liet een stilte vallen, dat zag ze ook altijd in films. 'De hoon, het ongeloof, niemand neemt jou ooit nog serieus als deze foto publiekelijk bekend wordt. Niemand.' Fluisterend voegde ze eraan toe: 'En weet je wie het nog het meeste schaadt?' Ze liet de stilte op hem inwerken en met hese stem zei ze geëmotioneerd: 'Mij. Dat ik met zo'n varken getrouwd ben. En dat zo'n zwijn de vader is van mijn vier kinderen.' Ze was buiten adem, stond te trillen op haar benen.

Hij hief bezwerend zijn handen. 'Stop, Eveline, stop hier. Nu ga je te ver en laten we alsjeblieft naar een oplossing zoeken.' Hij stond op en ijsbeerde voor de open haard. 'Ik wist dat het zou kunnen, maar ik hield er geen rekening mee dat het ook echt zou gebeuren...' Eveline keek hem vertwijfeld aan, maar hield haar mond. Hij haalde zijn schouders op. 'Eveline, wij weten beiden hoe het zit, maak er alsjeblieft geen drama van. Ik geef het toe, en trek het boetekleed aan; het spijt me ontzettend.' Ze knikte kort. 'Het zal niet meer gebeuren, ik zal oppassen en me niet meer overgeven aan zulke... verlangens...' fluisterde hij beschaamd.

Ze zuchtte diep en gaf hem met bevende hand de brief.

Zijn ogen schoten over de letters. 'Hoeveel willen ze?' mompelde hij zacht.

'Vijf miljoen euro. Op een genummerde rekening op de British Virgin Islands.'

Rutger gaf de brief snel terug en stopte zijn handen in de zakken van zijn bordeauxrode broek. Het leek wel of hij opgelucht was. 'Dat komt mooi uit,' mompelde hij, 'laat ik nou net een rekening in dat belastingparadijsje hebben lopen.' Hij herstelde zich snel en keek Eveline recht aan. 'Vijf miljoen euro en dan laten ze ons met rust...' zei hij met een klein stemmetje. 'Een dure leerschool, mag ik wel zeggen.'

Eveline haalde haar schouders op. 'Ik kan er niet om lachen, Rutger. En het ligt aan jou, het hangt van jou af of ze ons dan met rust laten.' Ze sprak zacht, zich bewust van het belang van wat ze zei.

Hij schudde zijn hoofd en streek door zijn haar. 'Ik zweer het, Eef, ik zal het nooit meer zo ver laten komen.' Hij wreef over zijn neus en keek op. 'Kun je het me vergeven?' Hij perste er een klein glimlachje uit. 'Of het tenminste vergeten? Krijg je een mooi cadeau van me, lieveling.'

Eveline liep gedecideerd naar de deur en dacht na over een antwoord. 'Ik hoef geen cadeaus van jou. Bespaar me gewoon de ellende. Ik ben nog nooit zo vernederd, en bij de gedachte alleen al dat dit ooit zou uitlekken...' Ze haperde. 'Ik weet het niet, Rutger. Regel alsjeblieft dat bedrag en zorg dat het nooit meer gebeurt. Dit niet, niets met de kinderen of wat dan ook.' Met die woorden pakte ze de deurklink vast, maar ze bleef nog even staan voor het hartverscheurende effect. 'Ik heb tijd nodig om dit te verwerken, Rutger. Heel veel tijd.' Ze streek haar rok glad en liep de kamer uit. In *Desperate Housewives* hadden ze er waarschijnlijk een meeslepend muziekje onder gezet.

In de badkamer liet Eveline het bad vollopen en toen belde ze hotel De Witte Lely. 'Morgen de suite, graag. En een Thaise massage. Ja hoor, door dezelfde masseur als de vorige keer.' Ze hing tevreden op. Kreeg dit verhaal toch nog een happy end.

Roos 5.

We reden over de lanen van Brasschaat. Zover ik kon kijken zag ik statige oude bomen en af en toe ving ik een glimp op van de ongelooflijk grote huizen verscholen achter een hoge haag of smeedijzeren hek. Ik draaide mijn bovenlijf opzij; het autoraampje gaf niet genoeg zicht om de huizen te kunnen bekijken.

'Jezus Mina,' mompelde ik, 'on-voor-stel-baar...'

Stephan streelde mijn hand. Soms rilde ik van geluk, ik kon nog steeds niet bevatten hoe snel het was gegaan. Waar elke vorige relatie moeizaam was verlopen, was deze onverwachts en als vanzelf in een stroomversnelling geraakt. Zonder spanning, zonder onvertogen woord had Stephan me na die boottocht respectvol behandeld. Ik kon soms bijna niet geloven dat het zo ook kon. Na al mijn wanhopige datepogingen wilde uitgerekend mijn baas gewoon bij me zijn, heel simpel. Vanaf onze eerste zoen belde hij me dagelijks, stuurde me plagerige sms'jes en soms zelfs een mail. Met een korte inhoud, dat dan weer wel. Hij nodigde me thuis uit, kookte voor me en integreerde me in zijn leven. Ik mocht mee naar recepties, naar het schoolfeest van Tim en hij had me uitgenodigd voor een lang weekend op Capri.

Maar hoe verleidelijk die uitnodigingen ook waren, daar draaide het niet om. Het was het feit dat hij aan me dacht, graag samen wilde zijn. Vaak genoeg klonk er een duivels stemmetje in mijn hoofd, maar dan overtuigde Wick me ervan dat liefde eigenlijk zo hoorde te zijn: simpelweg graag bij elkaar willen zijn. Ik zuchtte nog eens, Stephan speelde nog met mijn vingers. Hij vond het niet meer dan normaal om een vrouw met respect te behandelen. Nu waren we op weg naar zijn vrienden in Brasschaat en ik keek verwonderd om me heen. Het leek Beverly Hills wel.

'Wacht maar tot je Rutgers huis ziet,' bromde Stephan. Rutger was zijn beste vriend en compagnon, ze kenden elkaar vanaf de basisschool. Stephan had me al veel verhalen verteld, waarin Rutger steevast de rol van initiator had en Stephan die van uitvoerder. Rutger had brains, Stephan lef, zoiets. Stephan had me snikkend van de napret verteld over wat ze allemaal uitgevreten hadden met auto's, boten en vooral ook met vriendinnen. Ik merkte dat ze elkaar bijna dagelijks belden om de dag door te spreken, en als Rutger belde, lichtten Stephans ogen op; Rutger was Stephans klankbord. Op zakelijk gebied deden ze ook veel samen, zoals investeren in buitenlandse projecten. Rutger was de enige die hij volledig kon vertrouwen en Rutgers vrouw Eveline beschouwde Stephan als zijn zus. Vakanties, zeilwedstrijden, weekends en wintersport deelde hij allemaal met Rutger en Eveline.

Ik had Eveline één keer aan de telefoon gehad toen ze me uitnodigde voor de kinderverjaardag van Babette, hun oudste dochter, waarnaar we nu op weg waren. Enerzijds vond ik het spannend, anderzijds griezelig; er kwam zo veel op me af.

De poorten van het hek dat hun domein begrensde, waren versierd met witte en lila ballonnen, en via een slingerweg bereikten we een enorm huis.

'Kijk mama, een kasteel!' gilde Luna vanaf de achterbank.

'Nee, kleuter,' antwoordde Tim nuffig, 'dat is het huis van mijn oom Rutger.'

Stephan glimlachte, opende het portier en sprong energiek uit de auto. Een roedel honden rende op hem af.

De donkergrijze deur zwaaide open en een frêle blonde vrouw liep met uitgestrekte armen op Stephan af. Ze omhelsden elkaar innig en ik zag dat ze haar ogen sloot. Ik scande het plaatje: een beige wikkeljurkje met hoge Gucci-sandaaltjes, ontzettend slank, honingblond haar en zeker een meter achtenzeventig lang. Rimpelloos voorhoofd, doordringende lichtblauwe ogen. Perfectie. Type Mabel Wisse Smit, maar dan verfijnd. Opeens voelde ik me een lompe boerentrien. De vrouw keek Stephan een aantal seconden doordringend tot hij haar handen pakte en ze eindelijk over zijn schouder blikte.

'Roos!' riep ze uit met hese stem, en ze kwam met uitgestoken armen op me af. Ik toverde mijn beste glimlach tevoorschijn, omhelsde haar en rook haar zoete parfum. Drie kinderen in ridderpakken kwamen de hoek om rennen, luid krijsend en met zwaarden meppend. Luna hield me vast, ik zag haar onderlip trillen.

'Ach, dat kind,' riep Eveline en ze stak haar slanke hand naar Luna uit. Een grote Pommelato-ring prijkte aan haar frêle vingers en haar armbanden rinkelden. Aarzelend pakte Luna de uitgestoken hand en we volgden Eveline het huis in. Door een lange gang liepen we via de woonkeuken naar het terras. Ik was sprakeloos, dit had ik nog nooit gezien, zelfs Stephans paleisje verbleekte erbij.

Een groot terras met loungebedden rond het zwembad stond vol mensen. Een bandje speelde zachte jazzmuziek. Serveersters met witte schorten liepen rond met smakelijke hors-d'oeuvres op grote dienbladen. Eveline reikte me een glas champagne aan. Ik nam een slok. Achter in de tuin stond een enorm springkasteel waarop kinderen over elkaar heen buitelden.

Uit de menigte sprong een gezette man op van zijn stoel en schreeuwde boven de muziek uit.

'Steef, ouwe rukker!' Stephan lachte breed en de twee vrienden begonnen aan een begroetingsritueel dat gepaard ging met kreten.

'Lelijke kerel; ben je er eindelijk!' Hard gelach schalde over het terras. Toen keek Rutger om, naar mij. 'Dus jij bent Stephans nieuwe verovering?' Ik knikte beduusd. Rutger was in drie stappen bij me. 'Potverdorie, vriend, waar heb je die gevonden?!'

Alles was in een roes aan me voorbijgegaan; de chique mensen, het huis met vier verdiepingen en de enorme tuin, de spelende kinderen, de prachtige vrouwen in hun elegante kleding, de Engelssprekende nanny, de mannen die allemaal succes uitademden. Eveline, die er met haar helblauwe ogen als een klassieke schoonheid uitzag, maar ondanks dat zo verrassend vriendelijk was. Ze leek wel op de perfectionistische Bree uit *Desperate Housewives.* Ik kon niet geloven dat Rutger Evelines man was. Op het eerste gezicht pasten ze niet bij elkaar; hij met zijn onbehouwen grote mond en zwaarlijvige voorkomen, en zij met haar elegantie en smaak. Een varken met een damhertje, dat leek de beste vergelijking. Pumba en Bambi, ik grinnikte om mijn eigen grap. Ze hadden een schattig Chinees meisje geadopteerd en hun dochter Florine leek misschien nog het meest op haar moeder; de andere twee kinderen hadden de zwaarlijvigheid en de grove kenmerken van Rutger. De vrouw die Evelines zus Lisa Marie bleek te zijn, leek totaal niet op haar. Lisa Maries man lag onderuit gezakt bier te drinken met een asbak op de leuning van de teakhouten ligstoel. Ik merkte dat Eveline haar kant van de familie negeerde. Waarschijnlijk lag daar de bron van haar hang naar perfectie: compensatiedrang.

'... vind je het hier?' Stephan sloeg een arm om mijn middel.

Ik keek naar hem op. 'On-ge-loof-lijk,' mimede ik.

Hij trok me tegen zich aan. 'Je bent goedgekeurd,' fluisterde hij in mijn oor.

Ik glimlachte, ik had hem met Eveline zien smoezen in de keuken. 'Echt?'

Hij knikte serieus. 'Eefje vond je een echte vrouw...' Hij tuurde in het niets. 'Met heupen, borsten, billen en alles erop en eraan... Ze zei dat je een lieve uitstraling hebt...' Stephan plantte zachtjes een zoen op mijn haar. Ik schoot in de lach en keek naar mijn benen. Bij haar vergeleken leek ik wel een nijlpaard. Wijselijk hield ik mijn mond.

'Zeg, duifje, zal ik je mijn Japanse koikarpers eens laten zien?' Rutger kwam op me af zwalken en sloeg zijn arm om me heen. 'Niet zo bezitterig, ouwe dibbes, even je meisje lenen! Want je weet het: eerlijk zullen we alles delen!' Weer bulderde hij van het lachen.

Gedwee liep ik mee naar de langwerpige vijver achter in de tuin. Rutger begon te praten, er was geen speld tussen te krijgen. Hij voerde me langs de tennisbaan, door het bos naar het gastenverblijf en ik kreeg een uitgebreide rondleiding door zijn huis. Ruim een uur lang blaatte Rutger door over zijn successen in de ICT-wereld, de verhuizing naar België, de verkoop van zijn zaak, de megadeal met Fortis, zijn voetbalclub vlak bij Breda, de onzinnigheid van de

Quote-500, de opvoeding van zijn kinderen, het gevaar van kidnapping, hun huis in Saint-Tropez, enzovoort. Hij stelde mij geen enkele vraag. Pas toen er gezongen moest worden voor zijn dochter Babette, maakte hij zich van me los. Wat een vermoeiende man. Uitgeblust stond ik in de keuken en nam gretig een hap van de verjaardagstaart.

'Vind je het gezellig, Roos?' Eveline kwam de keuken binnen en zocht iets in de keukenla.

Ik knikte, mijn mond zat vol slagroomtaart. 'Heel gezellig, Eveline!'

Ze wuifde met haar hand. 'Noem, me alsjeblieft gewoon Eefje, dat doen al mijn vriendinnen.' Ze leunde over het kookeiland en ik zag haar gespierde benen. 'Hebbes,' mompelde ze en ze hield een schaar omhoog. 'Je hebt Rutger ontmoet?' voegde ze er meteen aan toe. Ik knikte, ze glimlachte en gaf me een knipoog. 'Een wereld van verschil met Stephan, nietwaar?' Verrast knikte ik weer. 'Beste vrienden, al sinds de lagere school...' Ze viste een witte iPhone uit de la en beroerde met haar vinger het schermpje. 'Jut en Jul, die twee; vier handen op één buik...' Ze keek me aan. 'Wij kennen Stephan al zo lang. En het fijne is: hij is zowel Rutgers als mijn beste vriend. We hebben zo veel meegemaakt...' Ik zag tranen in haar ogen opwellen. 'Goede tijden, slechte tijden, we maken ze allemaal mee,' zei ze monter. 'Zeg lieverd, geef me eens een datum, gaan we volgende week gezellig samen lunchen...'

Luna hing met haar hoofd op haar borst in de autogordels te slapen. Na een overdosis zoetigheid en frisdrank was ze als een dolle tekeergegaan in de tuin. Tim zat verdiept in een spelletje op zijn gameboy, zo leek hij zo ontzettend veel op zijn vader. Stephan aaide zachtjes mijn hand.

'Je hebt je eerste vuurdoop doorstaan, lieverd.' Afgepeigerd zat ik naast hem en liet mijn hoofd tegen de hoofdsteun rusten.

'Pfff, nou, ik kan je vertellen dat ik doodop ben!' Stephan keek me kort aan. 'Dan blijf je toch lekker met Luna bij ons slapen?'

Even twijfelde ik. 'Is dat niet te snel?'

Stephan haalde zijn schouders op. 'Tja, wat is een goed moment? Zoals je inmiddels gemerkt hebt, ben ik niet zo van de regeltjes.'

Nu glimlachte ik. 'Heb ik gemerkt, ja.'

Hij keek me zijdelings aan. 'Het lijkt me gewoon gezellig, Roos. Luna en Tim kennen elkaar nu een beetje en dan is het geen shock meer als jullie blijven slapen. Je bent gewoon te moe om nog naar huis te rijden. Lijkt me heerlijk: morgenochtend uitgebreid ontbijt maken, lekker de dikke zaterdagkrant lezen, muziekje aan, vers gekookte eitjes, croissantjes, cappuccinootje erbij... En je hoeft niets te zeggen, we kijken elkaar af en toe alleen maar eens aan, net als een jarenlang getrouwd echtpaar!'

Ik schoot in de lach. 'Oké, oké, je hebt me overtuigd!' Weer streelde hij mijn hand. 'En vanavond zal ik je eens eindeloos verwennen.'

Ik kreeg een kleur, ik voelde het gewoon. 'Volgende week ga ik met Eveline lunchen!' zei ik snel om van onderwerp te veranderen.

Meteen trok Stephan zijn hand terug. 'Hoezo?' vroeg hij kortaf.

'Nou, ze nodigde me uit om gezellig te lunchen om elkaar beter te leren kennen en zo...' De muziek van Michael Bublé speelde zachtjes 'Everything'.

'Typisch Eveline,' mompelde Stephan.

'O ja?' vroeg ik.

Hij nam de afslag Oud-Beijerland, we waren er bijna.

'Ja, typisch Eveline,' zei hij, 'om je meteen uit te nodigen.'

Ik haalde mijn schouders op. 'Dat is toch aardig?'

Stephan zette zijn knipperlicht aan en tuurde naar het verkeerslicht. 'O ja, dat is zeker aardig, maar hou er rekening mee dat ze af en toe scherp uit de hoek kan komen.'

'Nou, dan komt het goed uit dat ik Wick meeneem; een goede back-up, zou ik zeggen.'

Hij drukte op het knopje van de afstandsbediening en het hek ging zoemend open.

'Soms zou ik wel eens als een vlieg op de muur willen meeluisteren tijdens die vrouwenlunches, om te horen wat ze elkaar allemaal te vertellen hebben!'

Ik streek over zijn stoppelbaard. 'Geloof me, schat, dat wil je écht niet weten!'

Glimlachend stapte hij uit de auto en tilde Luna voorzichtig op. Hij gaf me de sleutel van de voordeur.

'De alarmcode is nul nul zeven.'

'Nul nul zeven?' Ik gierde het uit. 'Als in James Bond?'

Schaapachtig keek hij me aan. 'Soms moet je jezelf kietelen, toch?'

Ik toetste de code in en het gepiep stopte. Ik voelde een lachstuip opkomen en liep naar binnen.

We hadden afgesproken in Antwerpen bij Doks Café, waar ze volgens Eveline de beste fruits de mer van de stad serveerden. Ik had haar verteld dat ik met mijn beste vriend Wick kwam, met als excuus dat we in Antwerpen eens flink wilden shoppen. Ze had niet zo enthousiast gereageerd, maar mij leek het beter; hij wist altijd op wonderbaarlijke wijze sfeer te maken.

Eveline kwam binnen in een lichtroze Burberry-trenchcoat en gaf die achteloos aan de ober. Ze zag er prachtig uit, dat moest gezegd worden. Een beetje onwennig nam ik plaats en bestelde een glaasje chardonnay.

'Zullen we een flesje sauvignon blanc nemen, lieverd?' zei Eveline terwijl ze de kaart bekeek. 'Ik vind chardonnay vaak goedkope hoofdpijnwijn.' Ik knikte traag, de boodschap was duidelijk.

'God, Eveline, wat zie jij er waanzinnig goed uit voor je leeftijd!' zei Wick.

Ze glimlachte minzaam en legde de kaart weg. 'Dank je.'

'Wat is je geheim, vertel!'

Eveline schoot in de lach. 'Een druk gezin, een veeleisende man en heel veel botox!'

Wick sloeg verschrikt zijn hand voor zijn mond. 'Nee, toch zeker geen botox?' Gealarmeerd keek ze hem aan. Hij pakte haar hand en zuchtte. 'Lieverd, wil je me beloven NOOIT maar dan ook nooit meer botox te gebruiken? Restylane, schat, restylane is *the secret*. Iedereen doet het in Hollywood. Halle Berry, Demi Moore, Jennifer Anniston.

Dat is zo veel beter. En natuurlijker. Van botox krijg je zo'n verschrikkelijke vissenkop als Nicole Kidman en Meg Ryan; sinds de botoxspuit hebben ze nooit meer een behoorlijke film gemaakt. Nee, restylane geeft een veel natuurlijker effect, zo'n botoxkop wil je echt niet!' Wick pakte het servet en legde het op zijn schoot.

'Ik heb daarover gelezen, ja, maar ik weet niet waar...' Wick keurde de wijn, liet het vocht in zijn glas ronddraaien en knikte kort naar de ober.

'Bij mij in de salon komt ene Serge uit Brussel een keer per maand...'

Eveline onderbrak hem door haar hand in de lucht te steken. 'Toch niet Serge Withouck uit Brussel?'

Triomfantelijk leunde Wick achterover. 'Jawel, Serge Withouck, *the one and only*!'

'Maar Serge heeft een klantenstop van een jaar, de wachtlijst is gigantisch!' Evelines stem klonk schril.

Wick knikte en haalde achteloos zijn schouders op. 'Maar niet bij mij, ik heb zeg maar *special qualities*!' We schaterden het uit.

Eveline keek hem vertwijfeld aan. 'Zou je dan, wil je dan een afspraak voor me maken?'

Wick zette haar vraag als herinnering in zijn telefoon, en intussen bestelde ik de sashimi. Het viel me op dat Eveline de rest van haar lunch in haar fruits de mer zat te prikken en oppervlakkige onderwerpen aansneed. Ze babbelde luchtig over tennis, fitness, de schoolresultaten van de oudste en haar favoriete winkels. Ongemerkt bestelde Wick nog een fles wijn, en na het tweede glas op een lege maag biechtte ze op dat ze zich best eenzaam voelde in Brasschaat. Ondanks haar drukbezette leven met een handjevol vriendinnen, vier kinderen, haar werk voor de stichting, een hulp in de huishouding en de tuinmannen. Zuchtend vertelde ze dat Rutger doordeweeks voor zijn zaken kriskras door Europa reisde en als hij thuis was, ging hij het liefst naar zijn voetbalclub, golfen of uit eten met zakenrelaties.

'Het is een hele organisatie,' steunde ze, 'en soms weet ik niet hoe ik het allemaal volhoud...'

Ik wilde protesteren, maar hield wijselijk mijn mond. Stephan had wel eens laten doorschemeren dat Eveline alleen maar met zichzelf bezig was, maar ze hunkerde duidelijk naar aandacht.

Wick pakte haar hand en zei dat ze één dag per week voor zichzelf moest reserveren, dat verdiende ze. Hij pakte zijn telefoon weer, belde de salon en boekte voor haar een verwendagje. 'Krijg je van mij, lieverd,' zei hij en hij gaf haar een knipoog. 'Kijk, zo doe je dat voortaan, je zet een grote dikke streep door je agenda en plant één dag in de week voor jezelf in. Anders houd je dat drukke leven niet vol, schat, eens mens zou voor minder een moord plegen, nietwaar? En aan een overspannen Eveline hebben we niks, want volgens mij ben je een heerlijk mens!'

Eveline was zichtbaar ontroerd. Hot Stone massage, een gezichtspeeling, een prikje restylane, haar, visagie en vooral veel aandacht. Wick gaf me een knipoog: *in the pocket.*

Eveline 5.

'Nog steeds weet je me te verbazen, Eef.' Stephan keek haar dwingend aan.

Ze ging op de barkruk zitten en sloeg haar ene been over het andere. Uiteraard had ze geen ondergoed aan. 'Glaasje champagne?' vroeg ze neutraal, maar haar hart bonkte. Het was vijf uur 's middags en er zaten slechts twee mensen aan de bar van hotel De Witte Lely.

Stephan schudde zijn hoofd. 'Een glas spa rood met een schijfje citroen, alstublieft,' zei hij tegen de ober en hij wreef over zijn gezicht. Ze zwegen tot de drankjes arriveerden. 'Waarom,' vroeg hij na een flinke slok, 'moest jij zo nodig Roos uitnodigen om te lunchen?'

Ze liet haar hoofd in haar nek vallen en voelde zich opeens moe. 'Wat is daar mis mee?'

Stephan zuchtte en bewoog zijn been nerveus op en neer. 'Ik ken je toch, Eveline, ik weet toch hoe berekenend je kunt zijn...'

Ze streelde zijn bovenbeen, hoopte dat zijn opstandige bui snel zou overwaaien. 'Dat vind ik nogal cru, Stephan, je hoeft me niet te beledigen.'

Hij wierp zijn handen in de lucht. 'Ik wéét toch dat je dingen nooit zomaar doet, ik wéét toch waartoe je in staat bent...'

Ze liet haar arm op zijn schouder rusten en woelde door zijn haar. 'Dat vind ik niet aardig, schatje, zo'n gevoelloos secreet ben ik ook weer niet. Je weet dat ik juist heel warmbloedig kan zijn...' Ze fluisterde met hese stem. 'De reden dat ik met Roos heb afgesproken, is om haar gewoon een beetje beter te leren kennen.'

'Uit te horen, zul je bedoelen...'

'Stephan, hoor jezelf nou toch eens praten. Ik wil Roos gewoon iets beter leren kennen in ons proces. En het was gezellig, ik had een enorme klik met die Wick.'

Stephan zette zijn glas neer. 'Welk proces?'

'Ons proces!' Ze keek hem verbaasd aan. 'God, Steef, moet ik het voor je uittekenen? We hebben het toch al uitgebreid besproken? Roos als dekmantel voor onze verhouding.'

Stephan keek van haar weg, ze voelde zich nietig worden.

'Je weet toch dat ik van je hou, Stephan...' Haar woorden schenen niet door te dringen, ze voelde het.

'Je leeft in een schijnwereld, Eef, en je gelooft er zelf in. Zo is het met alles, je probeert alles naar jouw hand te zetten. Je manipuleert mij, je eigen man en de hele goegemeente. Maar ik behoed Roos daarvoor, ik laat dat niet toe.'

Tranen prikten plotseling in haar ogen. 'Soms lijkt het wel alsof ik je nauwelijks ken,' mompelde ze.

Eindelijk glimlachte hij minzaam. 'Ik begin gewoon steeds meer om Roos te geven en ik wil niet dat jij je frustraties op haar botviert.'

Langzaam liet ze zich van de kruk glijden. Ze knikte. 'Ik begrijp het niet, Stephan. We hadden verdomme een overeenkomst, een deal. Ik begrijp niet dat je opeens om die dikke, vette dekmantel begint te geven. Wat een onzin, zeg.'

Muziek vulde de stilte die viel, en Eveline haalde haar schouders op. 'Soms lijk jij niet te beseffen hoe pijnlijk het allemaal voor mij is, dat ik gewoon echt van je hou.'

Stephan schudde zijn hoofd. 'Jij houdt niet van me, je dénkt dat je van me houdt. Je wilt gewoon het plaatje compleet hebben en daar gebruik je mensen voor, zoals mij. Ik vraag me soms af of jij meer geniet van de macht die je over me hebt of van de zogenaamde liefde die je voor mij voelt...'

Eveline keek weg. 'Als je er zo over denkt...' Ze streelde zijn onderrug en liet haar hand in zijn jeans glijden. 'Weet je, Stephan, ik heb geeneens zín om jou nog te overtuigen van mijn liefde, deze situatie is al gênant genoeg. Je moet het zelf weten, ik ga niet smeken.

In elk geval zijn we volwassen mensen, en je weet wat we afgesproken hebben.' Ze kuste zijn ruige stoppelbaard teder.

'Ik ken onze afspraken, Eef, maar ik weet niet of ik me er nog lang aan ga houden.'

Ze glimlachte. 'Je kent de consequenties.' Ze bleef hem uitdagend aankijken. 'Maar als ik me voortaan van mijn beste kant laat zien, ga je er misschien anders over denken.' Ze fluisterde nu. Er kwamen mensen de hotelbar binnen. Stephan knikte nauwelijks waarneembaar. 'Ach, Eef, jij trekt toch altijd aan het langste eind. Uiteindelijk krijg je altijd je zin.'

Ze zuchtte. 'Dat lijkt misschien zo, maar je hebt geen idee welke prijs ik daarvoor moet betalen.'

Stephan keek naar buiten en hield wijselijk zijn mond.

'Kom, laat me je verwennen, Stephan, laat me je overtuigen. Ik hou van je en ik wil ook het beste voor jou.'

Hij liet zijn hand in de hare glijden en ze liepen zwijgend naar boven.

Lisa Marie, Ted en de kinderen waren er al langer dan een week. Evelines zus dronk dagelijks een fles rosé leeg, hing op de ligbedden rondom het zwembad en rookte aan een stuk door zware shag. Telkens als Eveline langsliep, zat ze stiekem met Ted te lachen, het afschuwelijke gedrocht. Ze deden geen enkele moeite om zich aan te passen en gedroegen zich alsof ze in Evelines huis woonden. Het leek wel alsof ze het erom deden. Lisa Marie stak geen poot uit en ruimde nog geen kopje op, terwijl Eveline het terras en de tuin langzaam zag veranderen in een *war zone*. Om over het zwembad maar te zwijgen. Overal slingerden natte handdoeken, zwembanden en waterpistolen. De tweeling rende als ongeleide projectielen luid gillend overal tussendoor. Eveline ergerde zich mateloos.

Nu kwam Lisa Marie zwalkend de keuken binnen met haar dikke pens. 'Zo, zus, gaat-ie een beetje?'

Eveline perste haar beste glimlach tevoorschijn en ruimde de vaatmachine uit. 'Ja hoor, ik ben net zo lekker relaxed als jij!' Het was eruit voordat ze er erg in had.

Haar zus leunde tegen het aanrecht en pakte een bakje met sushi. Ze schrokte er een op en zei met volle mond: 'God, god, Eef, gaan we weer kattig doen? Ted en ik hebben lekker vakantie, weet je wel, wij liggen lekker te relaxen. Fles rosé, peukies erbij, kids in het zwembad, niks aan het handje! Zou jij ook eens moeten doen met die vent van je! Voor je het weet ligt-ie ergens met een ander te relaxen!' Ze lachte luid zodat de rijstkorrels in haar mond zichtbaar waren. Veel te hard zette Eveline de Le Creuset-braadpan op het aanrecht. Ze streek verhit een lok uit haar ogen.

'Misschien moet ik dat maar eens doen, ja. Een weekje relaxen met Rutger. God, wat een lumineus idee!' zei ze cynisch en ze liet de nanny passeren. 'Helaas heb ik het voorlopig te druk met van alles en daar houd ik het maar even bij.'

Lisa Marie schudde haar hoofd. 'Ik begrijp niet dat je het allemaal volhoudt,' mompelde ze.

Eveline keek haar scherp aan. 'Ik houd dit vol omdat mijn leven vroeger een hel was,' siste ze. 'En ik wil nooit meer zo diep zinken.'

Geschrokken keek Lisa Marie haar aan. 'Duidelijk, ja.' Ze liep naar de openslaande deuren en verdween naar buiten.

Eveline glimlachte. De kaarten waren weer geschud.

Stephan had na hun eerdere afspraak in hotel De Witte Lely al twee keer afgezegd. Hij nam zijn telefoon nooit op en belde pas een paar uur later met een smoes terug. Eveline werd er chagrijnig van, ze begreep het niet. Uiteindelijk antwoordde hij, na wat aandringen van haar kant, dat hij het druk had en veel onderweg was voor zijn werk. Ze vroeg wanneer ze konden afspreken en hij antwoordde dat hij ook nog wat *quality time* wilde doorbrengen met Roos, die boerentrien. Dat ze het zo gezellig hadden, samen, en dat ze misschien naar Capri gingen.

'Gezellig?!' had ze pissig gevraagd. 'Sinds wanneer doet gezelligheid ertoe?!' Gepikeerd had hij geantwoord dat hij goed kon praten met Roos, kon lachen, dat de seks formidabel was en dat ze 'op één lijn zaten'. Eveline werd week van dit aanstellerige gedoe en hoopte dat hij weer snel tot inkeer zou komen; tot nu toe had zij vooral een dikke kont en een goedkope kledingsmaak gezien. Toen ze een opmerking maakte dat het oog ook wel wat wilde, zei hij verontwaardigd dat er belangrijker dingen in het leven zijn. Zoals een kaarsje aansteken, gezellig samen koken en samen ontbijten.

Wat een burgerlijke onzin, het maakte haar woedend. Eveline kende Stephan toch? Mensen veranderen niet en Stephan Smit zeker niet. Het was slechts een kwestie van tijd dat Stephan zich bij Roos ging vervelen, zo ging het altijd.

Intussen moest Eveline zich dan maar met anderen vermaken. Wick begreep het leven gelukkig wel. Hij was lekker vals, had smaak en van hem werd ze vrolijk. Ze was al twee keer in zijn salon geweest en hij had voor haar een afspraak bij Serge Withouck geregeld. Als dank had ze hem uitgenodigd voor een lang weekend Parijs. Eveline had gereserveerd in Hotel Costes en ze zouden heerlijk gaan shoppen, feesten en zich vreselijk gaan misdragen.

'*Champoepel till we drop, chérie!*' had Wick geroepen. Ze zouden eens decadent de bloemetjes buiten zetten, ze had het oprecht nodig.

Rutger was na de dreigbrief van schrik drie weken op zakenreis gegaan naar het Verre Oosten. Zodra hij thuiskwam had Eveline gesnauwd dat ze er *he-le-maal* doorheen zat en tijd voor zichzelf nodig had. Het minste wat hij kon doen als tegenprestatie was bij de kinderen blijven wanneer zij naar Parijs ging met Wick.

Rutger sputterde niet eens tegen.

Roos 6.

Wick ging met Eveline een weekend naar Parijs, ik kon het niet geloven. Sinds hij Eveline kende, was hij alleen nog maar met haar bezig. Soms voelde ik een steekje van jaloezie, hoewel ik niet mocht klagen: mijn tijd werd opgeslokt door mijn werk en Stephan. We waren zo veel bij elkaar dat we bijna samenwoonden. Toch miste ik Wick. Ik keek weemoedig naar buiten. Hij liet zich meeslepen door Evelines wondere wereld en dat begreep ik ergens wel, want ze had een tomeloze energie en verzon de leukste dingen.

Ik gunde het Wick ook van harte, alleen vertrouwde ik Eveline niet. Sinds hij met haar omging, veranderde hij altijd handig van onderwerp als ik het over Stephan had. Als ik soms mijn twijfels uitte, wuifde hij het weg met de woorden: 'Je weet toch hoe Stephan is...' Terwijl hij hem amper kende. Het knaagde aan me en ik nam me voor het ter sprake te brengen op de Midsummer Night Party die Wick volgende week organiseerde. Voorlopig was het Eef voor en Eef na, en gingen ze het weekend na het feest decadent shoppen in Parijs. Ik zag mijn beste vriend helemaal ingepalmd worden door... een vrouw.

'Roos-jèèè!' Marjan kwam naar me toe gewaggeld, haar hakjes verdwenen in het grasveld. Haar paarse tuniek was afgezet met koperkleurige knoopjes en kraaltjes die een tingelend geluid produceerden bij elke beweging die ze maakte. Uit mijn ooghoek zag ik mijn vriendinnen Karlijn en Fleur ook, ze zwaaiden naar me. Gezellig.

'... vroeg aan Wick waar je uithing!' Marjan keek me lodderig aan, ze had duidelijk al een glaasje op.

Ik haalde mijn schouders op en keek om me heen. 'Nou gewoon, druk met werk, Luna, veel hardlopen, ik ben een weekend weggeweest...'

Ze pakte mijn hand vast, de witte wijn sloeg over de rand. 'Is-ie leuk?' Ze gaf me een knipoog. 'Wat dacht je, ik heb allang gehoord dat je verkering hebt met Stephan Smit!' Ze schaterde en gaf me een por. 'Goed gedaan, meid, de kip met de gouden eieren. Als ik jou was zou ik hem maar heel dicht bij me houden, iedereen valt namelijk voor de charmes van Stephan Smit!' Ze lachte net iets te hard. 'Hij is toch ook net George Clooney?' Ze gaf me weer een por. 'Geniet er maar van, zo lang het duurt!'

Het kostte moeite om mijn zelfbeheersing te bewaren en ik probeerde zo laconiek mogelijk mijn tas van mijn ene schouder naar de andere te zwaaien.

'Heb je dat allemaal van Wick gehoord?' De zware beat uit de luidspeaker overstemde me bijna.

Marjan boog zich voorover om in mijn oor te praten. 'Nee, Roos, ik zeg niets, maar ik ken wat collegaatjes van je op kantoor...'

Ik knikte, dat was waar ook, ze was het nichtje van Henriëtte. Marjan wapperde met haar hand, haalde haar schouders op en nam een grote slok wijn. Ze likte met haar tong langs haar lippen en zei smalend: 'Het zijn maar roddels, hoor, maar de meiden van het secretariaat hebben vorige week een mailtje ontvangen met een foto van jou en Stephan op zijn boot...' Ze gaf me een knipoog. '... en het was duidelijk geen werkoverleg!' Ze gierde het uit, ze was echt aangeschoten.

De mededeling sloeg in als een bom, mijn hartslag schoot omhoog. Koortsachtig dacht ik na: wat moest ik zeggen? Wicks motto bij beschuldigingen was: altijd ontkennen. Ik probeerde laconiek mijn schouders op te halen en nam een slok lauwe wijn om tijd te winnen.

'God ja, ik vind het nogal sneu om zulke mailtjes rond te sturen... Maar goed, Marjan, Stephan en ik hebben het gezellig samen, dat is geen geheim.' Ik schonk haar een glimlach en zwaaide naar Wick.

Het roddelcircuit was dus op gang gekomen, het moest er toch een keer van komen. Toch trof het me en ik liep weg zonder iets te zeggen. Ik moest een glas koude witte wijn achteroverslaan en een sigaret roken. Ik overwoog Stephan te bellen, maar besloot het niet te doen; hij was met Rutger een lang weekend zeilen aan de Belgische kust en ik kon het wel met hem bespreken als hij weer terug was.

Wie had in godsnaam een foto van ons genomen en die per e-mail verstuurd? Wat een achterbakse truc. Zo kon het niet verder. Op dat moment nam ik de beslissing een andere baan te gaan zoeken. Wick kwam naast me staan en legde een arm om mijn schouder. Eveline kwam erbij en begon te vertellen over hun geplande trip naar Parijs en de hysterische dingen die ze van plan waren te gaan doen. Ik probeerde enthousiast te zijn, maar Wicks onderzoekende blik verried dat ik daar niet goed in slaagde. Ik pakte nog een glas wijn van de bar, stak een sigaret aan en inhaleerde diep.

David Guetta klonk keihard uit de speakers: precies wat ik nodig had. Wick had werkelijk iedereen uitgenodigd op zijn Midsummer Night Party. Ik zag een mix van vage bekenden, zijn moeder en wat vriendinnen, een paar stevige relnichten en wat buurtbewoners nieuwsgierig toekijken. En daar was Bart, die me schalks aankeek. Ik deed alsof ik hem niet kende en leunde over de bar om nog een witte wijn te bestellen. Eveline zette een glas voor me neer. Ik nam een slok en rilde bij de gedachte dat ik het een goed half jaar geleden bijna met die Bart gedaan had.

Wick hield van feesten en had dj Dicky uitgenodigd om te draaien; ik kon niet langer blijven stilstaan. Ik schudde mijn hoofd en liet de muziek tot me doordringen.

Wick leefde echt alsof elke dag de laatste was. 'Ik wil straatarm sterven,' was zijn gevleugelde uitspraak, 'ik wil alles meemaken in het leven en dat met mijn vrienden delen.' Wick hield van het leven en als hij eens teleurgesteld werd, haalde hij toch het positieve uit zijn ervaring. Dat zou ik ook moeten doen, realiseerde ik me en ik probeerde het gesprek met Marjan los te laten. Ik zong 'Delirious' mee en plotseling trok Wick me de dansvloer op. Hij liet me rondjes draaien tot mijn hoofd tolde en uitgelaten zongen we ons favoriete liedje van vorige zomer:

Can you hear us?
Watch the sun on my skin
And the world that I'm in
Makes me delirious

Wick tilde me schaterend op.

'*I love you*, schattieeeee!' gilde hij en hij hoste met me in het rond.

Ik voelde me plotseling draaierig. 'Zet me neer, Wick, ik voel me duizelig!'

Hij hoste verder en ik bonkte op zijn schouderbladen. 'ZET ME NEER!' gilde ik. Hij zette me meteen neer en keek me geschrokken aan. 'Gaat het?'

Ik knikte, mompelde 'Jawel hoor...' en voelde dat ik moest overgeven. 'Ik loop even naar de kant van het meer, even bijkomen...' Hij knikte en ging door met dansen.

Geconcentreerd liep ik door de mensenmassa naar de kade van het Brielse Meer. Langzaam merkte ik dat het gevoel uit mijn benen wegtrok, alsof ze verdoofd waren. Ik waggelde over het gras, kon me nergens aan vasthouden en raakte in paniek. Nog tien meter, nog vijf, nog twee... Ik liet me vallen op het glibberige hout van de kade. Voorzichtig probeerde ik me op te richten, maar nu leken mijn armen het ook te begeven. Een warme gloed trok door mijn lichaam, het leek wel of ik een enorme koortsaanval had waardoor alle functies uitvielen. Ik bibberde en trilde, wilde overgeven maar kon me niet oprichten. Het was alsof ik alle controle kwijt was, alsof het gevoel uit mijn lichaam was gestroomd. Met mijn laatste kracht probeerde ik me op te heffen maar mijn benen leken verlamd en ik kreeg geen lucht meer. Ik voelde mijn handen niet meer, mijn benen reageerden niet en nu raakte ik echt in paniek. Met de laatste kracht die ik had, begon ik te gillen, maar de muziek stond te hard. Over het water zag ik een levensgroot doodshoofd op me af komen, met scherpe messen als tanden. Ik gilde en zag ook uit de bomen, die dreigend boven me uit staken, doodshoofden en misvormde gezichten onheilspellend op me neerdalen. De lucht was inktzwart. Radeloos wachtte ik op wat er ging gebeuren.

'We komen je halen!' schreeuwden de doodskoppen. 'We komen je halen, vuile bitch!' Uit de duisternis kwamen ze steeds dichterbij, ik kon hun misvormde en etterende gezichten zien. Telkens als ze dichterbij kwamen vervormden de gestaltes door lichtgevende vloeistof in een andere gedaante en scheerden ze over mijn hoofd. Ik stond doodsangsten uit en mijn ogen sluiten hielp niet.

'We gaan je pakken, bitch!' krasten ze met schelle stemmen. Rakelings schoten ze over me heen, ik kon de wind die door hun bewegingen werd veroorzaakt, bijna voelen. Ze waren nu heel dichtbij, hun priemende ogen vielen op me neer. Ik hoorde ze krassend lachen en hun messcherpe tanden kwamen ijzingwekkend snel op me af. Met ingehouden adem wachtte ik, me zo klein mogelijk makend. Ik dacht dat ik doodging, het was nog slechts een kwestie van seconden. Ik gilde nog een keer en alles werd zwart.

Eveline 6.

De timing was goed; na de Midsummer Night Party kon Wick wel wat afleiding gebruiken. Hij voelde zich schuldig omdat uitgerekend Roos het slachtoffer was geworden van een partydrug in haar drankje. Ook al kon hij er niets aan doen, Stephan gaf in zijn woede Wick de schuld omdat hij werkelijk Jan en alleman had uitgenodigd op zijn feest, inclusief een paar recreatieve drugsgebruikers.

Wick voelde zich buitengesloten en belde Eveline. Het was Eveline ook opgevallen op de Midsummer Night Party; aardig wat jongeren waren van het pad af. Maar ze kon Wick van zijn schuldgevoel afpraten. Ze verzekerde hem dat hij er niets aan kon doen, dat de drug waarschijnlijk per ongeluk in Roos' drankje was terechtgekomen. En dat die ook werkelijk niets kon verdragen en na drie glazen witte wijn al ladderzat was. Eveline nam Wick in vertrouwen en liet doorschemeren dat zijzelf de boel fris en fruitig hield met op zijn tijd een lijntje. Dat was het begin van een verbond. Eveline wist Wick te sussen en zijn aandacht te verleggen naar het weekendje Parijs; Wicks contact met Roos kwam op een lager pitje te staan en dat was precies de bedoeling.

Stephan had het tijdens de laatste afspraak in hotel De Witte Lely over Wicks invloed op Roos gehad, en dat hij bang was dat ze iets vermoedde; dat ze helemaal op Wicks mening afging en die jongen blindelings vertrouwde, terwijl Wick te veel wist van Stephans verleden met vrouwen. Eveline had nog eens gevraagd waarom hij in godsnaam zo veel om die burgertut gaf. Hij had haar verongelijkt aangekeken en gezegd dat hij echt om haar was gaan geven. Als persoon.

Toen was het idee ontstaan. Ze vroeg Stephan haar te vertrouwen en haar ervoor te laten zorgen dat de band tussen Wick en Roos losser zou worden en dat Wick niet langer als een havik alles in de gaten zou houden. Zij zou die leegte bij Wick wel opvullen, zodat Stephan naar Roos toe zou kunnen groeien.

Hoofdschuddend had hij haar aangekeken, haar hand gepakt en gevraagd of ze niet te ver ging met haar goede bedoelingen. Maar Eveline wist dat Roos hem snel zou gaan vervelen als ze op zijn lip zat. Als tegenprestatie voor haar goede werken moest Stephan wel met haar blijven afspreken, anders zou ze Rutger vertellen dat zijn ontwikkelingproject in Brielle op een fiasco afstevende omdat de pandjes voor nog geen 40 procent verkocht waren. Die informatie had ze van Wick, en Rutger zou *not amused* zijn als hij wist dat hij naar zijn rendement kon fluiten. De bank en de fiscus waren een fraudeonderzoek gestart bij een vergelijkbaar vastgoedbedrijf en zaten ook op Stephans nek, dat wist Eveline. Net zoals ze wist dat Stephan de cijfers voor Rutger verdraaide om zijn beste vriend gerust te stellen.

Met een wrange glimlach had hij met haar geproost en zo beloofden ze elkaar te helpen. In goede en in slechte tijden.

Roos 7.

Verdwaasd deed ik mijn ogen open; zachtgele kleuren draaiden om me heen en mijn keel voelde schraal. Ik probeerde mijn hoofd op te tillen, maar zonder succes. Een enorme pijnscheut schoot door mijn hoofd en langzaam herinnerde ik me weer wat er gebeurd was. De doodshoofden en horrorkoppen tuimelden weer over elkaar heen. Ik hoorde dat de deur openging en probeerde me te concentreren.

'Ze is wakker,' hoorde ik de stem van mijn moeder fluisteren. Ze legde haar koele hand op mijn voorhoofd. Opeens voelde ik het zout van mijn tranen op mijn wang prikken, en ik keek opzij. Mijn onderarm zat in het gips, ik voelde 'm kloppen. Mijn lippen waren gebarsten, maar ik probeerde toch iets te vragen: 'Wat, wat is er gebeurd?' Het was meer een snik.

Mijn moeder aaide over mijn hoofd en reikte me een glaasje water aan. Ze hielp me overeind en gulzig dronk ik het koude vocht, dat zeer deed aan mijn keel. Toen pas zag ik Wick en Stephan staan, allebei met een bedremmeld gezicht. Ze kwamen dichterbij en gingen op het randje van mijn bed zitten. Stephan pakte mijn hand, Wick zat er witjes bij en wreef over mijn been.

'Ze hebben vannacht je maag leeggepompt, lieverd,' zei mijn moeder zacht. Vertwijfeld keek ik haar aan, waar had ze het over?

Stephan nam aarzelend het woord. 'Herinner je je nog dat je gisteren op Wicks tuinfeestje was?'

Moeizaam dacht ik na, ik zag Marjan in haar paarse tuniek voor me en knikte.

'Ik heb me laten vertellen dat het heel gezellig was,' vervolgde Stephan zijn verhaal, 'dat je nog hebt gedanst en wat witte wijntjes hebt gedronken.' Hij slikte, ontweek mijn blik. 'Eveline vertelde zelfs dat je in een hoog tempo witte wijn hebt gedronken en je niet lekker voelde en een stukje ging lopen, in de richting van het Brielse Meer. Daar ben je in elkaar gestort, flauwgevallen op het ponton.' Ik ontspande, ik had eenvoudigweg een nare droom gehad. 'Maar dat was niet alles, want je kreeg zulke rare stuiptrekkingen en je gilde zo oncontroleerbaar dat je je arm hebt gebroken en met de ambulance bent afgevoerd.'

Ik slikte, herinnerde me daar niets meer van.

'Weet je dat nog, lieverd?' vroeg mijn moeder zacht. Ik schudde mijn hoofd.

'De ambulancebroeders zagen het direct aan de symptomen; er zat waarschijnlijk een partydrug in je glas...'

'Een partydrug?' bracht ik moeizaam uit. 'Waarom een partydrug?'

Stephan haalde zijn schouders op. 'Dat weet je nooit, er liepen daar zo veel randdebielen rond, wie weet wilde iemand wel iets van je...' Hij wisselde een blik met mijn moeder. 'Heb je misschien met iemand staan praten die jou leuk vond?'

Ik pijnigde mijn hersens.

'Volgens mij niet...' Ik slikte weer.

Stephan wreef over mijn hand. 'Misschien komt het nog wel, het is heel belangrijk voor het politieonderzoek dat je zo nauwkeurig mogelijk vertelt wat je je kunt herinneren.'

Ik schrok. 'Politieonderzoek?'

Stephan knikte.

'Ja, in overleg met Wick heb ik besloten de politie in te schakelen. Dit kunnen we toch niet zomaar over onze kant laten gaan? Ik wil exact weten wie dit heeft geflikt, wie er zo ziek is om GHB in iemands drankje te doen; je had dood kunnen zijn, Roos; als je je auto had gepakt, had je jezelf tegen een boom dood kunnen rijden!' De woorden hingen vervaarlijk in de lucht. 'Dit zijn geen grapjes meer; met die partydrugs van tegenwoordig kun je een olifant buiten bewustzijn brengen. Er zijn genoeg gevallen bekend van vrouwen die werden gedrogeerd, verkracht en daarna voor oud vuil in de bosjes gegooid!' Hij onderdrukte zijn woede en de uitdrukking op zijn gezicht werd zachter. 'Ik was je bijna kwijt, Roos.' Hij omhelsde me zo stevig dat ik het benauwd kreeg. Daarna hield hij me op een afstand en keek me intens aan. 'Vannacht is je maag leeggepompt en ze hebben bloed bij je afgenomen. Binnen 72 uur hebben we de uitslag. Ondertussen heb ik mijn vriendjes bij de recherche ingeschakeld om te achterhalen welke zieke geest jou dit heeft aangedaan. Want wie het ook is, ik zal er persoonlijk voor zorgen dat hij of zij ervoor gaat boeten.' Hij stond op en liep naar het raam.

Ik staarde naar het gips en voelde me doodmoe.

De meeste visite die ik kreeg, zat ongemakkelijk op de rand van mijn bed. Sprak op een discrete fluistertoon, duidelijk geen raad wetend met de situatie, of met luidruchtige opluchting omdat het hen niet was overkomen. Sommigen wuifden het drugsincident weg, anderen vonden het serieus zorgwekkend dat je zelfs op gezellige feestjes moest oppassen dat er geen drugs in je glas werd gedaan.

Eerlijk gezegd had ik er nooit over nagedacht, in de veronderstelling dat het mij nooit zou overkomen. Maar het was wel gebeurd en de gedachte wie de dader kon zijn hield me uit mijn slaap. Was het een waarschuwing of wraak? Had iemand een hekel aan me of was het per ongeluk gebeurd? Ik kwam er niet uit. Marjan bracht een stapel tijdschriften mee, Fleur kwam met een mooie bos witte rozen en lelies (alsof ik al dood was) en Karlijn gaf me een doos chocolaatjes. Allemaal heel beleefd en geschrokken.

Wick trakteerde me op een grote bos bloemen en een kilo Belgische bonbons. Hij voelde zich zo verschrikkelijk schuldig. Hij ratelde maar door, en ik was zo moe dat mijn emoties tijdelijk waren lamgeslagen. Hij vertelde dat hij er toch een weekend tussenuit ging met Eveline, om bij te komen. Diep in mijn hart was ik daar blij om: even rust in de tent. Eveline kwam ook nog langs, in een lichtroze mantelpakje en een grote Hermès-tas die ze pardoes op mijn beurse been zette. Ze overhandigde een overdreven grote bos bloemen van Flor Artes uit Antwerpen aan mijn moeder, vertelde dat ze ongelooflijk bang was voor de criminaliteit in de huidige maatschappij en daarom overwoog haar kinderen naar een streng internaat te sturen om drugsgebruik te voorkomen. Mijn moeder liep de slaapkamer weer binnen en zei dat ze geen vaas kon vinden voor zo'n flinke bos. Geïrriteerd pakte Stephan de bloemen over en liep de trap af naar beneden. Eveline gaf me een groot cadeau in een Douglas-verpakking en keek me vriendelijk aan. Met mijn goede hand pakte ik de hele badcollectie van Coco Chanel uit. 'Goh, wat lief van je,' mompelde ik.

Zichtbaar tevreden met zichzelf haalde ze haar schouders op en trok haar pashmina recht. 'Ja, ik dacht, ik koop iets lekkers voor je, om je een beetje te verwennen...'

Ik glimlachte moeizaam. Waarschijnlijk had ze er nog niet aan gedacht dat ik met die arm in het gips moeilijk in bad kon. Stephan was teruggekomen met een emmer, waar hij de bloemen in had gezet. Ik gaf hem het papier en cellofaan.

'En wat woon je hier schattig,' kirde Eveline, 'zo knus en gezellig! Ik begrijp meteen wat je bedoelt, Stephan, dat het bij Roosje altijd zo gezellig is.' Traag draaide ik mijn hoofd om en ik vroeg me af of ze dit meende of dat ze sarcastisch was. Mijn rijtjeshuis was in haar beleving niet groter dan haar keuken, en de buurt waarin ik woonde moest ze vreselijk burgerlijk vinden.

'... waar je woont maar wie er woont,' hoorde ik Stephan mompelen. Ik sloot mijn ogen weer. Goed zo, bedacht ik, Stephan laat haar fijntjes weten wat echt belangrijk is. Daar kon Eveline nog wat van leren in haar megakasteel.

Ik hoorde nog wat geroezemoes en merkte dat Stephan Eveline voorzichtig de deur uit manoeuvreerde. Hij waakte als een lijfwacht over me, en ik vond het heerlijk: het bezoek begeleidde hij steevast na tien minuten naar de gang. Het voelde als een bevrijding dat Stephan mijn sociale leven voorlopig bevroor. Geluk bij het ongeluk: de relatie met Stephan was in een klap een voldongen feit.

Het politieverhoor deed me voor een momentje opleven. De rechercheur, die zich voorstelde als Natasja van Kerkstee, leek dwars door me heen te kijken en maakte een vermoeide indruk.

'Dus je hebt niemand in gedachten?' vroeg ze routineus.

Ik schudde mijn hoofd. 'Wie zou nou opzettelijk een vrouw van achter in de dertig willen aanranden terwijl het er volliep met strakke sprinkhanen?'

Ze keek me meewarig aan, Natasja werd waarschijnlijk geen dikke vriendin van me. Ik dronk het laatste restje appelsap met een rietje, wat nog steeds pijn deed aan mijn keel. Stephan bood de rechercheur iets te drinken aan, wat ze beleefd afsloeg.

'Daarom juist.' Niet-begrijpend keek ik haar aan en zag een kleine sprankeling in haar ogen. 'Heel vreemd dat het juist jou overkomt. Weet je zeker dat je geen vijanden hebt?'

Ik reageerde verbijsterd, speurde mijn geheugen af, maar ik kan niemand bedenken.

'Er is een dermate hoge dosis GHB met amfetaminen in je bloed gevonden, dat er sprake moet zijn van kwade opzet.' Ik kreeg het koud en wreef over mijn armen. 'En er is xtc in je urine gevonden, ook heel vreemd. Dat veroorzaakt hallucinaties en eventueel epilepsie. De dader wist duidelijk waar hij of zij mee bezig was.' Ik kreeg een zure smaak in mijn mond. 'Last van nachtmerries?' Ik knikte, een paar keer was ik badend in het zweet wakker geworden. 'Vreselijk moe, rillen en trillen en een tikje terneergeslagen?' Ik knikte bijna onmerkbaar. 'Overdag een zompig gevoel, vermoeidheid in je benen en 's nachts moeilijk de slaap kunnen vatten?' Ik kneep mijn lippen samen, staarde haar aan terwijl ze haar aantekeningen in haar tas stopte. 'De reden dat ik je dit vertel is om je duidelijk te maken dat dit niet zomaar is gebeurd. De vraag is: wie en waarom? Let goed op of het in je omgeving nog eens gebeurt. Tegenwoordig ontwikkelen die klootzakken hun cocktails zo snel dat wij het als onderzoeksteam niet bij kunnen houden.' Ze stak me haar kaartje toe en stond op ten teken dat het gesprek was beëindigd.

Eindelijk kon ik weer zelfstandig uit bed komen. Er was een week verstreken en kon ik mezelf thuis redden. Stephan was weer aan het werk en mijn moeder kwam elke dag even langs om boodschappen te brengen, en ze haalde Luna van school, de schat. Het positieve aan deze gebeurtenis was het feit dat Stephan, Luna, mijn ouders en ik heel dicht naar elkaar waren toegegroeid.

Vanavond wilde ik een keer zelf koken; al dagen had ik trek in andijviestamppot, met uitgebakken spekjes en een rookworst van de slager. Met een gekookt eitje. Ik opende de zak met geschilde aardappels en zette de aardappels op het vuur.

Sms Wick: Lieverd hoe gaat het vandaag met je? Paris est fabuleux maar ik mis je wel! Kusssss Wick

Met één hand typte ik een sms'je terug. Gaat goed! Miss u 2 – veel plezier XXX

Ik pelde de ui en snipperde die nauwkeurig. Ondertussen siste het spek in de pan. Flarden van de conversatie met Natasja van Kerkstee spookten door mijn hoofd, die ik probeerde te negeren maar dat lukte me niet. Ik kwam er niet uit wie me dit geflikt kon hebben; dacht aan het gesprek met Marjan en die e-mail. Was er iemand jaloers op me? Misgunde iemand mij of Stephan ons geluk? Was het een waarschuwing? Stel je voor dat die foto's op Facebook waren geplaatst, dan had iedereen geweten dat ik het met mijn baas deed. Ik tuurde uit het keukenraam. Ach ja, nu wist ook iedereen van onze relatie af en de reacties vielen mee. Ik had me weer eens zorgen gemaakt om niets, *story of my life.*

Heel even dacht ik terug aan het begin van dit jaar, toen ik mijn drie wensen opschreef. Soms verbaasde het me dat ik simpelweg door het uitspreken van mijn wensen mijn doel kon bereiken. Mijn gedachten werden verstoord door mijn mobieltje.

'Hallo, prinses, hoe gaat het?'

'Gaat. Ben met één hand eten aan het bereiden.' Er volgde een preek dat ik het rustig aan moest doen met mijn gebroken pols. Ik keek op mijn horloge.

'Stephan,' onderbrak ik geïrriteerd, 'ik wil met mijn moeder Luna van school halen en...'

Ik hoorde hem iets tegen mijn vervangster zeggen. 'Goed, prinses, wat eten we?!' Mijn nekharen gingen overeind staan. Sinds wanneer hadden we het niveau bereikt dat hij belde om te vragen wat we gingen eten? De klok was een jaar vooruitgesneld zonder dat ik het had gemerkt.

'... belde je ook even om te vragen of je zin hebt om mee te gaan naar dat congres in Boedapest.'

Mijn hand met het keukenmes bleef boven de snijplank zweven. 'Maar we gingen toch naar Capri?' wilde ik vragen.

Stephan viel me in de rede: 'Eerlijk gezegd denk ik niet dat het een goede gelegenheid is, Roos, het wordt een intensief, zwaar weekend, ik heb vier dagen wedstrijden, een crew te leiden, teambesprekingen, sponsormeetings, een galadiner en noem maar op. Ik denk dat jij dat op dit moment nog niet aankunt. Dan zit je er maar voor spek en bonen bij en dat voelt voor mij ook niet goed.'

Er viel een pijnlijke stilte, ik had weinig keus, zo te horen. Stephan veranderde zijn plannen dagelijks, iets waar ik maar moeilijk aan kon wennen, bij mij werden de vakanties altijd zorgvuldig en lang van tevoren gepland.

'Het lijkt me juist een goed idee om er sámen even tussen uit te gaan... Lekker genieten, tijd voor elkaar, samen eten en lekker kletsen...'

Ik kreeg een brok in mijn keel, dit klonk ook aanlokkelijk.

'Lijkt het je wat? Ze noemen Boedapest het Parijs van de Oostbloklanden, en ik zou het je dolgraag laten zien...'

Eveline 7.

'Aan dit leven kan ik wennen, Eef!' Wick hield zijn glas champagne omhoog en ze proostte met hem, glimlachend: natuurlijk kon die relnicht aan luxe en Hotel Costes wennen.

Het weekend in Parijs was helemaal over the top. Eveline liet zich aankleden bij Dior op Avenue Montaigne, kocht nieuwe jurkjes, pakjes en schoenen bij Chanel en haalde haar paarse Hermès Kelly Bag van struisvogelleer op die ze lang geleden had besteld. Ze liet zich door Wick adviseren over haar doordeweekse kleding met een funky twist bij Barbara Bui en BCBG. Voor de kinderen kocht Eveline alles in een keer bij Gallery Lafayette. Ze gingen dineren bij L'Astrale en La Societé. Dit was het leven dat Eveline mooi vond, en als dank kapte Wick haar haar en deed hij haar make-up. Ze voelde zich een prinses.

Na de modeshow van Colette gingen ze helemaal los tussen de leeghoofdige modelletjes en rijkeluiszoontjes in L'Arc. Uiteraard hadden ze sjans en Wick werd zelfs door een gladde Italiaan meegetroond naar diens tafel. Eveline sleurde een knap Argentijns model de dansvloer op, en voor ze het wist stonden ze ongegeneerd te zoenen.

'You are bjoetitfoel!' hijgde hij in haar oor. 'Just like Sharon Stone!'

's Ochtends kwamen ze L'Arc uit gerold terwijl de schoonmaakploegen de straten al aan het schoonspuiten waren. De luiken van de kiosken rolden open, en gierend van de lach hielden Eveline en haar veel te jonge verovering zoenend op straat een taxi aan. Net toen hij haar lag te verwennen, ging haar mobiel. Even twijfelde ze of ze zou opnemen, maar misschien was er echt iets aan de hand.

Een hysterische Lisa Marie schreeuwde door de telefoon: 'Zus, je moet me helpen!'

Eveline was op slag nuchter. 'Wat is er in godsnaam aan de hand?'

Lisa Marie snikte. 'Ik ben erachter gekomen dat Ted een gokschuld heeft van 35.000 euro.'

Eveline zakte terug in de kussens en aaide de Argentijn over zijn hoofd. Ze gebaarde dat hij vooral door moest gaan en tergend langzaam kuste hij haar borsten. 'Jezus, Lisa, ik schrok me echt rot, ik dacht dat er iets met de kinderen was.'

Lisa Marie snikte, Eveline had haar nog nooit zo overstuur gehoord. 'Nee, het is Ted!'

Eveline zuchtte ongeduldig. 'Morgen kom ik naar huis, zullen we er dan over praten?' De Argentijn kuste vederlicht haar buik en trok een spoor met zijn tong naar beneden. Zijn grote hazelnootkleurige ogen keken haar ondeugend aan. Eveline sidderde.

Ze hoorde Lisa Marie op de achtergrond kermen. 'Ja, maar er moet een oplossing komen Eef, anders...'

'Natuurlijk, Marie, *pas de problème*! Zodra ik terug ben bespreken we alles!' Ze trok de Argentijn aan zijn krullenbol omhoog; ze wilde nog even genieten van haar weekend.

'Ik word altijd een beetje weemoedig van afscheid nemen,' zei Wick. 'Het is heel dubbel; bij elk afscheid hoort een nieuw begin. Naast het weemoedige gevoel heb ik ook zin om naar huis te gaan. Naar Pepita, mijn salon, Roos en Luna.' Hij keek mijmerend uit het raam.

Wick had Eveline meegenomen naar Restaurant Les Ombres op Quai de Branly. Het overweldigende restaurant was gevestigd op het dak van Musée Branly, door voormalig president Chirac opgericht om cultuur en moderne kunst bij de jeugd te stimuleren. Ze hadden een prachtig tafeltje in de glazen koepel, en de lichtjes van de Eiffeltoren waren net aangegaan, ze hadden een weergaloos uitzicht. Eveline voelde dat haar buik was opgezet na dit decadente weekend.

'Ik moet weer nodig trainen als ik thuis ben,' mompelde ze.

Wick staarde haar aan. 'Denk je alleen daaraan?' Eveline knipperde met haar ogen. 'Mis je je kinderen dan niet?!'

Ze haalde haar schouders op. 'Jawel, maar... ik vind deze vrijheid ook wel lekker.'

'Heb jij dan werkelijk geen gevoel?'

'Hoe bedoel je?'

'Nou, heb je geen zin om naar huis te gaan? Naar je kindjes, je man?' Hij nam een slok San Pellegrino.

Eveline haalde haar schouders op en verschoof de sashimi op haar bord.

'Jawel, maar...' Ze vocht tegen de tranen. Verdomme.

Wick reikte naar haar hand. 'Wanneer laat je dat masker eens vallen, Eef?'

Ze snakte naar adem en schoof haar stoel naar achteren. Maar Wick bleef haar hand vasthouden. 'Niet weglopen, Eveline, dat heeft geen zin. Vertel nou maar eens wat er aan de hand is.' Seconden tikten weg. 'Waarom dit vluchtgedrag? Waar loop je voor weg? Waar ben je bang voor?'

Ze haalde haar schouders op en friemelde aan het tafelkleed. 'Gewoon, ik...' Emoties overmanden haar.

'Had je je leven zo voorgesteld?' Driftig knikte ze. 'Eerlijk?'

Ze staarde naar de Eiffeltoren. 'Ja, en nee.'

Wick had haar hand losgelaten en knikte haar toe. 'Begin maar eens met de ja.'

'Ja, omdat ik gelukkig ben met mijn kinderen, wat we bereikt hebben, het mooie huis, de stichting... mijn gezin...'

De ober zette nog een mandje brood neer en schonk de glazen met water bij.

'En nee?'

Nu werd het gevaarlijk, ze aarzelde. 'En de nee, ach ja, laat ook maar.'

Wicks priemende ogen lieten haar niet los. 'Bij mij zijn je geheimen veilig, Eef. Bovendien zou het je wel eens kunnen opluchten, ik zie duidelijk dat je worstelt.'

Ze twijfelde nog, maar haar onrust borrelde vanbinnen en wilde er zo graag uit. Ze slikte. Wick keek haar indringend aan.

'Omdat Rutger me niet meer ziet staan en naar de HOEREN gaat...' Een oerkreet ontsnapte aan haar mond, ze schrok er zelf van. Wick ging naast haar zitten en wreef over haar rug.

Eveline brak. De woorden rolden uit haar mond. Nooit eerder had ze iemand verteld dat ze vroeger van Stephan hield, maar dat ze voor Rutger had gekozen om een stabiel leven op te kunnen bouwen. En hoe hij haar nu vernederde door naar de hoeren te gaan. Dat ze een brief met compromitterende foto's had ontvangen. Dat ze Stephan af en toe nog zag. Alle diepste geheimen rolden zo haar mond uit. Hortend en stotend, onsamenhangend. Wick zat daar maar en luisterde aandachtig. Het werd aardedonker buiten; alle gasten hadden inmiddels afgerekend en waren opgestaan. Ze bestelden hun derde muntthee en Eveline praatte maar door. Ze was enerzijds bang en anderzijds luchtte het haar op. Ze kon niet meer stoppen, alsof de opgekropte emoties van de afgelopen vijftien jaar er in een keer uitliepen.

En Wick luisterde, oordeelde niet. Uiteindelijk zei hij dat ze het verleden moest laten rusten, dat ze verder moest. Dat ze vooral vooruit moest kijken, haar eigen leven leuk moest maken. Alleen nog maar dingen moest doen waar ze plezier in had. Een nieuwe uitdaging: haar gezin, de stichting, de toekomst. Ze voelde zich eindelijk weer rustig worden.

Roos 8.

Ieder mens krijgt een portie ellende in zijn leven om een persoonlijke ontwikkeling te kunnen doormaken, daar ben ik van overtuigd. Het politieonderzoek had verder niets opgeleverd. Het voorval spookte nog steeds door mijn hoofd en ik probeerde te bedenken wat mijn les uit deze periode moest zijn. Het voelde als een overgang naar volwassenheid; weg van dat infantiele gefeest. Ik had Stephan verteld dat er een e-mail was verstuurd naar de zaak, en hij had er werk van gemaakt. Ik had hem ook verteld dat ik in het nieuwe jaar een andere baan ging zoeken, en hij had me daarop langdurig omhelsd. Het maakte hem niet uit, zolang ik maar deed waar ik me goed bij voelde. En zolang ik bij hem zou blijven, zodat we samen iets moois konden opbouwen. Door de liefdevolle manier waarop hij met me omging, wist ik dat het goed zat.

Wick was met Eveline naar Parijs geweest, ik had hem al een tijdje niet gesproken. Eigenlijk niet meer sinds het voorval met de partydrugs, op dat ene ziekenbezoekje na. Ik kreeg wel steeds sms'jes van hem, maar voelde een stille afstand. Normaal gesproken zouden we dit uitspreken, maar nu durfden we dat beiden niet. Er knaagde een ongemakkelijk gevoel aan me.

Ik hield de autosleutels in mijn mond toen ik de achterklep opende, en zette met moeite een paar grote Albert Heijn-tassen in de auto; mijn gipsarm klopte. Weer ging mijn telefoon. Ik had geen zin om die te beantwoorden en luisterde de voicemail af: Stephan. Ik hoorde onrust in zijn stem, of ik snel naar Tims school kon rijden om hem op te vangen. Tim zou om kwart over drie uit school komen, maar Stephan stond in de file bij Utrecht. Zijn ex, Aurelie, zou Tim ophalen voor het weekend en hij haalde het niet op tijd.

Geïrriteerd startte ik de auto en keek op mijn horloge. Dat gezeur met die exen ook altijd. Het ging nu redelijk goed tussen Roland en mij, maar op een ontmoeting met Tims moeder zat ik niet bepaald te wachten. Volgens Eveline was ze een absolute schoonheid maar ontzettend veeleisend en labiel. De moed zakte me in de schoenen, en eerlijk gezegd kon ik niet begrijpen dat zij haar kind maar eens per maand wilde zien. Om die reden had ik bij voorbaat al een hekel aan haar.

Ik belde Stephan terug om te zeggen dat ik voor Tim zou zorgen, en hij vertelde me waar zijn weekendtas stond. Ik was net op tijd om eerst Luna en daarna Tim voor de deur van hun respectievelijke scholen op te vangen. Opgetogen vertelde het jongetje dat zijn moeder hem vandaag zou komen halen.

Vermoeid reed ik Stephans straat in; een grote SUV met Belgisch kenteken stond voor het hek te wachten. Een vrouw met donker golvend haar zat achter het stuur. Ik opende de poort, en met een dot gas reed ze voor me uit. Toen ze de auto had geparkeerd, stapte ze energiek uit en rende in onze richting. Tim deed het portier open en stormde op haar af.

Ik was sprakeloos. Dit had ik niet verwacht. De vrouw tilde Tim op en samen draaiden ze rondjes. Ik zag haar gestroomlijnde figuur en haar lange bruine haar dat danste in het zonlicht. Ze had haar ogen toegeknepen en overlaadde haar zoon met kussen, rook aan zijn haar. Haar zonnebril vloog van haar hoofd en voorzichtig raapte ik hem op.

'Timothy, o, mijn lieve Timothy, wat is mama blij je te zien!' Ik zag hoe Tim straalde en bijna in haar kroop. Voorzichtig kwam ik dichterbij en ik zag haar lichtbruine teint, haar amberkleurige ogen en haar perfecte mond. Ik voelde dat ik staarde.

Aurelie zette Tim weer op de grond en pakte de zonnebril uit mijn hand. 'Dank u.' Ze streek met haar vrije hand over haar ogen, om een denkbeeldige traan weg te vegen. 'Ik ben altijd zo ongelooflijk blij om mijn kleine mannetje te zien, dat ik nog wel eens onstuimig word.'

Ik glimlachte, moederliefde was universeel. 'Ik zal me even voorstellen, ik ben Roos en dit is Luna.'

Ze gaf ons een hand. 'Aurelie, aangenaam. Ik heb u nog nooit hier gezien.'

'Klopt, ik ben de vriendin van Stephan...' Terwijl ik het zei, voelde ik me nietig worden. Lomp en beschaamd, vooral toen ik haar gezicht zag verstrakken.

Ze leek even van haar à propos, maar had zich snel weer hervonden. 'God, de hoeveelste alweer niet?' Uit de hoogte keek ze me aan. 'Ik moet Stephan hier over aanspreken, ik vind het niet normaal dat hij Timothy met al zijn vriendinnen in aanraking laat komen,' beet ze me toe. 'Maar goed, dat is niet uw probleem, ik heb erger meegemaakt.' Vorsend keek ze op me neer. 'Dus u bent de nieuwe vriendin van Stephan?' Ongeloof klonk in haar stem door. 'U bent een totaal ander type dan ik van hem gewend ben, maar goed, verandering van spijs doet eten.' Schaapachtig overhandigde ik haar de weekendtas, die ik snel had gepakt.

Aurelie streek nog eens over Tims haar. 'Ga maar vast zitten, schat, mama komt zo.' Ze opende de achterklep van de auto en gooide de weekendtas erin. Even twijfelde ze maar toen draaide ze zich om en keek me met felle ogen aan. 'Kijk alsjeblieft goed uit, mevrouw, kijk alsjeblieft héél goed uit! Ik ken u niet en toch zeg ik het. Wees gewaarschuwd.' De verbittering droop van haar gezicht. 'Ik heb genoeg meegemaakt met die man.'

Ze deed haar zonnebril weer voor haar ogen en smeet de achterklep dicht. Ik zag dat ze trilde van woede. Zonder te groeten liep ze langs ons heen, gespte Tim vast en ging met opgeheven hoofd achter het stuur zitten. Ze startte de auto en reed het pad af. Ik stond haar verbouwereerd na te kijken.

Eveline 8.

Deze keer had Stephan Eveline gebeld; ze was alweer een week uit Parijs terug en moest naar Lisa Marie voor een gesprek over Teds gokschulden.

'Ik moet je spreken,' had Stephan kortaf gezegd. Ze hadden afgesproken om koffie te drinken op hun vertrouwde adres. Opgewekt had ze haar nieuwe outfit aangetrokken en was naar hotel De Witte Lely gereden. Stephan begroette haar koeltjes en bestelde koffie. Toen vroeg hij haar direct of zij de drugs in het drankje van Roos had gedaan en de e-mail had gestuurd met de foto van hen samen op de zeilboot.

Eveline gaf niets toe, ze keek hem alleen maar zwijgend aan. Opeens irriteerde zijn dwingende gedrag haar, en ze stond op. 'Ik doe alles voor jou, Stephan Smit. Ik heb ervoor gezorgd dat het contact tussen Wick en Roos losser zou worden, dat wilde je toch? Ik was op het feestje op die godvergeten camping en ik heb die relnicht meegenomen naar Parijs. Allemaal voor jou. En nu ga jíj mij verdenken van bepaalde acties?! Opgefokt en vol oordelen? Ik vind je zó ondankbaar.' Ze was het meer dan zat. 'Zoek het maar uit, Stephan. Toen je erdoorheen zat, de laatste keer dat we elkaar zagen, vroeg je niet naar de consequenties, was je er alleen in geïnteresseerd om je doel te bereiken. Het doel heiligt de middelen, Stephan, zoveel wil ik erover kwijt. En dwing me niet in een bepaalde positie, ik ben al vaker buiten mijn boekje gegaan voor jou.'

'Jij bent werkelijk tot alles in staat...'

Eveline rolde met haar ogen. 'Heb je goed gezien, klootzak, en doe nou maar gewoon wat ik je zeg.'

Hij greep haar pols en siste: 'Roos heeft Aurelie ontmoet, Eveline, en ze is helemaal van slag.'

Eveline ging weer zitten en keek hem met open mond aan. 'Hebben ze gepraat?'

Stephan schudde zijn hoofd. 'Ja, en Aurelie heeft haar gewaarschuwd.' Een scooter raasde voorbij en de seconden tikten weg. Ze nam even bedenktijd.

'Wil je dat ik iets doe?' fluisterde Eveline, terwijl er duizenden scenario's door haar hoofd schoten.

Ontdaan schudde Stephan zijn hoofd. 'Nee, ik heb de boel kunnen sussen, maar Roos was behoorlijk achterdochtig.'

Ze zuchtte. 'Door Aurelies uiterlijk, zeker?' Ze kon het niet laten te spotten: Roos was een nijlpaard vergeleken bij Aurelie.

'Ook. Maar vooral door haar moederliefde. Ik ben bang dat ze het niet vertrouwt.' Stephan keek op zijn horloge, hij moest gaan.

Eveline dronk haar glas water leeg. 'Weet je, Stephan, dat verhaal met Aurelie is al zo lang geleden, dat kan toch niemand meer bewijzen? Destijds was ze niet in staat om voor Timothy te zorgen, en jij kreeg de voogdij. Dat was toch mooi geregeld? Kom op, Stephan, dat wijf is manisch-depressief, totaal niet in staat een kind op te voeden.' Ongeduldig draaide ze aan haar grote ring. 'Ik word eerlijk gezegd een beetje moe van je paranoïde gedrag. Ik ga, als je het niet erg vindt, ik heb nog een andere afspraak. En als ik jou was zou ik me eens wat meer zorgen maken om je zaak dan om die eeuwige Roos van je. Prioriteiten stellen, Stephan: daar wás je altijd goed in.'

Ze gooide haar Vuitton-sjaal over haar schouders en pakte haar nieuwe paarse tas. 'Je lijkt wel een oud wijf.' Plichtmatig drukte ze een zoen op zijn mond en liep toen zonder zijn reactie af te wachten naar buiten.

Daar viste ze haar mobiel uit haar tas en toetste het nummer van haar dealer in. Onder deze omstandigheden moest ze helder van geest blijven.

Annegreet kwam binnen met twee dampende mokken thee, en Eveline haalde een pakketje pure chocolade van Michel Chaudun uit haar nieuwe Chanel-tas. Lisa Marie leek zichzelf weer onder controle te hebben en keek Eveline afwachtend aan.

'Sorry dat ik niet eerder tijd had, Lisa Marie, ik had het na Parijs zo druk...' Haar zus viste een koekje uit de koektrommel en negeerde de chocolade.

'Geeft niet, ik wist wel dat je het druk had met jezelf.' Ze lachte vreugdeloos.

Eveline negeerde de bittere ondertoon. 'Goed, laten we maar met de deur in huis vallen: Lisa Marie komt hier dus de boel versterken. Vier dagen in de week, van negen tot vier. Annegreet vond het een goed plan om het team uit te breiden.' Ze knikten beiden, lieten haar uitpraten. 'Tenslotte ben je geweldig met kinderen, eerlijk is eerlijk, Lisa Marie.' Eveline blies in haar thee. 'En Annegreet kan je hulp goed gebruiken. Ik ook, trouwens.' Eveline reikte naar Lisa Maries hand, maar haar zus trok die stug weg.

Na het gesprek van vorige week had Eveline het idee opgevat dat Lisa Marie bij de stichting kon komen werken om die verrotte gokschuld van Ted af te kunnen aflossen. Ze zou een paar taken van Eveline overnemen, en Annegreet kon haar hulp goed gebruiken. Vorige week had ze al meegedraaid en Annegreet was onder de indruk van haar inzet.

'Dus je bent al een beetje ingewerkt?' vroeg Eveline. Ze wisselde een blik met Annegreet.

'O ja, ik vind het heerlijk hier. De kinderen zijn echt geweldig, en ik kan goed opschieten met Annegreet.'

'Mooi zo.'

'Hoe was je weekendje Parijs, trouwens?'

Eveline glimlachte en zette haar mok neer. 'Heerlijk! Ik heb genoten!'

Lisa Marie keek haar zus doordringend aan. 'Maar je was niet met Rutger.'

'Nee. Had ik dat gezegd, dan?'

Haar zus leunde achterover in haar stoel. 'Nee, maar nu ik hier werk dacht ik dat jij wat meer tijd met Rutger zou kunnen doorbrengen...'

Eveline bestudeerde haar nagelriemen. 'Lisa Marie, laat ik duidelijk zijn: wij weten beiden waarom je hier zit. En hoe dan ook: ik heb een beetje tijd voor mezelf nodig.' Langzaam schudde ze haar hoofd.

'Voordat je weer kattig wordt: ik doe het ook om jou te helpen, zus, en om je huwelijk te redden.'

Plotseling was Eveline gealarmeerd. 'Waarom? Wat heb jij daar voor belang bij?'

Lisa Marie sloeg haar armen over elkaar. 'Cashflow, zus, ik denk aan het voortbestaan van deze stichting!'

Minzaam keek Eveline haar aan. 'Daar hoef jij je geen zorgen over te maken en ik vind het bovendien respectloos dat je over dergelijke zaken spreekt waar Annegreet bij is. De toekomst van Stichting Teddybeer is veiliggesteld, en voor de rest zou ik me meer zorgen maken over je eigen man. Daar wil ik het bij laten, ik heb nog meer te doen.' Beheerst zette ze haar kopje op de tafel. Ze stond op.

'Voor Ted is het ook niet makkelijk...' mompelde Lisa Marie. Nu werd het Eveline te veel. 'Hoezo? Hij heeft toch zijn bank, tv, shag en zijn krat bier?' Het was niet eens sarcastisch bedoeld.

'Ja, maar nu hij overdag zo veel op de tweeling moet passen, ben ik bang dat hij 's avonds zijn vertier in de stad gaat zoeken, waar hij weer met de verkeerde mensen in aanraking komt.'

Eveline sloot haar ogen, voelde de mascara prikken. Ze wist waar het op ging uitdraaien. 'Dus straks is het mijn schuld dat hij is gaan gokken?' Lisa Marie haalde haar schouders op.

Er knapte iets in Evelines hoofd en ze draaide zich om. 'Annegreet, vind je het heel erg om even ergens anders te gaan poetsen?! Dit zijn familiezaken.' Als een haas maakte Annegreet zich uit de voeten, en Eveline sloot de deur. Langzaam stapte ze op haar zus af, torende boven haar uit.

'Ik geloof niet dat je weet waar je het over hebt, Lisa Marie. Dat jouw kleine verwrongen hersenpan kan bevatten wat de consequenties zijn van jouw nieuwe bestaan hier met die nietsnut van een kerel!' Eveline kookte van woede maar bleef uiterlijk beheerst. Ze deed nog een stap naar voren en boog zich voorover. Ze plantte haar handen op de stoelleuning en haar neus raakte bijna Lisa Maries voorhoofd. 'Weet je wat de echte *fucking* consequenties zijn?!' Eveline sloeg met haar vlakke hand op de eikenhouten tafel. 'Dat pa met zijn bezopen kop elk weekend de trap op zwalkte en naar mijn kamertje kwam en dat NIEMAND iets deed!' Evelines hartslag was onregelmatig, het duizelde haar. Ze voelde dat ze de controle verloor, maar het kon haar niets meer schelen. Glazig keek Lisa Marie haar aan.

'En jij wist het, vuile bitch, maar je liet het gewoon gebeuren! Telkens als hij met zijn dronken harses die trap op kwam, deed ik het in mijn broek van angst en telkens als hij met zijn gore lijf boven op me kwam liggen, smeekte ik dat JIJ me zou komen redden. Of ma. Maar nooit, maar dan ook NOOIT kwam iemand die misselijkmakende hondenlul van me af trekken. En jullie WISTEN het!' Haar hartslag was ongekend hoog en ze hapte naar adem. 'Jullie zaten gewoon beneden en jullie WISTEN wat hij aan het doen was!'

'Dat dacht jij,' siste Lisa Marie. 'Dat dacht jij, harteloos kreng.' Haar ogen flitsten heen en weer. 'Telkens als hij weer naar jouw kamertje ging, zaten ma en ik beneden te huilen, te smeken, te bidden dat hij niet zou gaan. Maar we konden niets doen, hij sloeg ma helemaal stuk. Ik heb hem zelfs aangeboden dat hij mij mocht nemen als hij jou met rust zou laten.' Ze schudde haar hoofd en streek een vette lok naar achteren. 'Maar ik was te dik, zei hij altijd, dat was mijn geluk. JIJ was zijn lievelingetje, en ma en ik hoopten altijd dat je er wel overheen zou komen. Je was toen al beeldschoon en intelligent, we hoopten dat hij te zat was om je echt iets aan te doen. En dat jij te kil was om het je aan te trekken.' Ongelovig staarde Eveline haar aan en ze liet zich op de stoel zakken. 'Daarom hebben we ook nooit iets gezegd over die brand. Terwijl we wisten dat jij die had aangestoken.'

De mededeling sloeg in als een bom. Het gevoel trok uit Evelines benen weg en de keuken draaide om haar heen. Lisa Marie vouwde haar handen samen, keek haar met samengeknepen ogen aan en fluisterde: 'Ik heb zelfs die plastic Pepsi-fles weggemoffeld, zodat de politie die niet zou vinden.' Alles om Eveline draaide, ze focuste zich op het schilderijtje aan de muur. 'Dus jullie wísten het?' Haar mond was gortdroog, ze zag er ineens verslagen uit.

'We namen je het niet kwalijk, hij was een monster.' Een wrang glimlachje speelde om Lisa Maries mond. 'Voor mij was hij wel lief, ik was zijn maatje. Maar ja, ik had ook niet vooraan gestaan toen God schoonheid aan het uitdelen was.' Eveline hapte naar adem, haar hyperventilatie speelde op. 'Achteraf was dat mijn geluk. Maar ik voelde jouw angst wel, en jouw verdriet. En tegelijkertijd had ik een hekel aan je, omdat jij die aandacht kreeg. Krom, hè?'

Eveline kon niets zeggen, ze liet de woorden van haar zus bezinken. Voor haar gevoel verstreken er uren. Lisa schonk nog wat thee in.

'Wist ma het ook?' Evelines stem kwam van ver. Ze roerde afwezig in haar thee.

'Natuurlijk. En ze smeekte en ze bad die schoft op haar blote knieën om jou met rust te laten. Maar hij...,' ze haperde even, '... hij sloeg haar bewusteloos. Waarom denk je dat ma altijd zo blij was als hij zondagavond weer vertrok? Waarom ze altijd probeerde doordeweeks rust te creëren? Waarom ze haar ellende verzoop? Ze nam het zichzelf zo kwalijk.' Lisa Marie tuurde naar buiten, de tranen stroomden over haar wangen. 'Keer op keer smeedden we plannen, maar mama durfde niet weg te gaan. Hij zou haar vinden, zei ze, en hij zou haar vermoorden. En dat kon ze ons niet aandoen, vond ze.' Lisa Marie snikte nu. 'En wij zagen hoe jij je in jezelf keerde, hoe jij een droomwereld creëerde waaruit je ons buitensloot. Omdat jij zo ijzersterk was, bedacht ma een plan voor jou, omdat ze geloofde dat jij het wel zou durven. Mama wist dat je sterk genoeg was en dat je je niet schuldig zou voelen. Daar geloofde ze heilig in, er was niemand zo lief als mama. Ik bedoel: dat zou ook waanzin zijn na alles wat hij je had aangedaan.' Ze haalde haar neus op en nam een slok thee.

Opeens begon het Eveline te dagen en ze keek Lisa Marie verbijsterd aan. Die friemelde aan haar trui en durfde amper terug te kijken toen ze haar verhaal vervolgde.

'Mama heeft jou zelf verteld wat voor kalmerend effect gevlekte scheerling had toen we op vakantie waren. Je zat met dat flesje te spelen en vroeg wat het was. Mama zei dat gevlekte scheerling een soort slaapmiddel was. En ze heeft jou verteld dat je uit moest kijken met kaarsen omdat de slingers zo vlam konden vatten.'

In een flashback zag Eveline haar verjaardag weer voor zich. Op de dag dat ze zestien werd, besloot ze wraak te nemen. 's Morgens had ze van haar moeder mooie cadeautjes gekregen waar ze heel erg blij mee was. De mooie lichtroze Lacoste-trui die ze al zo lang wilde hebben en een gele walkman van Sony. Haar vader kwam pas laat uit bed en gaf haar een zilveren kettinkje met een hartje. Ze vond het walgelijk. Hij had de hele middag de elpee van Elvis Presley gedraaid, was al vroeg begonnen met bier drinken en hij wilde steeds met haar dansen; hij was strontvervelend. Eveline was blij dat ze geen vriendinnen had uitgenodigd. Van Lisa Marie kreeg ze een mooie pen, waarmee ze in haar dagboek kon schrijven. Eveline had haar bedankt en Lisa Marie was naar haar vriendje gegaan. Eveline had haar verwijtend aangekeken, Lisa Marie liet haar zelfs op haar verjaardag in de steek. Haar vader had flauwe grapjes gemaakt en geïnsinueerd dat Eveline vanavond pas echt 'sweet sixteen' zou worden. Bij die gedachte stierf ze vanbinnen, en ze besloot ter plekke dat ze oud genoeg was om dat nooit meer mee te maken. Ze verafschuwde de man en besloot dat deze verjaardag een mooie gelegenheid was om het heft in eigen handen te nemen. Ze gaf een cadeau aan zichzelf. Terwijl haar vader in zijn beschonken bui nogmaals de elpee van Elvis Presley opzette en een broodje paling at, sloop Eveline naar buiten. Ze pakte uit zijn vrachtwagen de reservejerrycan met benzine en vulde een Pepsi-fles van anderhalve liter. Uit haar moeders badkamerkastje pakte ze de gevlekte scheerling en mengde die door haar vaders jenever-cola, danste nog even met hem en gaf hem het glas. Lachend had hij 'Sweet Little Sixteen' voor haar gezongen, en viel vervolgens buiten adem neer op de bank. Hij had alleen zijn hemd nog aan en baadde in het zweet. Ze gaf hem een glas water, ook gemengd met gevlekte scheerling, en even later viel hij als een blok in slaap. Eveline dirigeerde haar moeder met zachte hand naar boven, zij zou opruimen. Ze bleef nog een tijd tegenover haar vader zitten om naar hem te kijken, maar elke vezel in haar lichaam was doordrenkt met haat. Hij was haar vader niet, hij was een monster. Na een half uur stond ze op en overgoot de leuning van de bank met benzine. Ze liet de kaars vallen en de papieren slingers vatten vlam. Toen waarschuwde ze haar moeder, het was een kwestie van minuten. Ze schrok van de enorme vlammenzee toen ze de trap af renden en konden op het nippertje ontsnappen voordat de houten balken vlamvatten. Haar moeder schreeuwde naar haar vader om hem nog wakker te maken, maar Eveline trok haar naar buiten. Ze wachtte rillend in haar joggingpak naast haar jammerende moeder tot de brandweer en de politie kwamen. Haar moeder was hysterisch geweest en Lisa Marie voegde zich slaapdronken en half stoned bij hen.

Het huis was niet meer te redden. Ze hadden gerouwd maar nooit meer over de oorzaak van het ongeluk gesproken. De politie verzekerde hen na een uitgebreid onderzoek dat de brand was ontstaan door een omgevallen kaars. Gelukkig was haar moeder goed verzekerd.

De stem van Lisa Marie bereikte haar weer, haar hand lag op die van Eveline. 'Maak je maar geen zorgen, we hebben het je vergeven.' Eveline staarde haar aan, liet de woorden tot zich doordringen. 'Bovendien was hij niet te veranderen, we hebben het op alle mogelijke manieren geprobeerd. Hij miste gewoon een chemisch stofje in zijn hersenen. Wij begrijpen het als geen ander, Eveline, er was geen uitweg.' Eveline luisterde en zweeg.

'Maar het moet wel een geheim blijven, zus, en daarom heb ik je om hulp gevraagd. Ik wil dat jij me die vijfendertigduizend euro kwijtscheldt. Ik ga hier niet jaren zwoegen om het af te lossen. Je kunt het best missen, zus, en het geld dat ik hier verdien kan ik heel goed gebruiken.'

Zwijgend keek Eveline haar aan.

'Bovendien denk ik dat Rutger *not amused* zal zijn met dit verhaal. Ik bedoel: het zit nu al zo lang in de doofpot, laat het daar maar lekker liggen, vind je niet?'

Eveline schrok op en dacht na. Wat kon haar dat geld schelen? 'Ik zorg dat het geen probleem is, maar dan hebben we het er nooit meer over,' mompelde ze en ze liep als in trance naar haar auto en stapte in. Ze startte de Range Rover en drukte op de herhaalknop van haar mobieltje.

'Hallo schat, met Wick!' schalde het door de auto.

Evelines ogen prikten, en in haar keel belemmerde een brok haar het spreken. 'Kan ik je vertrouwen?' snikte ze. 'Ik moet je spreken...'

Roos 9.

'Práát me er niet van! ' Wick opende routineus en met een zachte plop een fles champagne. 'Champagne moet zuchten.' Hij haalde zijn schouders op. 'Dat zeggen ze in Frankrijk.' Ik hield twee glazen bij en zweeg, dolblij dat ik Wick weer eens zag. Hij leunde mijn kant op en smoesde in mijn oor.

'Zo'n ongelooflijk verstandshuwelijk, echt waar. Denk aan Juliana en Bernhard, maar dan de moderne versie, ik zweer het: Eveline en Rutger haten elkaar. Hij keek me even recht in de ogen. 'Dat je dat nog niet doorhad, Jomanda.'

Ik proestte het uit, en niet alleen om deze opmerking. Wick droeg een roze T-shirt met opdruk REL NICHT. Stephan had erom gelachen als een boer met kiespijn. Hij was al twee dagen in de weer om Tims verjaardag in stijl te organiseren: met een springkussen, catering en een karaokeset. Ik kreeg er lachkriebels van.

Wick vervolgde zijn relaas: 'Ik ben toch een weekend met Eef weggeweest? Nou, ze is helemaal leeggelopen! Een geval apart, geloof me.'

Ik stootte hem aan. 'Vertel dan!'

Hij schudde zijn kale hoofd. 'Nee, lieverd, ik ben bezig het een plaatsje te geven.' Hij klauwde met zijn vingers in de lucht.

Ik zuchtte overdreven. 'Wat een onzin! Bovendien heeft Bernhard in een interview verteld dat hij wel van Juliana hield! Van haar humor, haar ogen, haar intelligentie... Hij had van haar leren houden.'

Met een spijtige blik keek Wick me aan. 'Nee, lieverd, voor een miljard euro zou ik ook best van iemand willen houden, maar dit geval,' en hij gebaarde met zijn hoofd naar Eveline en Rutger, 'dit geval valt onder de categorie verstandshuwelijken.' Wick nam een slok. 'Sterker nog: dit verhaal komt in mijn memoires!'

Ik proestte het uit, de champagnebubbels prikten in mijn neus. 'God, die memoires van jou worden vuistdik!'

Hij knikte. Ik wist dat Wick in een soort dagboek al zijn uitspattingen en ervaringen opschreef. Hij had veel *flings* gehad met getrouwde mannen, en klanten in de salon vertrouwden hem de waanzinnigste dingen toe. Dat noteerde hij allemaal, het was een soort uit de hand gelopen hobby, en het mocht pas na zijn overlijden gepubliceerd worden vanwege het risico dat de beschreven personen hem zouden kunnen aanklagen. Maar ook Wick moest zijn beroepsgeheim ergens kwijt. Hij stootte me aan. 'Ik kan je wel wat *juicy* details vertellen, hoor! Weet je bijvoorbeeld hoe vermoeiend het is om miljonairsvrouw te zijn?! Geef haar één glaasje champagne en ze zit te jenken!' Ik stootte hem aan, keek om me heen of niemand het gehoord had.

'Hou op! Wat is er trouwens gebeurd met het gewone kinderpartijtje? Waar zijn de speurtocht en het koekhappen gebleven?'

Wick schudde zijn hoofd. 'Please, schat, koekhappen is zó 2003. Tegenwoordig is het kinderchampagne, een chocoladefontein en K3, lieverd, minimaal.'

Ik keek rond, zeker veertig volwassenen en dertig kinderen liepen door de tuin. Ik zag een groepje mensen om de stoel van Rutger staan, ze hingen aan zijn lippen. Met veel handgebaren vertelde hij over zijn nieuwe jacht van vierendertig meter lang. Eveline stond in een hoekje met de moeder van Stephan te praten. Mevrouw Smit zat op deze heerlijke nazomerdag in een wollen jas in haar rolstoel. Ik zag Eveline afwezig frommelen in haar Chanel-tas. Het leek wel of ze me sinds het feestje van Wick probeerde te mijden. Ik was blij dat Wick weer normaal deed, ik had hem gemist.

'Hoe kan een leven als miljonairsvrouw in godsnaam vermoeiend zijn?' fluisterde ik tegen Wick. 'Ik bedoel: ze laat haar Louboutins uit New York overvliegen en zit *front row* bij Mart Visser.'

Wick zuchtte theatraal. 'Roos, je hebt geen idee!' Hij leunde mijn kant op. 'Weet je hoeveel druk het met zich meebrengt om een *trophy wife* te zijn? Eef is een verloren ziel uit Drenthe, ze heeft er alles voor over om het familieplaatje perfect te maken.' Gulzig nam hij een slok. 'Ze weet precies hoe het moet en vooral wat ze allemaal moet laten...'

Ik keek hem sceptisch aan. 'Waarom dan, ze is toch happy, zo?!'

Wick schraapte zijn keel. 'Ja hoor, schat, ze heeft mijn nummer onder *speed dial* staan omdat ze zo gelukkig is... En dat van haar dealer waarschijnlijk ook...'

Ik keek hem verschrikt aan. 'Dat méén je niet!'

Wick fronste zijn neus, dat deed hij altijd als hij spijt had van iets wat hij gezegd had. 'Shit, ja, nou ja, kun je een geheim bewaren?' Ik knikte ongeduldig en Wick boog naar me toe. 'In Parijs zag ik haar voorraad in haar tas... Zij was zich aan het douchen en ik zocht een sigaret. Heel discreet, hoor, in een klein envelopje; kabouterpost noemen we dat. Dat verklaart gelijk haar tomeloze energie en haar wispelturigheid.'

Vertwijfeld keek ik hem aan, ik wist niet hoe ik moest reageren. 'En Rutger weet dit?!'

Wick schudde zijn hoofd. 'Nee, natuurlijk niet. Dat is het probleem, juist. Die twee leven compleet langs elkaar heen. Ze heeft me in vertrouwen díngen verteld... daar lusten de honden geen brood van. Ik zal het je misschien nog wel eens vertellen, maar ik wil je er ook niet mee belasten, je hebt er niets aan.'

Hij nam nog een slok en zwaaide naar Rutger. Ik stond op het punt om Wick te vertellen dat ik Tims moeder had ontmoet en dat ze me had gewaarschuwd voor Stephan, maar Wick ratelde door, hij moest het kwijt.

'Nee, schattie, het enige wat ik er nu over kan zeggen is dat het blijkbaar nou eenmaal zo gaat in die kringen van de nouveau riches en de beau monde: manlief doet zaken, gaat golfen, zeilen of jagen, en het vrouwtje zorgt voor de kindertjes, de hondjes en de goede doelen! Ze komen allemaal liefde tekort. Liefde kun je niet kopen!' Ik giechelde weer. 'En dat is wat Stephan bij jou zo waardeert, mijn Roosje, jouw oprechte liefde.'

Geamuseerd keek ik hem aan. 'O ja? En hoe weet je dat zo zeker?'

Wick nam een slok. 'Ik hoor nog wel eens wat. Die man weet niet wat hij meemaakt: gezelligheid, liefde, een goed gesprek...'

Ik wreef over mijn onderarm. 'Van wie hoor je dat dan?'

Wick proestte het uit. 'Dat doet er niet toe. Het komt erop neer dat je echt bent, normaal, oprecht, authentiek, hoe je het ook noemen wilt.' Hij drukte een kus op mijn haar. 'En daarom hou ik zo verschrikkelijk veel van je, mijn Roosje. Omdat je zo echt bent.' Een warme golf overspoelde me. Ik had hem gemist. We keken uit over het grasveld en ik slikte mijn verhaal over Aurelie maar in. 'Maar luister altijd naar je intuïtie, dat hoef ik je hopelijk niet meer te vertellen.'

Eveline stond even verderop nog heel bedeesd naar Stephans moeder te luisteren, waarschijnlijk naar verhalen over haar artritis.

Wick zag het en fluisterde: 'Ze heeft weinig keus, ze heeft haar eigen wespennest gecreëerd. En wat moet ze dan? Terug naar het godvergeten Aalten waar ze vandaan komt? Leuk hoor, die hunebedden, maar een Hästensbed ligt prettiger. Stel je voor, Roos: als gescheiden vrouw door het leven! En dan worden ingeruild door een twintig jaar jongere Svetlana met dubbel D! De horreur!' Wick sloeg de theedoek over zijn schouders en keek naar de ober van Ton sur Ton Catering. 'Heerlijk, die hapjes, en dan bedoel ik niet de gerookte-zalmsoesjes.' Ik giechelde weer. Hij leunde tegen de bar en beet in een blini. Zachtjes, zonder zijn lippen te veel te bewegen, fluisterde hij met een blik op Rutger: 'Permanente hoerenloper, wist je dat?'

Ik schrok en liet de helft van de amuse op mijn wollen jurkje vallen. Zo onopvallend mogelijk keek ik naar Rutger, die nu schuin op zijn stoel zat.

'Hoe weet je dat?' siste ik. Wick haalde zijn schouders op, had zijn hand voor zijn mond geslagen. 'O, o, hoor mij nou, ik had nog zo beloofd het voor me te houden... Maar je kent me: ik móét het kwijt en bij jou is het safe, toch?' Bij wijze van bevestiging stak ik twee vingers in de lucht. 'Heeft ze me allemaal zelf verteld tijdens dat weekend in Parijs. Kijk niet zo verbaasd, wat had je dan gedacht? Dat Eefje van nature zo'n neurotische en eenzame wandelende tak is?' Hij keek me meewarig aan.

'Gadverdamme, weet je het zeker?'

'Mr. *Quote*-500 is een vies mannetje, lieverd.'

Ik stootte hem aan, Stephan kwam voorbij. Hij kuste me op mijn wang en vroeg of ik alvast de taartbordjes wilde klaarzetten.

'Die staan al op de grote tafel, ga maar vast de taart uit de grote koeling in de bijkeuken halen!'

Met grote passen beende hij weg, ik draaide me snel weer om naar Wick.

'Hoezo vies, wat doet-ie dan?'

Wick hief zijn handen in de lucht. 'Nee, nee, nee, ik zeg niets meer! Ik heb al veel te veel gezegd!' Hij maakte er wilde gebaren bij. Ik gaf hem een por, maar hij keek me streng aan. '*My lips are sealed.* Wat niet weet wat niet deert.'

Opeens stond Luna voor me, ze keek ons verbaasd aan. 'Wat doen jullie?'

Wick tilde haar op. 'We spelen paardjerijden, leuk hè?'

Stephan kwam bezweet de hoek om zeilen, met een grote doos op zijn arm.

'Waar ligt het mes? Waar staan de bordjes? Heb je de kaarsjes? En die lange gasaansteker?' Hij stond met de kartonnen doos te worstelen, en ik snelde naar hem toe, stak de kaarsjes aan en riep de kinderen die in de tuin speelden. Toen dat niet hielp pakte ik de microfoon van de karaokeset en gilde dat er taart was. Mevrouw Smit, die ongelukkigerwijs naast de box zat, was waarschijnlijk de rest van haar leven aan een oor doof.

Eveline 9.

Een misselijk gevoel bekroop Eveline. Tot tien tellen, Eef, langzaam inademen, maande ze zichzelf. Ze voelde een aanval van hyperventilatie opkomen; dat ging gepaard met het gevoel dat ze geen zuurstof in haar longen kreeg en draaierig werd. Ze had het niet zo vaak meer, maar het laatste gesprek met Wick en die toestand met Lisa Marie waren een achtbaan van emoties geweest. Ze nam een slok water uit het plastic flesje in de bekerhouder van de Range Rover, startte de auto en reed langzaam weg. Ze was nog geen honderd meter van haar huis, maar ze wilde niet naar huis. Ze draaide de ringweg op en voelde haar hartslag versnellen. Juist op dit soort momenten moest ze viaducten en tunnels mijden; paniek zou haar kunnen overvallen en dan zou ze tegen een betonnen pilaar kunnen rijden. Ze gaapte en omklemde het stuur, haar handen klam van het zweet. Misschien wilde ze zich wel doodrijden tegen een paal, of zich van het viaduct storten.

Flarden van zinnen die ze net tegen Wick had gezegd, schoten door haar hoofd. Haar gedachten sprongen alle kanten op. Dat haar vader haar vroeger verkrachtte als hij had gedronken en dat haar zus altijd stiekem achter haar rug zat te smoezen. Dat de stoppen bij haar waren doorgeslagen toen ze een privédetective had ingeschakeld die met foto's van Rutger kwam. Dat haar zus haar chanteerde omdat Ted gokschulden had en dat zij Rutger op haar beurt chanteerde met die foto's en dus eigenlijk geen haar beter was. Dat hij vijf miljoen euro had overgemaakt op een bankrekening op the Virgin Islands en dat het *pay back time* was. Dat ze niet meer na kon denken, dat alles warrig was in haar hoofd.

Eveline snapte niet dat niemand doorhad wat voor een blaaskaak haar man was. Ze stortte haar hart uit bij Wick omdat hij de enige was die nog oprecht in haar geïnteresseerd leek. Die haar problemen begreep. Dat Stephan haar negeerde, terwijl ze vroeger een fantastische verhouding hadden gehad. Dat de moeder van Tim manisch-depressief was geweest en in een psychiatrische inrichting was geplaatst zodat Stephan de volledige voogdij over Tim had gekregen. Dat hij tijdens haar zwangerschap vreemd was gegaan en dat Aurelie erachter was gekomen. Vreemd met Eveline. Dat ze er alles aan gedaan heeft om hem te helpen, en dat hij nu zo gek was op Roos en dat ze het niet meer begreep. Dat het niet eerlijk was. Dat ze weer bang was, net zo bang als toen haar vader de trap op stommelde. Dat ze als klein meisje niets mocht zeggen, dat het hun geheimpje was, maar dat ze er niet mee om kon gaan, dat geheimen haar paniekaanvallen bezorgden. En dat ze het daarom aan Wick moest vertellen, en ze hoopte dat hij nooit iets zou verraden. Dat zij ook een geheim deelden en ze in zijn filiaal wilde investeren, om samen een leuke toekomst op te bouwen en van dat besmette geld af te komen.

Dat haar vader haar had verkracht en dat zij het huis in de brand had gestoken. Dat ze hem vermoord had, eigenlijk, en dat haar moeder en Lisa Marie er al die tijd van wisten; haar min of meer tegen haar vader hadden opgezet. Wick had gezegd dat ze dringend hulp nodig had. Eveline wist het niet meer. Ze hoorde zichzelf praten en ze kneep met haar nagels in haar been, keer op keer, tot haar vlees gevoelloos was. Toen kreeg ze bijna geen zuurstof meer en pakte het zakje waar ze in kon blazen. Dat maakte haar rustiger, maar haar hoofd maalde door, het stopte niet meer. Soms had ze het gevoel dat ze gek werd.

Ze nam nog een slok water en maande zichzelf tot een recapitulatie. Ze kon niet weg bij Rutger, de kinderen hadden hun vader nodig. Ze kon hen geen gescheiden gezin aandoen. Niet haar kinderen, die mochten de armoede en ellende niet meemaken die zij had meegemaakt. De pijn, de ellende en het verdriet. De onzekerheid. Haar verdriet over Rutger was niets vergeleken met wat ze had meegemaakt toen haar vader nog leefde. Dus dit kon ze wel aan, in het belang van de kinderen.

Stram stapte ze uit de auto en viste haar hardloopschoenen uit de achterbak. Dat was het enige wat ze nog kon bedenken: ze moest al het getob eruit lopen.

Roos 10.

Nieuwsgierig keek ik uit het raampje van de taxi. Tot nu toe zag ik weinig bijzonders. Grote reclameborden, ouderwetse Mercedessen en een straatbeeld dat in een armoedige wijk van Antwerpen niet zou misstaan. Ik keek zijdelings naar Stephan, zijn knappe profiel deed me nog steeds huiveren. Hij zat aan de telefoon en streek over de stof van zijn maatpak. Zijn hand dwaalde naar mijn been en toen pakte hij gedachteloos mijn hand. Ik ontspande, keek weer naar buiten.

Drommen mensen stonden bij de bushalte, iedereen ging naar huis op zoek naar liefde en veiligheid. Ik vond het altijd moeilijk om van huis weg te gaan, maar mijn moeder had me wel vijf keer op mijn hart gedrukt om te genieten. Zodra het vliegtuig de motoren aanzette, besloot ik mijn sores in Nederland achter te laten. Het gips was van mijn arm af en ik voelde me weer mens. Ik keek uit naar de luxe van het Four Seasons Hotel, de verwennerij van kraakverse lakens en dikke handdoeken. Ik wilde Boedapest en z'n bevolking absorberen.

De taxi reed over een zware hangbrug en stopte voor een imposant gebouw. Stephan stapte vastberaden uit en drukte geld in de hand van de taxichauffeur. Twee tellen later klikten mijn hakken over het lichtbeige marmer en werden we door de receptioniste welkom geheten als mr. & mrs. Smit. Stephan kuste me teder op mijn mond en ik kneep zachtjes in mijn arm.

Boedapest overtrof mijn verwachtingen. Op het internet had ik wat onderzoek gedaan maar om daadwerkelijk in de straten te lopen, het Hongaars te horen en de Florint in je handen te houden was anders. Hongaren hadden een Slavische oogopslag waarmee ze je afstandelijk bekeken, maar hun zachte taal en vriendelijke gebaren wezen iets anders uit: blikken van verstandverhouding die meer zeiden dan duizend woorden. De rijkdom was bewaard gebleven in kerken en monumentale gebouwen, maar het straatbeeld was grauw. Mysterie lag onder elke stoeptegel en het waarde in het operagebouw waar jarenlang het leed werd weggezongen. Ik laveerde in een andere wereld en voelde mezelf deelgenoot. Zelfverzekerder, een vrouw met power. Ik was er trots op bij Stephan te horen. We maakten tripjes met een stroomtrein naar het kasteel waar Sissi had gewoond, en 's avonds neurieden we mee op melancholische zigeunermuziek. Ik voelde me verbonden en ik zag een bepaalde glans in Stephans ogen als hij naar me keek.

'Dus jij dacht echt dat het allemaal zakenvrouwen waren?' Ik glimlachte en nam voorzichtig een slokje champagne. Heerlijk. Stephan schaterde, hij hing achterover in zijn stoel. Na het diner dronken we nog een glaasje in de bar van het hotel waar een orkestje zachte jazzmuziek speelde. Tijdens het diner had ik opgemerkt hoe goed verzorgd de vrouwen eruitzagen, waarop Stephan vertelde dat het bijna allemaal duurbetaalde escorts waren. Ik viel van verbazing zowat van mijn stoel.

Stephan leunde voorover en fluisterde: 'Zie je die grijze man met die blonde vrouw?' Ik wierp een blik op het stel achter hem, dat naar de muziek luisterde. Ze spraken niet, nipten af en toe van hun drankje. Zij was rond de dertig, met honingkleurig haar en opgewekte blauwe ogen. Ze droeg een kokerrok en had haar lange benen over elkaar geslagen. Hij was keurig gekleed in een donkerblauw pak, hij werd kaal op zijn kruin. Stephans stem drong tot me door. 'Voor hem is het makkelijker om een escort te regelen dan in een bar een vrouw op te pikken.' Bewegingloos keek ik hem aan. 'Nu heeft hij gegarandeerd seks, en anders moet je het maar afwachten!' Hij lachte hard om zijn grap en pakte mijn knie beet. 'Roos, relax! Niet zo serieus! In dit soort landen draait de economie op deze business!' Hij liet de ijsklontjes in zijn mond glijden.

'Dus elke man die...?!'

Stephan haalde zijn schouders op. 'Bijna elke man, Roos, wees alsjeblieft niet zo naïef. Iedere man heeft zijn behoeftes en hier ligt het voor het oprapen.' Hij pakte mijn hand. 'Mannen zijn anders dan vrouwen, Roos, seks is puur een behoefte, dat heeft niets met romantiek te maken. Je betaalt en achteraf geen gezeik, zo makkelijk is het.'

Ik aarzelde om het te vragen, maar deed het toch. 'Dus jij ook?'

Hij zuchtte. 'Ik ben er niet trots op, maar zulke dingen gebeuren, ja. Of dacht je dat ik na mijn ex nooit meer iemand had aangeraakt?'

'Ja, maar, betáálde seks?'

Hij haalde nogmaals zijn schouders op en ontweek mijn blik. 'Ach ja, natuurlijk is het niet ideaal. Maar het is *part of the deal.* Alle mannen zeggen dat ze nooit naar de hoeren gaan, en intussen zitten de seksclubs bomvol; leg jij dat maar eens uit!'

Ik nam nog een slokje. De serveerster kwam langs met een doos sigaren, Stephan pakte er een uit en hield 'm onder zijn neus. Vriendelijk lachend knipte het meisje het uiteinde eraf en stak hem aan. Stephan liet zich het ritueel welgevallen en keek me door de rookwolken aan.

'Qua seks denk ik dat je je toch een beetje moet openstellen, Roos...' Hij peilde me, ik voelde het. 'Of ben je nu gechoqueerd?'

Iets te hard zette ik mijn lege champagneglas op het bijzettafeltje. De serveerster schonk bij, met haar hand op haar rug.

'Ik merk dat je een heel romantisch beeld hebt en dat vind ik aandoenlijk, daar niet van. Maar *money and sex make the world go round.* Het draait om de duit en de fluit.'

Hij nam nog een slok. Ik draaide ongemakkelijk in mijn stoel; was ik echt zo'n naïeve muts? Wick lachte me ook altijd uit en als ik sommige bladen las of mijn vriendinnen hoorde, experimenteerde ik inderdaad weinig. Fel keek ik hem aan, tijd voor verandering. Stephan blies dikke rookwolken uit en schoot in de lach.

'Roos, kijk niet zo bedenkelijk! Maak je geen zorgen, alsjeblieft. Sinds ik jou ken, doe ik dat niet! Ik kan je vertellen dat ik vroeger en voor mijn werk zo vaak in seksclubs heb gezeten, dat ik er een aversie tegen heb gekregen. Ik kan de keren niet tellen dat ik met klanten op stap moest en in zo'n club belandde. Maar het doet me helemaal niets meer. *Been there, done that.* Die geraffineerde vrouwen, dat zogenaamde spel; het gaat alleen maar om geld, kan ik je verzekeren. Ik weet nu wat echte liefde is en wat die me waard is.' Hij leunde voorover en kuste mijn hand, ik voelde zijn tong mijn huid beroeren. Weer keek hij me aan. 'Vertrouw je mij?'

Ik slikte. 'Natuurlijk.' Weer dat stemmetje in mijn hoofd. Ik herstelde me, onderdrukte het zeurende rumoer. 'Natuurlijk vertrouw ik je. Sterker nog, misschien vergis jij je wel.' Ik kuste hem vurig op zijn mond en liet het laatste slokje champagne in zijn mond rollen. Hij schoot in de lach en schoof nog dichterbij. Ik voelde zijn hand tussen mijn benen en hij zoende me nog een keer. Ik wilde hem zo graag dat ik kreunde.

'Denk je dat klaar bent voor een beetje experimenteren?' Ik knikte, voelde zijn vingers de binnenkant van mijn dijbeen masseren, langzaam en doelbewust. Hij wenkte de serveerster en stelde discreet een vraag. De serveerster luisterde ingespannen en knikte. Stephan gaf haar onopvallend zijn creditcard.

'Toch niet nog een fles champagne?' kirde ik aangeschoten, 'dan gaat het echt fout, ben ik bang.'

Stephan draaide weer naar me toe en glimlachte bemoedigend. Zijn hand zocht zijn weg weer naar boven. 'Kun je je volledig geven?'

Ik mompelde iets onzinnigs, ik wilde hem zo graag.

'Mag ik je verwennen en je laten genieten, Roosje?' Zijn vingers gleden nog hoger langs mijn dijbeen en schoven mijn slipje opzij. Hij bleef me aankijken terwijl zijn vinger naar binnen en er weer uit gleed, ik hield het niet meer.

'Ik wil je zien genieten, Roosje...'

Met gesloten ogen opende ik kreunend mijn benen een stukje verder.

Abrupt trok hij zijn hand terug en likte aan zijn vinger. 'Kom, we gaan,' fluisterde hij en hij pakte mijn hand en trok me uit de stoel. We liepen naar de lift.

Eveline 10.

'Daar zitten we dan.' Rutger keek haar glimlachend aan en vouwde zijn handen. Eveline kreeg de grote menukaart van de ober aangereikt. Ze keek Rutger niet aan.

'Wat wil je drinken, schat?' vroeg hij. 'Kir royal?'

'Alsjeblieft, lekker.' Ze keek om zich heen. Chateaux Blankenberge was in de wijde omtrek bekend om zijn drie Michelinsterren, en de clientèle was daarop afgestemd. Precies een zaak waar Rutger graag kwam.

'... lang geleden dat we samen uit eten zijn geweest.' De woorden bereikten haar hoofd vertraagd. 'Waar zit je met je gedachten?' vroeg hij toen Eveline niet reageerde.

'Overal en nergens.'

Rutger pakte haar hand. 'Ik weet wat je dwarszit, Eef. En ik voel me zo, ik voel me zo...' Voorzichtig keek ze op van de menukaart. Hij ging toch niet zitten huilen? Rutger zuchtte diep.

'Eenzaam... ik mis je. Ik mis ons.'

Geïrriteerd keek ze hem aan, ze wist niet hoe ze moest reageren. Na al die jaren zat die dikke varkenskop opeens éénzaam te zijn. Ze walgde van hem en nam snel een slok van haar kir royal. Gelukkig kwam de ober vragen of ze een keuze hadden kunnen maken. Snel koos ze een gerecht van de kaart uit.

'De carpaccio en daarna de tarbot, alstublieft, maar zonder aardappelpuree en zonder beurre blanc.' De ober knikte kort.

'En ik de foie gras poêlée en daarna de tournedos met bearnaisesaus.'

'Medium? Well done?'

'Medium, alstublieft.'

'Uitstekend, mijnheer.'

Rutger pakte haar hand weer. 'Ik wil je gewoon laten zien dat je belangrijk voor me bent, Eveline, de allerbelangrijkste persoon in mijn leven. Met jou ben ik begonnen en met jou wil ik oud worden. *For better and for worse.*' Haar handpalm was klam. 'Heb je niets te zeggen?'

Ze knikte, wrong haar hand los en nam snel een slokje water. 'Jawel, Rutger, jawel. Dat is mijn intentie ook, maar er is zo veel gebeurd. Ik ben bereid om te vergeven maar ik vergeet niet zomaar... Ik ben net een olifant, ik weet niet of ik je nog kan vertrouwen...' Ze sloeg haar ogen neer, ze voelde zich weer draaierig worden.

'En dat weet ik, mijn liefste, dat weet ik,' fluisterde hij. 'Ik zie het toch aan je, hoe je kapotgaat van verdriet...' Opeens voelde ze de tranen in haar ogen wellen, ze probeerde ze tegen te houden. 'Je bent nog steeds mijn lieve meisje, weet je dat?'

Evelines schouders schokten, ze voelde zich zo onteerd. Abrupt schoof ze de stoel achteruit en haastte zich naar het damestoilet om de boel te redden. In de spiegel zag ze een rood, verhit hoofd met een veeg uitgelopen mascara onder haar oog. 'Doe normaal,' mompelde ze tegen niemand in het bijzonder en ze hield haar polsen onder de kraan, ademde een paar keer diep in en fatsoeneerde haar camelkleurige rokje. Ze opende haar tas en pakte het envelopje met coke. Snel legde ze op een toilet een lijntje op haar zakspiegeltje, nam een snuif en voelde zich weer helder worden. Ze kon het best, ze kon zichzelf best goed houden.

Terwijl ze het restaurant in liep, besefte ze dat ze haar best kon doen om nog van Rutger te houden, de positieve kanten te bekijken, zoals hij daar zat met zijn warrige krullen en zijn dikke buik. Ze moest niet zo zeuren, ze wilde gewoon weer dat het net als vroeger was. Eveline liep naar het tafeltje en Rutger stond op om haar stoel aan te schuiven. Ze schonk hem een warme glimlach en raakte even zijn arm aan. Hij kuste behoedzaam haar wang.

'Ik hoop dat het nooit meer zo ver zal komen,' zei hij zacht. 'Laten we alsjeblieft redden wat er nog te redden valt, Eef, want één ding is zeker: ik hou nog altijd van je.'

'Hoe gaat het, schat?' Wicks stem klonk timide.

'Goed.' Ze liet een stilte vallen.

'Luister, Wick, ik schaam me dood dat ik jou belast heb met alles...'

Hij viel haar in de rede. 'Nee, nee, nee, het geeft niet... Ik maak me alleen zorgen om jou.' Ze smeerde wat Eight Hours-crème op haar lippen. 'Dat weet ik, lieverd, vooral als het zo rauw op je dak valt. Kijk, voor mij is het al oud nieuws dat af en toe omhoog komt borrelen, en ik had je er niet mee lastig moeten vallen... Ik stort een bak van mijn ellende bij jou uit en ben vervolgens opgelucht omdat ik het kwijt ben. Terwijl jij ermee zit, met allemaal informatie waar je niets mee kunt. Ik heb dat niet goed aangepakt, Wick, het spijt me, het spijt me echt.'

Het was even stil.

'Het geeft niet Eef, ik maakte me alleen zorgen om je.'

'Dank je, lieverd, het gaat stukken beter. Rutger en ik hebben uren gepraat en dat heeft geholpen. We zijn allebei zó koppig, maar diep in ons hart houden we nog heel veel van elkaar. We hebben samen zo veel opgebouwd en meegemaakt, dat gooi je niet een-tweedrie weg. Ik was gewoon in de war.'

'Maar denk je niet dat professionele hulp...'

Ze onderbrak hem snel. 'Wil je het leuke nieuws horen?'

Wick lachte. 'Graag, ja!'

'Gisteren ben ik dus met Rutger uit eten geweest, en we gaan aan ons huwelijk werken!' Ze checkte haar mascara in de spiegel.

'Echt?!'

'Hm hm, ja echt, lieverd, met een coach en alles wat erbij hoort, die voorwaarde heb ik wel gesteld en daar ging hij mee akkoord. Ik besef gewoon dat Rutger mijn grote liefde is en dat we er samen uit moeten komen. Ik bedoel: het is belachelijk hoe we allebei tekeer zijn gegaan en onze gevoelens voor elkaar hebben verprutst. Terwijl wij het anker van ons gezin zijn, we willen graag samen oud worden en het goede voorbeeld geven.'

'Jeetje, ik word er stil van.'

Ze glimlachte. 'Je zult van mij geen last meer hebben, lieve Wick, ik ga mijn best doen om te redden wat er te redden valt. Ik concentreer me weer op de leuke dingen van Stichting Teddybeer, ik zorg voor mijn kinderen en het is goed zo. En weet je, ik vond het heerlijk om Rutgers armen weer om me heen te voelen, zijn geur te ruiken... dat zegt toch genoeg?'

'Dat is alles wat je nodig hebt, Eef, een sterke arm om je heen en liefde.'

'Ik weet het, ik heb alles wat mijn hartje begeert, maar ik zag het niet. Gaat dat niet vaak zo? Je droomt van iets terwijl het onder je neus ligt... Moet je mij horen, schat, ik lijk Oprah wel! Even terug naar de orde van de dag: zie ik je volgende week nog gezellig voor de lunch?'

Wick stemde in.

'Leuk, doen we, en nog bedankt voor alles, Wick, je bent echt een dierbare vriend.' Tevreden hing ze op.

Het ging ook goed met haar, al hield ze niet van liegen. Haar leven was zo goed georganiseerd dat ze er zo weer in kon stappen. Haar zus en Annegreet organiseerden Stichting Teddybeer uitstekend en Eveline begeleidde de overgeplaatste kinderen. Ze zorgde dat ze er zelf was als haar eigen kinderen thuiskwamen en trok meer met Rutger op. Zelfs seks met hem was geen al te grote opgave. Ze dronk zichzelf moed in of deed haar ogen dicht en fantaseerde over Stephan. Het hoorde er allemaal bij en Rutger wilde seks, dan liet hij haar verder met rust. Het was surrealistisch hoe makkelijk het haar af ging, ze voelde zich niet anders dan een goedbetaalde escort.

Toch knaagde er aan haar een angst die elk moment weer de kop op kon steken. Ze kende zichzelf: dit kon niet lang goed gaan.

Roos 11.

'Zullen we morgen om twaalf uur afspreken bij de Vier Windstreken? Het gips is van mijn arm en dat vind ik wel een klein feestje waard. Gaan we lekker een wandeling maken met Pepita, en daarna lunchen we even... Gezellig, doen we, ik kijk ernaar uit je te zien, Eef!'

Ik hing op. Eveline wilde me ontmoeten om de plannen voor de kerstvakantie door te spreken, en aan haar opgetogen stem te horen waarschijnlijk nog meer.

'Je ziet er goed uit!' Gemoedelijk stak ik mijn arm door die van Eveline.

'Echt?' Haar ogen schitterden in het weke zonnetje.

'Ja, echt, je straalt!' Ik zei het niet zomaar: ze leek in tegenstelling tot een paar weken geleden op Tims verjaardag, opgewekt. Ze hield haar hoofd even schuin en wreef over de mouw van mijn nieuwe suède jas.

'Ik vóél me ook goed...' Ze giechelde als een klein meisje, schudde haar haren naar achter en liep met verende tred naast me. 'Alsof ik weer leef!'

We sloegen een zijpad in.

'Aan je ogen te zien moet het heel leuk zijn...'

Meer had Eef niet nodig, ze maakte een huppeltje en klampte zich met twee handen aan mijn arm vast. 'Je weet dat ik met Wick heel diepzinnige gesprekken voer, hè?' Ik knikte, voelde een steekje jaloezie. 'Wick is als een reddende engel in mijn leven gekomen, Roos, je hebt geen idee hoe dankbaar ik hem ben...'

Ik rechtte mijn rug. 'Waarvoor precies dan?'

Ze zocht naar woorden. 'Wick heeft me met mijn neus op de feiten gedrukt en me ervan overtuigd dat ik wat meer voor mezelf moet kiezen. Voor ik Wick ontmoette, zat ik helemaal niet lekker in mijn vel. Door Wick ben ik gaan beseffen dat het ook anders kan. Dat ik meer van het leven moet genieten en open moet staan voor de leuke dingen die op mijn pad komen.'

'Dat klinkt heel erg Wickeriaans, ja.'

'En daardoor gaat mijn hart weer open, Roos, ik ben weer ontvankelijk voor alles.'

Het kwartje viel en ik stond stil. 'Hoe heet hij?'

Ze kon een glimlach niet onderdrukken en keek me aan. 'Olivier.' Langzaam liepen we verder.

'En hoe heb je hem leren kennen?'

'Op de golfbaan, hij is golf-pro.' We proestten het uit.

'En is hij lekker?'

Eveline sloeg haar ogen ten hemel en kreunde: 'O, my god, Roos, hij is zó lekker!'

'Hoe oud?'

'Vijfentwintig. Nou, bijna dan.'

'Jezus, Eef, nog geen negen jaar ouder dan Babette!'

Ze bedekte haar gezicht met twee handen. 'Ik weet het, Roosje, maar hij is zo goddelijk!'

'O, wat een hilariteit, Eef, je bent een cougar!'

We gierden het uit. 'Het moet gezegd worden; je bent trendsetter! Sharon Stone, Madonna, Demi Moore, Jennifer Aniston en zelfs onze eigen Linda de Mol...'

Ze wapperde met haar handen in de lucht. 'Hou op, schei uit!

'Oké, oké, vanaf het begin.'

Eveline had rode blosjes op haar wangen. 'Nou goed. Wick had natuurlijk al langer door dat het niet zo goed gaat tussen Rutger en mij, en hij heeft heel veel geluisterd. Ik wil natuurlijk niet scheiden van Rutger, ik moet er zelfs niet aan dénken, en Wick begrijpt dat. Hij wees me erop dat ik het anders moest aanpakken, dat ik voor mezelf moest zorgen en een minnaar moest nemen. Daar kan geen botox tegenop.'

'Ik hoor het hem zo zeggen.'

'Maar, nou ja, ik had er in het begin een beetje moeite mee, maar aan de andere kant moet ik met Rutger ook met een heleboel beperkingen leven. Uiteindelijk dacht ik: *what the heck*, ik heb ook recht op mijn pleziertjes... En bovendien: wat hij kan, kan ik ook!'

'Wat bedoel je dan met Rutgers beperkingen?'

Ze twijfelde even maar hervatte haar verhaal. 'Beloof je dat je het aan niemand vertelt, ook niet aan Stephan?'

Ik stak symbolisch twee vingers in de lucht.

'Rutger en ik zijn na al die jaren uit elkaar gegroeid, zeg maar. Tja, dat gebeurt. Ik heb het altijd heel druk gehad met de kinderen, en hij met zijn bedrijf...' Ze ontweek mijn blik. 'En hij, ehm ja, door de tijd zijn we uit elkaar gegroeid, zowel emotioneel als seksueel als potentieel, eigenlijk allesbehalve financieel.' Ze lachte. 'En ik heb het geprobeerd, geloof me, maar het lijkt wel of er een Chinese muur tussen ons in staat. Daar heb ik heel veel verdriet van gehad, begrijp me niet verkeerd, maar toen Wick in mijn leven kwam, heeft hij me laten inzien dat ik het probleem ook op een andere manier kan oplossen.'

'Andere manier?'

'Ja, in plaats me ertegen te verzetten, me op een andere manier te ontwikkelen. Of ervan te genieten. Weer aan leuke dingen te denken, aan de toekomst. Zo kwam Wick met het plan om samen in Antwerpen een filiaal van zijn zaak te beginnen, heerlijk!' Ze giechelde. 'En toen kwam Olivier ook nog eens op mijn pad. Puur toeval. Ik had besloten mijn golf op te pakken om weer een beetje beweging in mijn leven te krijgen, en ik boekte een nieuwe golf-pro. Ik zweer het je, toen Olivier aan kwam lopen, gleed ik zo van mijn matje op de Driving Range! Halflang blond haar, groot, sterke armen en heel ondeugende ogen. Type Chris Zegers. Hij gaf me een hand ter kennismaking en ik wist het: *sent from above*.'

'En hoe heb je hem in bed gekregen?' hikte ik na.

'Heel veel lessen, schat, heel veel lessen. En op een gegeven moment vroeg ik op hole twaalf of hij ook zo'n stijve rug had en of hij me een beetje kon masseren.'

'En?'

'Hij zei dat hij ook ontzettend stijf was maar niet in zijn onderrug!'

We gierden het uit, een vogel fladderde verschrikt uit de bosjes.

'En toen?'

Eveline gooide haar handen in de lucht. 'Toen hebben we als een stel konijnen liggen wippen in de bosjes bij hole dertien! En het moest snel want de volgende *flight* kwam er al aan!' Ik had buikpijn van de lach.

'En daarna?!'

Ze greep mijn arm en hield even stil.

'Daarna, Roos, ligt mijn leven overhoop. Bijna elke dag, soms wel twee keer per dag komt hij langs of spreken we af om ons helemaal suf te neuken!' Ze kreunde bij de gedachte. 'O, Roos, hij heeft zo'n goddelijk lichaam, zo jong nog, zo sterk! En altijd paraat, ik hoef hem maar aan te kijken of zijn backswing gaat al omhoog! Ik bewaak zijn vlaggenstok, *anytime*.'

Ik masseerde mijn kaken, had pijn van het lachen. Toen we een beetje waren bijgekomen, stootte ze me aan en glimlachte.

'En bij jullie?! Nog steeds vuurwerk?'

Ik keek naar de punten van mijn laarzen, ik besprak mijn seksleven liever niet uitgebreid.

Maar Eef hield vol: 'Kom op Roos, we weten allemaal dat Stephan een heel aantrekkelijke vent is, en bovendien ken je hem net. Bij jullie springen de vonken er toch wel vanaf?'

Aarzelend plooide ik mijn mond. 'Ehm, ja hoor. Soms is het heel heftig, maar het is niet zo dat Stephan me elke dag de meterkast in trekt, nee. Het is meer liefdevol. Alhoewel... in Boedapest hebben we wel geëxperimenteerd...'

Eefs lach klonk plotseling schel. 'Geëxperimenteerd??' Ik stootte haar gemoedelijk aan.

'Nou ja, voor mijn doen dan...' Ik haalde diep adem, baalde eigenlijk al dat ik dit met haar deelde. 'Stephan heeft me een paar dingen bijgebracht.'

'God, Roos, vertel, ik ben reuze nieuwsgierig!'

Ik haalde mijn schouders op. 'Tja, dat vind ik nogal privé...'

'Maar ik heb net verteld over mijn escapades met mijn lover!'

Ik zuchtte, nu moest ik wel. 'Nou goed, eigenlijk ben ik best preuts en voorzichtig in de liefde, maar met Stephan...' Ik voelde dat ik bloosde bij de gedachte. 'Bij Stephan kan ik echt mezelf zijn en hij laat me zó genieten!' Ik giechelde. 'Ik wist niet dat het bestond en dat ik me zo kon laten gaan! Ik moet eerlijk zeggen, Eveline, dat Stephan verreweg de beste minnaar is die ik ooit ben tegengekomen!'

Ik keek opzij en zag dat Evelines mond tot een dunne streep was vertrokken. 'Wat doet hij dan precies dat zo bijzonder is?'

Ik glimlachte bij de gedachte en haalde mijn schouders op. 'Hij zegt dat het een wisselwerking is tussen ons, maar zoals hij me bemint, is ongekend. Zo teder, met zo veel passie en zo hartstochtelijk... Uren is hij met me bezig, ik kan me volledig aan hem overgeven. De man is een kunstenaar van de liefde. Eveline, ik weet niet wat ik meemaak!'

Ik proestte het uit en zag Evelines donkere blik.

'Ja, ja, dat hij een goede minnaar is zal wel, maar je had het over experimenteren...'

Hautain keek ze me aan, en ik bloosde weer.

'Ja, nou, gewoon, buiten het feit dat hij een fantastische minnaar is, geeft hij me ook heel veel vertrouwen.'

'Nu weet ik nog niets! Kom op, Roos, we zijn vrouwen onder elkaar, jij weet toch ook genoeg van mij!'

Ik aarzelde maar keek haar lachend aan. 'Een trio.'

Evelines ogen werden zo groot als schoteltjes, ze sloeg haar hand voor haar mond. 'Een trio?'

Ik knikte en boog mijn hoofd. 'We waren behoorlijk aangeschoten en Stephan had een andere vrouw geregeld...'

'Dat meen je niet!'

Ik schaterde bij het zien van haar verbaasde gezicht en schopte wat bladeren omhoog. 'Ja, een trio, 't is niet anders!'

Eveline schudde met haar hoofd. 'Die Stephan, die ouwe viespeuk, dat had ik nooit van hem verwacht.'

'Ik ook niet, maar uiteindelijk heeft het ons nog hechter gemaakt. We delen een geheim, snap je, we hebben een verbond.'

Eveline trok één wenkbrauw omhoog en lachte een wrang lachje. 'Mensen zouden eens moeten weten hoe ordinair we eigenlijk zijn!'

Ik knikte instemmend. 'Weet je wat het is? Aan Stephan durf ik me helemaal over te geven, ik vertrouw hem volledig... En hij is geweldig lief voor me, echt, en ik heb het gevoel dat we door die speciale ervaring in Boedapest dichter bij elkaar zijn gekomen. En ik weet nu ook dat seks een ontzettend belangrijk onderdeel van je relatie is.'

We naderden grand café De Vier Windstreken. Eveline haalde haar schouders op. 'Tja, Stephan is nu eenmaal een seksueel actieve man, zo staat hij tenminste bekend.' Ik stond even stil en keek haar aan. 'Nou ja, Roos, je hoeft me niet zo betoeterd aan te kijken: dat is toch algemeen bekend! Stephan is een jager, een man die van vrouwen houdt. Maar in het verleden raakte hij nogal snel verveeld. Dus als jij hem seksueel weet te boeien is dat alleen maar goed. Volledige overgave in een relatie is heel belangrijk. Want je weet het: mannen willen eigenlijk maar één ding.' Eef hield de deur van De Vier Windstreken open en ik stapte naar binnen. '*Remember darling*: seks is beter dan botox!'

Nog maar twee weken en dan gingen we met Rutger, Eveline en de kids op vakantie naar hun chalet in Verbier. Voor mij en Luna was het de eerste wintersportvakantie en we waren ongelooflijk opgewonden. Gelijk na Sinterklaas had ik een kerstboom gekocht en die samen met Luna opgetuigd, de stemming zat er goed in.

We hadden net inkopen gedaan bij een groot warenhuis en waren op weg naar Brasschaat om met Eveline en Rutger de details door te spreken. 'En een goed glas rood te drinken,' zo had Rutger zich uitgedrukt. Wick reed met ons mee naar België en was in een recalcitrante bui.

Toen we bij het huis aankwamen viel mijn mond open: hun tuin leek wel op de Winter Efteling met duizenden lichtjes en kerstversiering. We werden met open armen ontvangen en binnen vijf minuten renden de kinderen door het huis. Eveline had de open haard aangestoken en heerlijke hapjes klaargezet. De mannen warmden hun handen aan het vuur.

'Dus ik kan voor hen het beste ski's huren?' vroeg Stephan.

Rutger knikte. 'Bij La Boite Ski, dat is daar super geregeld. Je komt aan, je schoenen staan verwarmd klaar, skietjes binnen handbereik en huplakee: *off we go*!'

Stephan knipoogde naar mij. 'De kinderen gaan naar een skischool en voor Roos heb ik privélessen geregeld.'

Rutger stootte hem aan. 'Als het maar niet zo'n lekkere skileraar is, Steefie, zo'n boerenknul die 's zomers de koeien uit de stal haalt en 's winters lesgeeft! Misschien kun je in jouw geval beter een vrouwelijke skileraar zoeken, heb je er zelf ook nog wat aan!' Hij bulderde van het lachen, ik grinnikte.

'En gaan we nog heliskiën?'

'Wat dacht je dan, man? Die Mont Fort en die Tortin waar al dat klootjesvolk komt, heb ik inmiddels wel gezien. Nee, vriend, we gaan hardcore, net als Richard Branson.'

Evelines ogen lichtten op. 'Is hij er ook weer?'

Rutger bromde: 'Natuurlijk schat, met kerst altijd.'

Ik keek van de een naar de ander, had geen idee waar ze het over hadden. 'En wat doen we met Kerstmis?' vroeg ik. 'Zullen we gezamenlijk koken?'

Eef zuchtte en keek me vermoeid aan. 'Op kerstavond gaan we altijd naar de kerstmis in l'église de Chatillon, en op eerste kerstdag laten we een diner koken door Pierre Roland, een geweldige chef.'

Stephan kwam naast me zitten en legde een arm om mijn schouder. 'Dus je hoeft niets te doen, alleen maar te genieten, poesje.'

Dankbaar keek ik hem aan, en ik drukte een kus op zijn hand.

'Dat is dan ook voor het eerst...'

'Gewoon lekker genieten, jij zorgt een beetje voor live entertainment... breng wat leuke setjes mee en het is al snel goed,' grapte Rutger. Eef keek hem waarschuwend aan.

'En Wick, waarom kom jij ook niet een paar dagen langs?'

Wick had tot dan toe op zijn knieën met het barbiehuis van Suzy zitten spelen, en keek lodderig op. 'Ik? Langskomen?' Hij keek me onbeholpen aan.

Rutger knikte, hij was nu ongeveer paarsrood. 'Ja, gezellig man, de kinderen zijn dol op je, en dan kun jij ook een beetje voor wat live entertainment zorgen. Ik bedoel: jij bent Joling en Gordon in één!'

Wick keek hem meewarig aan. 'Dus ik moet als een soort clown komen opdraven?'

Eveline nam het gesprek over. 'Nee, lieverd, het zou geweldig zijn als je gezellig langskomt. We hebben ruimte genoeg in ons chalet, en je krijgt je eigen kamer met badkamer. Gaan we heerlijk wandelen door de sneeuw, koffietje drinken op een terrasje, kijken naar de kindjes in de sneeuw. 's Avonds een fondue of een spelletje bij de haard en vuurwerk afsteken met oud en nieuw... God, je zou er zo van genieten!' Ze keek hem warm aan. 'En ik zou er zo van genieten als jij het een keer meemaakt.'

'Het ultieme Last Christmas-gevoel?' Wick bedoelde het sarcastisch, maar Eef knikte ijverig. Ik merkte dat ik hem ook smekend aan zat te kijken en Luna hing al om zijn nek. 'Oké, oké,' zei Wick theatraal, 'als jullie me dan zo graag willen, kom ik wel!' Een eenstemmig gejuich steeg op.

Ik logeerde met Luna bijna elk weekend bij Stephan en Tim. Zeker nu de kerstvakantie zo dichtbij was, werden die weekenden steeds langer. We waren graag bij elkaar en Stephan smeekte me bijna om donderdagavond al te komen en vaak vertrok ik pas op maandagochtend.

Peinzend stond ik in de badkamer te bedenken wat ik allemaal mee moest nemen op vakantie. Ondertussen lette ik op de tijd, want ik leerde Luna twee minuten lang haar tanden te poetsen omdat de tandarts me voor gaatjes gewaarschuwd had. Een piepje kwam uit mijn telefoon en nieuwsgierig keek ik. Schat, ik heb hetzelfde Mont Cler-jasje voor Pepita gekocht. Is het niet hysterisch: wij met the rich and famous op vakantie? Moet je nog wel ff spreken voor vertrek, want Rutger heeft wat duistere zaakjes lopen. Spreek je later, Dollie, X Wick.

Zuchtend legde ik m'n iPhone weer neer, een cadeautje van de sint, zoals Stephan me al zo veel cadeautjes had gegeven. Sherlock Holmes was weer bezig, dacht ik spottend. Ik noemde hem wel eens voor de grap mr. Google. Sinds ik een keer had gezegd dat Stephan wel heel veel projecten en pandjes met Rutger deelde, was Wick erin gedoken en hij kwam met steeds nieuwe verhalen over wat hij had uitgevist. Ik wilde het liever niet weten, maar Wick was een volhardende pitbull en dol op roddels. Ik vond het wel best zo, ik genoot liever van het nu. Ik ging na de kerstvakantie solliciteren en zou dan zelf wel weer eens op onderzoek uitgaan.

Stephan stond ineens achter me en kuste mijn nek. 'Ik ga, schatje.' Ik knikte, keek naar ons spiegelbeeld. Luna spuugde haar tandpasta uit en veegde haar mond af. Mijn haar zat verward en Stephan schoof mijn badjas opzij.

'Je was lekker, vannacht,' fluisterde hij in mijn oor en zijn hand streelde mijn borst.

Ik gaf hem een stomp en stapte opzij. 'Naar je werk jij!' Luna stond me met grote ogen aan te kijken en glipte door de badkamerdeur naar beneden. Stephan pakte mijn telefoon en drukte op de toetsen.

'Hé, wat doe je?!' riep ik, en ik probeerde het toestel te pakken. Hij hield het hoog boven zijn hoofd.

'Even controleren of mijn mooie geliefde er geen geheime minnaars op nahoudt.' Ik trapte hard op zijn voet en lachend gaf hij het toestel terug. 'Niets *for granted* nemen, schatje, gelukkig is het Wick maar.'

Hij gaf me een lange zoen en was weg. Zijn heerlijke geur hing nog in de badkamer, en ik stond daar met bonzend hart. Hij zou het berichtje toch niet gelezen hebben?!

Eveline 11.

Eveline stond voor de spiegel haar haren te föhnen en liet de hele scène van die middag nog eens de revue passeren. Geërgerd pakte ze de ronde borstel, dacht na en sprak tegen zichzelf. 'Mensen zeggen vaak: het lijntje tussen liefde en haat is heel erg dun.' Eveline verstond de kunst die lijn te scheiden echter niet. Bij haar kon liefde inderdaad omslaan in haat, zonder reden. Wick zei dat ze professionele hulp nodig had maar het ging al jaren goed, ze kon het wel aan. Vandaag ging haar bloed echter koken toen ze zag hoe Rutger naar Irina keek.

Het was zo'n heerlijke *lazy sunday afternoon*. Eveline was aan het opruimen en Rutger had de haard al aangestoken. Aan de fles wijn te zien had hij al aardig wat op toen Irina binnenkwam met rode blossen van de kou. Hij sommeerde haar min of meer erbij te komen zitten. Irina gaf Suzy en Benjamin een kusje en opeens veranderde de energie in de kamer.

'Ga lekker zitten en neem een toastje.' Eveline had toastjes gemaakt met zalm en Stellendamse garnaaltjes.

'Hoe was je weekend?' bromde Rutger en hij nam nog een slok rode wijn. De dieprode kleur hechtte zich aan zijn onderlip. Irina vertelde dat ze was gaan shoppen met vriendinnen in Antwerpen en dat ze uit was gegaan. 'Waarheen?' vroeg Rutger. Eveline keek hem waarschuwend aan, ze hoefden niet per se te weten wat hun nanny in haar vrije tijd uitspookte.

'Naar La Rocca.' Irina's ogen lichtten op en tegelijkertijd bloosde ze.

'Veel schuddende kontjes en hupsende tietjes?' vroeg Rutger. Ongemakkelijk staarde Irina naar beneden. 'Ga jij met je vriendinnen ook op zo'n blok staan dansen?' vroeg Rutger.

Irina's ogen schoten van links naar rechts. 'Eh, ja, eh, nee, nou niet altijd.'

Rutger sloeg zijn ene been over het andere. 'En was het ook zo'n schuimparty, met lekkere natte T-shirtjes?'

'Rutger!' riep Eveline met schrille stem. Met een ruk stond ze op, pakte de schaal met toastjes en liep naar de deur, haar hart van woede bonzend in haar keel.

'Nou ja, Eef, dat mag ik toch wel vragen? In mijn tijd hield ik wel van een schuimparty met lekkere tietjes en korte rokjes!' Hij bulderde van het lachen, de kinderen keken op en Suzy holde naar haar vader.

'Nu is het genoeg!' riep Eveline. 'Irina, ga naar je appartement!'

Eveline wierp Rutger een hatelijke blik toe maar hij zag het niet eens. 'Dag, Irina, als je de volgende keer met je vriendinnen uitgaat, kom ik je wel ophalen, hoor!' riep hij haar na.

Eveline smeet de deur dicht en liep door de gang naar de keuken. Met grote ogen keek Irina haar schuldbewust aan.

'Jij kunt er ook niets aan doen,' suste ze, 'meneer Van Amerongen heeft te veel gedronken. Ga maar naar je kamer en ik zie je morgen.'

Het meisje knikte. 'Goed, mevrouw van Amerongen.'

Met haar schouder opende Eveline de klapdeur naar de keuken toe en zette de schaal op het aanrecht. Ze keek naar buiten, naar het groen, en bleef zo staan totdat ze haar normale ademhaling weer terugkreeg. Ze voelde het aankomen: helder zag ze haar vader voor zich staan. Aangeschoten, in een vaal T-shirt en een halfopen spijkerbroek. Met een biertje in zijn hand. Eveline herinnerde zich hoe ze een beetje bedrukt thuiskwam van een schoolfeestje, omdat die ene jongen die ze leuk vond haar niet had zien staan.

Lachend hield haar vader de keukendeur voor haar open. 'Zo, weer thuis?'

Eveline knikte en liep snel door naar de woonkamer waar haar moeder in de fauteuil naar *Zeg eens Aaa* zat te kijken.

'Heb je het leuk gehad, lieverd?'

'Best wel,' had ze gemompeld.

'Keken er nog gasten naar je?' Haar vader liep de kamer in met een nieuw biertje. Eveline zat dicht bij haar moeder.

'Nee hoor,' zei ze zacht.

Hij plofte neer op de houten bank met leren kussens. 'O nee?' Toen stond hij op en ging recht voor haar staan. Zijn enorme hand reikte naar voren en hij raakte haar borsten aan. Ze schrok. 'Dat komt doordat je nog geen tieten hebt!' Hij bulderde van het lachen.

'Arie!' riep haar moeder streng. 'Doe even gewoon! Straks denken mensen nog...'

Dreigend was hij naar haar stoel toe gelopen. 'Wát denken mensen straks?!' Hij leunde naar voren en keek zijn vrouw doordringend aan.

'Nou, niks, maar je kunt niet zomaar aan Evelines borsten zitten!' Gespannen wachtte Eveline af.

Haar vader keek haar moeder een paar tellen zwijgend aan en opeens haalde hij uit.

'Wat zeg jij? Dat ik aan mijn dochters tieten zit?' Hij sloeg haar hard in het gezicht. 'Het is MIJN dochter, hoor je me! Het is mijn dochter en ik zit aan d'r wanneer ik wil! Ik laat me de les niet lezen door jou!' Hij sloeg Evelines moeder met zijn bierfles. Eveline hoorde glasgerinkel en de koffiekopjes vielen van tafel. Ze schreeuwde en smeekte of hij op wilde houden. Ze trok aan zijn arm maar hij schudde haar van zich af en sloeg met zijn volle vuist op haar moeders kaak.

Eveline hoorde het kraken, en ze gilde. 'Stop! Stop alsjeblieft, papa, stop!'

Hij keek haar met bloeddoorlopen ogen aan. 'Ik bepaal hier wat er gebeurt,' lispelde hij en hij gaf mama nog een duw zodat ze bewusteloos op de grond viel. Er sijpelde bloed uit haar neus en Eveline zag glas glinsteren in haar kaak. 'Ik bepaal hier wat er gebeurt en als ik aan mijn dochters tieten wil zitten dan doe ik dat!' Hij deed een stap naar achteren en pakte Eveline hardhandig beet. Ze liet hem begaan en sloot haar ogen. Alles beter dan haar moeder afgetuigd te zien worden.

Eveline schrok op uit haar gedachten doordat Beer langs haar benen streek, en ze merkte dat ze huilde. De trouwe hondenkop keek haar aan, en ze knielde naast hem.

'Ach ja, ouwe jongen, het leven gaat niet altijd over rozen, hè?' Eveline begroef haar gezicht in zijn dikke vacht. 'Maar gelukkig is het voorbij, Beer, gelukkig wel.'

De oude Berner Senner voelde haar feilloos aan. Verdriet kun je lang verstoppen, maar je draagt het altijd met je mee. Het was een deel van haar waarmee ze moest leren leven.

Zachtjes ging de deur open en Suzy kwam bedremmeld binnenlopen, haar lappenpop tegen zich aan gedrukt. 'Hebben jullie luzie?!' vroeg ze met een trillend lipje.

Eveline toverde een glimlach op haar gezicht. 'Nee hoor, lieve meid, mama heeft af en toe haar verdrietjes.'

Het meisje kwam op haar schoot zitten. 'Heb je au dan?'

Eveline lachte door haar tranen heen. 'Soms wel, lieve Suzy, maar als ik jou zie is het gelijk over.'

Met ogen als zwarte knikkers keek het kind haar aan. 'Moet ik er een kus op geven?'

Eveline knikte. 'Dat zou wel helpen, ja.'

'Waar?'

Ze tikte tegen haar wang. 'Hier.' Met getuite lipjes gaf Suzy haar een natte kus. 'En een heel dikke knuffel zou mama ook helpen.' Het meisje klemde beide armpjes stevig om haar heen. 'O, heerlijk Suzy,' mompelde Eveline in haar dochters frisgewassen haartjes, 'mama is weer helemaal beter!'

Suzy stond op en pakte haar hand. 'Gaan we dan nu weer terug naar papa?' Eveline glimlachte en fluisterde: 'Nee, vanavond kruip ik lekker bij jou in bed, maken we er een pyjamaparty van!' Glunderend keek Suzy haar aan.

Roos 12.

De Range Rover klom langzaam de berg op.

'Kijk,' bromde Stephan, 'nu moet-ie echt werken.' Hij zette hem in z'n fourwheeldrive.

Ik keek naast me in het duizelingwekkend diepe ravijn waar we langsreden. Rustig blijven, maande ik mezelf, maar ik voelde dat mijn adem stokte. Snel deed ik mijn zonnebril op en opende het raam een stukje. Vastberaden reed Stephan door de bochten.

'Probeer niet naar beneden te kijken, maar omhoog.'

Hij had me door. Ik keek omhoog en zag houten chalets met gekleurde luiken op de berg staan. Oogverblindend, met een dikke laag sneeuw op de daken. 'Mooi, hè?' mompelde Stephan. Ik knikte, was sprakeloos. Die strakblauwe lucht, de witte bergtoppen met her en der schattige houten huisjes – het was net een James Bondfilm.

'Kijk,' zei Stephan wijzend op een groepje huizen, 'daar is ons chalet.'

Naarmate het dichterbij kwam, werd ik steeds zenuwachtiger. Eveline en Rutger waren al een paar dagen hier, vooruitgevlogen met de privéjet. Dat scheen de normaalste zaak van de wereld te zijn, net als de vooruit gestuurde Range Rover met extra bagage en de honden. *Bienvenue à Verbier* stond er ter verwelkoming op een houten bord aan het rand van het dorp.

'Vijfenveertig!' schreeuwde Tim vanaf de achterbank. 'Vijfenveertig bochten, papa!'

Stephan glimlachte. Ik keek achterom en zag Luna's angstige snoetje.

'We zijn er, lieverd,' suste ik zacht en ik voelde me een beetje misselijk. Plotseling moest Stephan hard remmen. Mandarijnen, koffiebekers en sultana's vlogen naar voren, ik raapte ze gauw op.

'Kijk,' zei Stephan triomfantelijk, 'het enige dorp dat ik ken met een file van Range Rovers!'

Meewarig keek ik hem aan, dat blufferige beviel me helemaal niet. Stapvoets reden we door verlichte straten langs winkels. Het trottoir was bezaaid met mensen in skipakken en bontjassen die ski's en sleeën met zich meezeulden. Zo te zien hadden ze het naar hun zin, zelfs in de besloten vissenkom van de auto kon je de vakantiesfeer voelen.

Stephan deed zijn dak open toen we de rotonde op reden. 'Hoor je die muziek? Après-ski, schatje, après-ski. Iedereen denkt aan Oostenrijk als ze het over après-ski hebben, maar in Verbier is het ongekend!' Hij glimlachte. 'Gelukkig is dat een goed bewaard geheim, we willen hier geen gepeupel.'

Ik keek hem zijdelings aan. Soms vroeg ik me af wie deze man werkelijk was.

Het dorp was sprookjesachtig. De sneeuw dwarrelde op kerstavond met dikke vlokken naar beneden. Op deze momenten leek het alsof God me een teken gaf dat het goed was. Ik geloofde zeker dat er meer was tussen hemel en aarde, maar ik ging eigenlijk nooit naar de kerk. In de loop der jaren had ik zelf een soort geloof en vertrouwen gevonden dat bij me paste. Op zondagmorgen keek ik vaak naar *Hour of Power* op tv. Daarin werd mijn geloof bevestigd: dat er een hogere macht is die jou helpt en dat God je altijd steunt. Dat God een masterplan voor je heeft en dat jij het alleen maar hoeft te volgen. En zo voelde het precies met Stephan, ik had het gevoel dat God hem op mijn pad had gestuurd, anders was ik nooit met hem in aanraking gekomen. Door het geloof en mijn gevoel te volgen, wist ik dat het goed was. Met af en toe een teken van boven, zoals die mooie sneeuwvlokken.

We besloten naar de nachtmis te gaan. Ik greep Stephans arm stevig vast en onze laarzen maakten een knerpend geluid op de sneeuw. We liepen naar l'église de Chatillon, het kerkje onder aan het dorp. In de kerk knikten de mensen elkaar vriendelijk toe en het zingen maakte de saamhorigheid nog groter. Ik neuriede de liedjes mee en het viel me op dat Eef de kerkliederen duidelijk gearticuleerd meezong in het Frans. Als je haar zo zag staan met haar natuurlijke elegantie, leek het wel of ze hier thuishoorde. Ze keek naar ons en wierp me een gelukzalige blik toe. Of keek ze naar Stephan? Even twijfelde ik, maar ik zag uit mijn ooghoeken dat Stephan diep verzonken was in zijn bijbelse tekst. Op de terugweg haakte Eveline haar arm in de mijne.

'Heb je het naar je zin?' vroeg ze overbodig. Ik werd een beetje moe van alle overdreven reacties over hoe geweldig het hier was. Ik genoot liever in stilte.

Ik knikte. 'Ik heb het heerlijk, Eef, fenomenaal.'

Ze glimlachte weer. 'Ik wist dat je het heerlijk zou vinden.' Gelukkig zag ik het chalet opdoemen, het licht brandde nog. Rutger was in slaap gevallen voor de open haard. We schudden onze jassen uit en plukten de sneeuw uit onze haren.

'*Merry Christmas, darling,*' zei Stephan zachtjes en hij kuste lichtjes mijn mond. Automatisch kreeg ik een brok in mijn keel, ik wist niet waarom. Eveline reikte me een mok chocolademelk aan. Langzaam dronk ik die leeg en ik voelde de moeheid in mijn benen trekken.

'Ik ga even bij de kinderen kijken,' fluisterde ik, 'kom je ook zo naar bed?'

Stephan glimlachte en tuitte zijn lippen. 'Ik ga nog even bij de haard zitten, het late nieuws kijken.' Ik streelde zijn stoppelbaard.

'Ik kruip vast in bed, morgen heb ik mijn eerste skiles...'

'God, dat is waar ook, ben je zenuwachtig?'

Nonchalant haalde ik mijn schouders op. 'Zolang jij maar niet komt kijken naar mijn gestuntel.'

Stephan lachte. 'Welnee, lieverd, maak je geen zorgen, ik zal je met rust laten.'

Ik zoende hem op zijn mond en hij streelde mijn rug. Tevreden kroop ik even later onder het donzen dekbed, krulde me op en viel als een blok in slaap.

Eveline 12.

Eveline had zich voorgenomen haar best te doen, ze had zich mentaal helemaal op de vakantie voorbereid. Maar hoe goed ze haar emoties ook had geblokkeerd, dit ging dwars door haar gevoelsbarrière. Ook al keek ze niet naar hen, ze voelde hun verbondenheid. Zijn aanrakingen, haar begripvolle blik, die achteloze strelingen: ze sneden dwars door haar ziel. Eveline begreep niet hoe die twee in zo'n korte tijd zo close hadden kunnen worden. En Roos leek zich nergens voor te schamen, die deed gewoon wat in haar hoofd opkwam. Eveline wist niet dat ze zo lijfelijk was ingesteld. Als Stephan 's avonds even zijn mail zat te checken, woelde ze door zijn haren en leunde ze over hem heen om zijn borst te strelen. Of ging ze achter hem zitten, met haar hoofd op zijn schouder. In de keuken hielp ze mee en zodra Stephan binnenliep, streelde ze achteloos zijn billen of stak ze haar hand onder zijn shirt en bleef minutenlang staan smoezen. En ze riep te pas en te onpas dat hij er goed uitzag. Van die kleine dingen die Eveline furieus maakten. Ze keek hem vaak in katzwijm aan, alsof hij de enige persoon ter wereld was. Trouwens beide dames Maasbruggen hadden beide heren Smit geraffineerd ingepakt. Roos behandelde Tim als haar zoon, ze overlaadde hem met complimentjes en cadeautjes. Luna kroop bij Stephan op schoot met een boek en gaf Tim haar Nintendo DS nog voor hij erom vroeg. Eveline werd er kotsmisselijk van.

En Stephan was op zijn beurt de hele tijd bezig met Roos. Hij riep haar om sms'jes te lezen, liet het bad voor haar vollopen en sneed haar fruit. Alles voor zijn Roosje. Zelfs Rutger maakte gekscherend een opmerking dat ze wel erg klef waren, waarop Stephan met gepaste trots vertelde dat hij zijn soulmate had gevonden. En dat ze onverzadigbaar en sensueel was in bed. De kerels hadden het uitgebulderd en hun glazen geheven.

Roos zat daar zelfingenomen te glimlachen met haar ordinaire roodgeverfde nagels en strakke legging met weerzinwekkende kersttrui. Sterker nog: ze vertelde dat ze zich nog nooit zo bemind had gevoeld en dat Stephan een kant in haar had ontdekt die ze zelf nog niet kende. En weer zocht haar hand onder de tafel naar zijn been en gaven ze elkaar een lange zoen waarbij ze haar borsten tegen hem aan duwde. Die aanrakingen, de blikken en die smakeloze insinuaties waren voor Eveline zout in open wonden. Ze voelde het broeden in haarzelf, ze vond zichzelf in dit verhaal de verliezer.

Skiën was een bevrijding. Zodra ze de hel van ski's sjouwen en de lift had overleefd, suisde ze de bergen af met de koude wind in haar gezicht. Het uitzicht was adembenemend mooi. Eveline hield van de frisse berglucht en moeilijke afdalingen.

Florine kon al goed skiën, met haar tengere lijfje suisde ze als een komeet de berg af. Babette en Benjamin waren in de klierige fase en vonden het leuk om zich roekeloos naar beneden te storten. Eveline was blij dat ze skiles kregen. Luna en Roos hadden duidelijk geen aanleg en worstelden in een klasje. Suzy, die nog te klein was om te skiën, zou met Irina naar de speelweide gaan. Rutger moest naar de bank en met de makelaar lunchen; hij zou de kinderen ophalen na hun les. Dus bleven Stephan en Eveline over.

'Wat ben je rustig.' Ze zaten samen in de skilift en Stephan keek haar aan vanachter zijn donkere bril.

Ze haalde haar schouders op. 'Ik geniet in stilte.' God, wat gedroeg ze zich monter, ze verdiende nog steeds dat Gouden Kalf. Zwijgend namen ze het uitzicht op.

'Ben je al klaar voor Mont Fort?'

Eveline knikte. 'Ik kan haast niet wachten.'

'Zullen we daar dan beginnen? Het is nu nog lekker rustig.' De Jumbolift hobbelde over de katrollen van de pijlers en even leek het of ze een vrije val maakten.

'Is goed,' mompelde ze.

'Gaat het echt wel goed met je?'

Eveline zuchtte diep. 'Jahaaa!'

Hij tuurde naar buiten. 'Mij neem je niet in de maling, prinses, ik weet precies wat er aan de hand is.' Hij pakte haar hand. 'Dit is mijn nieuwe leven, Eef, ik ben gelukkig met Roos.'

Eveline knikte bedroefd. 'Dat zie ik, ja. En daar ben ik heel blij om.' Ze voelde de tranen opwellen.

'Maar dit had je je nooit voorgesteld toen je me hielp bij de sollicitatieprocedure.'

Ze schoot in een vreugdeloze lach. 'Eh, niet echt, nee.'

'Jij dacht dat Roos een mooie dekmantel voor onze relatie kon zijn, maar diep in je hart weet je toch ook wel dat we zo niet konden doorgaan?'

'Nou, nee, maar misschien ook wel. Ik had het beste van twee werelden, weet je nog? En nu voel ik een leegte.' Hij keek van haar weg, zoekend naar woorden. De lift kwam bij het eindstation en de deuren klapten open. Koude wind waaide naar binnen.

'Je weet toch ook wel dat onze relatie puur op lust gebaseerd was? Dat het een keer moest stoppen?'

Haar mond ging open en dicht, ze was even uit het veld geslagen door de kou, maar vooral door de harteloze opmerking.

'Soms heb ik medelijden met je, Eef,' zei hij en hij draaide zich om.

Plotseling stak de woede op. Ze pakte haar ski's en stokken en liep Stephan achterna.

'Ja, opeens zeker! Een half jaar geleden had je daar nog geen last van!'

Zwijgend zocht hij een plekje om zijn ski's aan te doen. 'Toen kende ik Roos nog niet.'

Eveline klikte haar ski's ook aan. 'Misschien is dat veranderd, ja, maar alle andere dingen blijven voldongen feiten.'

'Weet ik.'

Ze ademde de ijle berglucht in, het duizelde haar. 'Dus als jij leuk wilt blijven draaien met je bedrijfje, en de fiscus niet nog verder op je nek wilt krijgen, zul je af en toe wat aardiger tegen me moeten doen.' Hij prikte zwijgend met zijn skistok in de sneeuw. 'Dat je creatief met cijfers omgaat, zal Rutger niet leuk vinden. Ik bedoel: zijn goede naam staat op het spel. Ik weet namelijk dat je nog bijna niets hebt verkocht van dat nieuwbouwproject, Stephan.' Ze raakte hem voorzichtig aan. 'Ik kan je helpen, lieverd, gun mij dan ook mijn plezier. Ik heb jou net zo goed nodig.'

Het was even stil.

'Ik weet hoe de zaken ervoor staan, Eveline, en ik wil niemand kwetsen...'

Monter glimlachte ze. 'Nou dan? Dan is er toch niets aan de hand? Wat niet weet wat niet deert, is mijn motto. Zo hebben alle partijen er profijt van, en volgens mij heb je er geen hekel aan.' Ze gaf hem een knipoog en speels tikte hij haar aan met zijn skistok.

'Deal, *Iron Lady*. Laten we gaan.'

Het was stil in huis toen Eveline haar ski's neerzette. Haar 'hallo!' echode door de hal en ze trok haar skischoenen uit. Ze had een lekker frambozentaartje meegenomen van de bakker en verheugde zich erop de kinderen weer te zien. Het was een heerlijke dag met prachtige sneeuw en een stralende zon geweest; ze hadden moeilijke pistes bedwongen en geluncht op het terras van La Cabane de Mont Fort. Deze ochtend had ze weer de oude saamhorigheid met Stephan gevoeld, en dat deed haar goed. Eveline wurmde zich uit haar jas en legde haar wanten op de verwarming.

Ze zag Irina's Uggs in de hal staan en hoorde de bekende geluiden van de televisieserie *Dora* uit de woonkamer komen. Suzy zat met haar duim in haar mond gebiologeerd naar het scherm te kijken, een pak koekjes en een Wicky op de salontafel. Vreemd.

'Hallo, lieverd, waar is Irina?'

'In de sauna,' zei Suzy zonder haar duim uit haar mond te halen.

'In de sauna? Midden op de dag?'

Suzy knikte overtuigd. 'Irina zo koud!' Ze staarde naar de televisie.

Evelines ergernis om het misvormde Nederlands stak plotseling de kop op, maar ja, wat verwachtte ze als een Roemeense nanny een

Chinees meisje Nederlands moest leren praten? Ze huiverde, een vreemd gevoel overspoelde haar.

'En papa?'

Het kind haalde haar schouders op. 'Niegezien.'

Eveline liep naar de keuken en dronk een glas water. Ze kon haar nieuwsgierigheid niet bedwingen en daalde de trap af naar de kelder, waar de fitnessruimte en de sauna waren. Rutgers sneeuwlaarzen stonden druipend voor de twee loungebedden. Zijn corduroy broek, geblokte overhemd en witte T-shirt lagen achteloos over het deck van de jacuzzi. Eveline wist dat ze niet door het raampje moest kijken, maar ze deed het toch. In de stoom tekenden zich duidelijk twee figuren af: ze zag Rutgers grote torso leunend tegen de wand, hij had zijn ogen gesloten. Mechanisch aaide hij het haar van Irina, die op haar knieën voor hem zat. Eveline stond als bevroren toen ze zag hoe het hoofd van haar nanny heen en weer bewoog.

Ze was op slag misselijk.

De rest van de middag ging als in een roes voorbij. De kinderen kwamen uitgelaten binnen, Stephan en Roos trokken zich samen terug en Rutger riep dat hij een borrel ging halen in de Farinet. Irina was verbazingwekkend rustig, net alsof er niets aan de hand was, *just another day*. Eveline observeerde het gedrag van iedereen en het was ook een gewone dag zoals alle andere dagen. Er was alleen iets gebeurd wat haar perspectief volledig had veranderd. Ze wist niet wat ze erger vond; de zoveelste vernedering van die dikke pad, het clandestiene vreemdgaan of het doen alsof er geen vuiltje aan de lucht was. Hoe dan ook, het maakte haar woest en ze besefte dat Rutger nooit zou veranderen. Maar het feit dat hij gewoon het risico nam betrapt te worden, ging haar te ver.

Wrok nestelde zich in Evelines binnenste en ze wist maar één oplossing. Haar leven voelde al jarenlang als een wedstrijd: wie was de mooiste, de beste en de rijkste? Pas als Eveline als winnaar uit de bus kwam, had ze rust. Ze moest de aandacht van Stephan hebben, ze moest zich weer *in control* voelen.

Die burgertrut van een Roos ging toch vroeg slapen om in vorm te zijn voor haar skilessen. Rutger zou na een paar flessen wijn vanzelf in slaap vallen; het had geen zin hem tot de orde te roepen of Irina te ontslaan. Eveline had een beter plan en deed waar ze tenminste goed in was: Stephan verleiden. In diezelfde sauna waar ze die middag Rutger met Irina had betrapt.

'Niet hier!' Stephan lachte schaapachtig.

Eveline kon het niets schelen. 'Luister, Rutger ligt in coma, Roos slaapt en de kinderen liggen in bed. Ik duld geen tegenspraak: het is verdomme vakantie en we hebben nog geen een keer geneukt!' Hij gromde en Eveline likte zijn lippen. 'Ik ben dat praten en gezeik zat, Stephan! Ik wil hier en nu met je vrijen, je offert je maar een keer op!'

Hij schudde zijn hoofd en ging op het houten bankje zitten. 'Weet je hoe gevaarlijk jouw spel is, Eef? Weet je wat de consequenties zijn?!'

Eveline knikte vastberaden en boog zich over hem heen. Ze liet haar La Perla-bh op de grond vallen en hoorde hem zwaar ademen.

'Consequenties zijn bekend, mister, en misschien is het daarom juist zo spannend. Als we betrapt worden, is het spel over en juist daarom ben ik zo verschrikkelijk opgewonden. Hier, voel maar.' Eveline pakte zijn hand en bracht zijn vingers in haar broekje. Ze zoende hem en likte plagerig langs zijn lippen. Ze voelde Stephan direct reageren en trok met een ruk zijn boxershort uit. Ze duwde hem achterover op de handdoek en gooide nog wat water op de hete stenen. Het water siste, verder was het stil. Eveline zag zijn heerlijke lijf glimmen van het zweet en klom zwijgend boven op hem. Zonder iets te zeggen, duwde ze zijn geslacht diep in zich. Stephan sloot zijn ogen.

'God, Eef, wat doe je toch telkens met me...' mompelde hij. Eveline glimlachte, voelde zich oppermachtig. Ritmisch begon ze te bewegen, Stephan kreunde.

'Niks, lieverd, helemaal niets. Ik geef je alleen dat heel klein beetje plezier waar we beiden recht op hebben. We hebben geen woorden nodig, dat voelen onze lichamen feilloos aan. Het is een wet van de natuur.'

Ze bewoog steeds sneller en duwde haar borsten vooruit. Ze voelde Stephan direct reageren en pakte met zijn handen haar billen.

'Je bent slecht, Eveline, je bent verschrikkelijk slecht,' mompelde hij. Ze glimlachte en genoot van het moment.

'*We are one of a kind,* Stephan, we zijn allebei even slecht. En geil.'

Stephan opende zijn ogen en nam haar borsten in zijn mond. Hij zoog op haar tepels tot ze hard werden. Eveline kreunde en sloot haar ogen. Stephan duwde haar van zich af.

'Niet zo snel, prinses, nog even genieten.'

Hij boog zich op zijn beurt over haar heen, gaf plagerig kleine zoentjes op haar mond en gleed langzaam met zijn tong naar beneden. Met zijn groene ogen keek hij haar uitdagend aan en duwde haar benen een stukje uit elkaar. Hij speelde met zijn vingers langs haar gevoelige plekje en drong met zijn tong naar binnen. Eveline sloot kreunend haar ogen en wist precies wie hier de baas was.

Roos 13.

Droomde ik, of moest ik echt plassen? Verdomme, ik haatte het als ik 's nachts mijn bed uit moest. Ik graaide naar mijn horloge. Half vijf, nog een paar uurtjes voor ik moest opstaan. Skiën viel niet mee, en het was een militaire onderneming om bij de skischool te komen. Ik tastte loom naast me, maar het bed was leeg. Met een schok schoot ik overeind, waar was Stephan? Zachtjes stapte ik het bed uit, de houten vloer kraakte onder mijn voeten. Ik ging eerst naar de wc, de badkamervloer was ijskoud. Het duurde minuten voor ik eindelijk was uitgeplast en ik sloop de badkamer uit zonder door te trekken. Ik keek over de reling van de overloop de woonkamer in. Het haardvuur was gedoofd, een zacht lampje schemerde. Ik liep op mijn tenen de trap af. Waar was Stephan?

Op de bank lag een plaid, maar Stephan was er niet. Vertwijfeld liep ik naar de kamer waar de kinderen lagen te slapen, en dekte Luna nog eens toe. Toen ik de deur zachtjes sloot, streek er een koude tocht langs mijn benen en ik huiverde. Mijn hoofd voelde zwaar en mijn keel was droog, alsof ik een fles rode wijn soldaat had gemaakt. Wankelend liep ik door de gang langs de woonkamer en keek nog een keer naar de bank. Stephan lag er uitgebreid te ronken – had ik hem dan over het hoofd gezien? Ik liep naar hem toe en schudde hem wakker.

'Wat, wat is er?' fluisterde hij slaapdronken.

'Stephan!' zei ik streng. 'Je ligt op de bank!'

Hij keek me wazig aan. 'Ja, nou en?' mompelde hij.

'Kom naar boven,' siste ik, 'naar bed!' Hij wreef over zijn slapen en gaapte, stond langzaam op en waggelde voor me uit. 'Waar is je spijkerbroek?' vroeg ik. 'En je trui?'

Hij maakte een geïrriteerd gebaar. 'Sssht! Stil een beetje! Je maakt iedereen wakker! Doe niet zo paranoia, ik heb m'n spijkerbroek in de badkamer uitgedaan!'

Ik kroop geruisloos tussen de dekens. Stephan viel direct in slaap en snurkte met lange uithalen. Misschien had ik hem toch moeten laten liggen; nu zag ik alle uren voorbijgaan tot het licht werd.

Die ochtend voelde ik me doodmoe maar direct na het ontbijt laadde Rutger ons in de auto om ons naar onze skilessen te brengen. Eerst zette hij ons af bij La Boite à Ski, waar mijn skileraar Robbert alweer op me stond te wachten. Op mijn eerste lesdag, gisteren, was het niet al te best gegaan, maar Robbert had engelengeduld. Ik vond het doodeng om te glijden en Les Esserts was niet meer dan een glooiende heuvel. Telkens als ik vooruit wilde, verkrampte ik en bereikte het tegenovergestelde resultaat. Keer op keer corrigeerde Robbert me en hij probeerde me te laten ontspannen door grapjes te maken. Als ik om me heen kinderen moeiteloos van de heuvel af zag razen, voelde ik me net een vijfenzestigplusser die nog zo nodig moest.

Na een tijdje ging het beter, ik gleed naar voren en oefende druk uit op de binnenkant van mijn ski's. Nu voelde ik het: ik had controle. Voorzichtig leunde ik naar rechts en trok mijn ski bij de andere, daarna leunde ik naar links en trok de andere ski bij. Triomfantelijk voelde ik me over de sneeuw zweven; ik had het trucje door. Robbert stond me beneden aan de heuvel op te wachten en begon spontaan te applaudisseren. Opgetogen leunde ik achterover en verloor meteen de controle. Mijn ski's klapperden over twee hobbels en daar ging ik: plat op mijn rug. Ik kreeg de slappe lach: wat een gedoe! Robbert reikte me de helpende hand.

'Very good, young lady, now you've got the feeling!' Ik zag aan zijn ogen dat hij opgelucht was.

'Let's go for a coffee!' zei ik.

In het drukke restaurant kwam een groep kinderen binnen met hun leraar, en ik zag Luna's roze skipak.

'Mama!' riep ze luid en ze stevende op me af. Enthousiast vertelde ze dat ze onder een poortje door was geskied en een vriendinnetje had gevonden. Haar ogen straalden en ik gaf haar een stevige zoen op haar koude wang.

'Zo meteen word je nog beter dan mama!' riep ik uit.

'Dat ben ik al,' zei ze nuffig, 'want ik zag jou in de sneeuw vallen en ik ben nog niet een keer gevallen!'

Robbert maakte aanstalten om te gaan. Zuchtend ritste ik mijn jas dicht en strompelde op de astronautenlaarzen naar buiten. Maar toen ik mijn ski's aanklikte, de zuivere berglucht inademde en voorzichtig over de sneeuw gleed, voelde ik alle zorgen en dilemma's wegvloeien. Ik gleed de berg weer af en begreep toen pas waarom iedereen skiën zo leuk vond: ik voelde me zo vrij als een vogel.

Het was een onwerkelijke kerstvakantie. De sneeuw, het samenzijn, de lieflijke chalets en het uitzicht op witte bergtoppen – ik wist niet dat wintersport zo idyllisch kon zijn. Ik had 's middags boodschappen gedaan bij de lokale kaasjuwelier waar een stukje truffelbrie even duur was als een gram goud. Ik had erop gestaan die avond zelf te koken, en de lasagne stond in de oven te garen. Ik husselde sla door elkaar en goot er vinaigrette over. Iedereen zat bij de haard, de kinderen speelden een spelletje op hun gameboy. Stephan schonk voor iedereen een wijntje in.

'Roos, kom je er even bij?' hoorde ik hem roepen. Ik spoelde mijn handen af en liep de woonkamer in.

Hij reikte me een glas Fendant aan. 'Ik wil even proosten op het samenzijn met mijn allerbeste vrienden en familie, en mijn dankbaarheid uitspreken voor het feit dat we hier zijn.'

Ik knikte, voelde mijn wangen gloeien. Hij ging op de leuning van de bank zitten en pakte mijn hand. Ik zag uit mijn ooghoeken dat Eveline haar hand voor haar mond sloeg.

'Roos, je weet wat een bijzondere tijd Kerstmis is, en wat kerst voor me betekent. Sinds ik jou ken, besef ik pas hoe heerlijk het is om iemand in je leven te hebben van wie je houdt. Met die warmte en liefde wil ik me graag altijd omringen...' Ik knikte langzaam. '... en ik wil je officieel vragen, in het bijzijn van onze dierbaarste vrienden en familie,' hij slikte, 'of je bij ons komt wonen met Luna...'

Het was stil, het haardvuur knapperde en iedereen keek me aan. Eveline staarde me met opengesperde ogen aan en mijn blik zocht snel die van Stephan. Ik voelde een brok in mijn keel en hij toverde een doosje tevoorschijn.

'Wat zeg je ervan Roos, wil je bij ons komen wonen?'

Een ongecontroleerde snik ontsnapte aan mijn lippen en op zijn gezicht brak een glimlach door. 'Is dat een ja?' vroeg hij overbodig, maar er kwam geen geluid uit mijn mond.

De volgende dag ging ik naar skiles, ondanks de fikse kater en het slaapgebrek. Er stroomde een warme golf door mijn lijf als ik aan Stephans woorden dacht. Samenwonen, samen een gezin vormen, het was net een sprookje. Hij vond ook dat ik geen andere baan moest zoeken, maar eindelijk mijn droom moest waarmaken: een opleiding volgen voor binnenhuisarchitect. Hij zou voor me zorgen en zelfs mijn schuld bij Becam aflossen, gewoon omdat het kon. En dan zou ik ervoor zorgen dat het thuis gezellig en behaaglijk was. Ik had niet durven dromen dat zulke mannen bestonden toen ik aan het begin van dit jaar mijn wensenlijstje opschreef.

's Middags haalde hij mij en Luna van skiles en maakten we een lange wandeling met Tim en Luna op de slee. We lunchten in restaurant Chez Dany. Na de lunch gaf Stephan me een envelop. Hij had in Nederland een samenlevingscontract laten opstellen, en vond het symbolisch mooi om dat boven op de berg te tekenen. Zodat we officieel verbonden waren en niets ons geluk zou kunnen verstoren. Met een zwierige haal zette hij zijn handtekening. Ik was tot tranen toe geroerd; hij had zo veel voorbereiding getroffen! Met zijn vulpen zette ik mijn handtekening en hij bezegelde alles met een dikke zoen. Ik keek nog eens naar mijn solitaire ring en rilde: het leven was te mooi om waar te zijn en van zo veel suikerzoet geluk werd zelfs ik trillerig.

Eveline 13.

Nog geen vierentwintig uur later had Stephan een Cartier-ring voor Roos gekocht en haar officieel gevraagd of ze met Luna bij hem kwam wonen. Hij wist het mooi te brengen: een samenlevingscontract en volgend jaar een groot verlovingsfeest. Hij had ook nog het lef het aanzoek te doen waar wij bij waren, tijdens een borreltje voor het eten.

Uiterlijk bleef Eveline kalm, maar innerlijk was ze een grote kolkende massa. Stephan en zij hadden nota bene een afspraak, en als ze ergens niet tegen kon dan waren het mensen die zich niet aan hun woord hielden. Hij mocht zich best vermaken met die dikke trol, maar officieel gaan samenwonen? Het voelde als een dolk in haar rug, zeker na die verrukkelijke vrijpartij in de sauna. Hij speelde met haar, want ze wist zeker hij er net zo van had genoten als zij.

Ze wankelde na het grote nieuws en de felicitaties naar haar slaapkamer en voelde zich zo verraden. Door Rutger, door Stephan en door haar vader; eigenlijk door alle mannen die belangrijk voor haar waren. Eveline probeerde zichzelf te kalmeren met een paar druppels gevlekte scheerling, maar de verbolgenheid bleef. De onrust en de woede lieten zich niet onderdrukken en haar gedachten sprongen van de hak op de tak. In hoog tempo wisselden zich in haar hoofd scènes af waarin Stephan, Rutger en zelfs haar vader haar dingen beloofden; flitsen van doordringende ogen, sprekende monden, bezwerende handen op haar arm en beloftes die met open ogen werden uitgesproken, de beelden bleven maar doorgaan. En geen van de mannen kwam zijn woord na. Maar dat was niet eens het ergste: het ergste was dat ze er telkens weer instonk, dat ze er telkens weer van overtuigd was dat ze het meenden. Iedere keer wilde ze hen geloven en iedere keer werd ze keihard teleurgesteld. Misschien dat ze daarom zo woest was, omdat ze zelf zo stom was geweest die mannen te vertrouwen. Juist de mannen van wie ze diep in haar hart het meest hield, logen haar gewetenloos voor. Zonder scrupules, zonder schuldgevoel en zonder bedenkingen; ze lachten haar gewoonweg uit. En dat vrat aan haar, het feit dat ze niet serieus genomen werd, dat ze zo dom was om telkens weer die mooie praatjes te geloven.

Het maakte haar oprecht onzeker. Ze wist niet meer wat ze kon geloven, alle mooie woorden kwamen voortdurend in een volledig andere context te staan. En dat besef wurmde zich als een slang in haar wezen en vrat stukje bij beetje aan haar eigenwaarde.

Rutger had een keer filosofisch gezegd dat de beste huwelijken een *partnership* waren waarin de vrouw niet te veel vroeg. Wat niet weet, wat niet deert. Horen, zien en zwijgen. Wijselijk had ze haar mond gehouden en haar voordeel eruit gesleept. Als hij wilde dat ze niet alles wist, gold het andersom ook en mocht zij ook haar gang gaan. Die carte blanche hadden ze elkaar stilzwijgend gegeven.

Met Stephan had ze een deal. Maar hij beloofde haar dingen die haaks op zijn acties stonden. Eveline had hem vaak genoeg duidelijk gemaakt dat hij met een simpel telefoontje van haar alles kon verliezen. Alles. En nog laveerde hij tussen haar regels door, bleef hij eigenwijs en hooghartig. Alsof het niet zo erg was als de hele wereld zou weten dat hij het geld van zijn investeerders had verkwanseld, dat zijn ontwikkelingsprojecten niet liepen, dat hij een zakenman van niks was, die ook nog eens de vrouw van zijn beste vriend neukte. Hoe zou hij zich eruit redden als de beerput openging? Als hij eenmaal begon te glijden?

Kwaad stak ze een sigaret op en inhaleerde diep. Ze opende een raam en liet de koele berglucht binnenstromen, en ze ademde diep in. Ze merkte dat ze weer naar zuurstof begon te happen, en dat kwam haar denkvermogen niet ten goede.

Het had geen zin om Stephan te confronteren met zijn leugens, want hij zou haar uitlachen. Eveline had het rooskleurige toekomstbeeld van hen samen al zo vaak gedroomd dat ze er heilig in was gaan geloven. Stephan en zij met de kinderen samen verder; hij met zijn bedrijf en zij met Stichting Teddybeer. Samen thuiskomen, samen praten, samen alles delen. En ze leefden nog lang en gelukkig.

De kou maakte haar hoofd weer helder. Ze wilde niemand anders dan Stephan, de man die haar ware gezicht kende. Wat zij samen hadden was echt, en Stephan moest nu teruggefloten worden. Het spel dat ze speelden kende zij twintig keer beter dan hij.

Ze gooide de peuk naar buiten, sloot het raam, liet in de badkamer koud water over haar polsen lopen en keek in de spiegel. Ze schrok. Holle ogen staarden terug, met donkere kringen eronder. Ze pakte de *touche d'eclat* van Yves Saint Laurent en poederde wat brons op haar wangen, spoot parfum in haar decolleté en trok haar lichtgrijze v-halstrui naar beneden. Over haar schouder keek ze naar haar achterste. Nog steeds in vorm, ondanks haar kinderen en de stress. Het verwonderde haar soms hoe goed ze er vanbuiten uitzag terwijl het vanbinnen kolkte van de emoties. Eveline droeg haar masker met verve, en opende de deur. Ze keerde terug naar de woonkamer en ging naast Roos zitten.

'Zeg, Roos, zal ik je morgen gezellig ophalen van skiles? Even een momentje van meiden onder elkaar?' Ze wendde zich met een onschuldig gezicht tot Stephan en vroeg: 'Haal jij Luna en Tim morgen uit de skischool, dan kunnen Roos en ik even lekker kletsen over jullie verloving, en zo.' Stephan keek stuurs maar mompelde dat het goed was.

'En als je daar kijkt zie je de Monte Rosa!'

Roos tuurde uit het raam van restaurant l'Olympique. 'Daar gaan we toch niet vanaf?' vroeg ze ongerust.

Eveline schoot in de lach. 'Ben je gek, je hebt pas vier dagen les gehad!' Ze schudde haar haren naar achteren. 'Ik wilde je alleen maar het adembenemende uitzicht laten zien, en je kunt hier heerlijk lunchen.'

Roos knikte stug. Ze was nog nooit zo hoog op een berg geweest en had zichtbaar geworsteld om hier te komen. Ze hadden samen eerst een paar afdalingen gemaakt, maar het was Eveline opgevallen hoe onzeker Roos nog op haar ski's stond, ze leunde veel te veel naar achteren.

'De pistes zijn hier in feite hetzelfde als op dat kinderweitje, lieverd, alleen wat groter. Het zijn allemaal blauwe en rode, kijk maar naar de stokken,' had ze gezegd.

Roos was blij dat ze nu rustig zaten. Ze beaamde een paar keer dat het uitzicht prachtig was en het restaurant er gezellig uitzag met die hertengeweitjes en rode kussens.

Eveline schonk een glas wijn in. 'Hier, neem een glas wijn, dan sta je straks ontspannen op de ski's.'

Gulzig nam Roos een slok.

Eveline schonk haar een warme glimlach en vouwde haar handen samen. 'Was je verrast, gisteravond?'

Roos' ogen begonnen te schitteren. 'Verrast?!' riep ze uit. 'Ik wist niet wat me overkwam! Dit was zo... zo... onverwachts!'

'Ja, voor mij ook.' Roos keek haar vragend aan. 'Nou ja, ik ken Stephan al wat langer dan vandaag, en dit ligt niet echt in de lijn der verwachtingen.'

Roos schudde haar hoofd, haar krullen dansten mee. 'Ik weet het, het is ongelooflijk.'

Eveline bestelde voor hen beiden ravioli met witte truffelsaus. Ze kauwde bedachtzaam op een stukje brood en leunde na een korte stilte naar voren. 'Wist je dat Stephan mijn eerste vriendje was?' Ze genoot van de verbijsterde uitdrukking op Roos' gezicht. 'Heeft Stephan je dat nooit verteld? Nou ja, hij wil je natuurlijk geen pijn doen.' Roos schoof haar stoel ongemerkt naar achteren. 'Ach ja, het heeft ook geen zin oude koeien uit de sloot te halen, het is zo lang geleden. We waren jong, wild en avontuurlijk en we hadden de beste tijd. Maar Stephan wilde heel snel met me samenwonen en trouwen, en daar was ik in die tijd nog niet klaar voor. Ik wist namelijk dat Stephan een jager is – en zodra hij zijn prooi heeft gevangen, is zijn interesse verdwenen.' Eveline keek naar buiten en woog haar woorden zorgvuldig. 'Ik heb toen gezegd dat hij geduld moest hebben, maar hij was met de noorderzon vertrokken. Hij ging voor onbepaalde tijd naar Australië om zich voor te bereiden op de Volvo Ocean Sailing Race. Typisch Stephan, als hij niet kan krijgen wat hij wil, vertrekt hij.' Ze haalde haar schouders op. 'En achteraf kreeg ik gelijk, want telkens als hij met een vrouw serieus werd en ging samenwonen, liep de relatie na een half jaar stuk.'

Ze keek Roos aan, die naar adem hapte en duidelijk niet bij machte was een woord uit te brengen. Eveline doopte op haar gemak een stukje brood in de olijfolie en sprenkelde er wat grof zout over.

'Rutger en ik hielden zelfs weddenschappen, en verdomd: ik won ze altijd! Er zat gewoon een patroon in: na drie maanden samenwonen, en een half jaar later uit elkaar. En god, tja, het leven kan soms raar lopen. In de periode dat Stephan naar Australië vertrok, zijn Rutger en ik naar elkaar toe gegroeid en werden we echt maatjes. Voordat ik het wist was ik zwanger van Babette. Rutger is natuurlijk een heel betrouwbare partner, maar soms vraag ik me af of ik de juiste keuze heb gemaakt.' Ze giechelde. 'Ik bedoel, met Rutger is de passie ver te zoeken...'

De ober bracht de dampende borden en zei: 'Bon appétit.'

Roos schoof gedachteloos haar ravioli naar binnen, Eveline zag dat ze van haar stuk was.

'Hoe kan het dat jullie nu toch nog zo goed met elkaar omgaan?' vroeg Roos uiteindelijk.

'Vergeven en vergeten, schat. Veel mensen kunnen wel vergeven maar niet vergeten. Het is heel belangrijk dat je vergeeft. En eerlijk gezegd duurde het ook een tijdje voor ik zover was; maar uiteindelijk heeft hij ons een gunst bewezen, want Rutger en ik zijn dankzij hem bij elkaar gekomen. Ach ja, Roos, ik hou zo veel van Stephan dat ik zijn gezelschap niet kwijt wil; Stephan is uniek in zijn soort. Ik zie hem nu meer als mijn broer, mijn vriend, en ik gun hem van harte het geluk, zeker met jou.'

Eveline raakte de witgouden ring met de solitaire diamant even aan en schonk vervolgens de fles leeg. Ze namen als dessert een *chocolat moelleux* en Eveline vroeg de rekening. Ondertussen zag ze dat de paar hersencellen die Roos bezat, overuren maakten.

Roos 14.

De volgende dag bood Eveline aan me na de skiles op te halen om samen te gaan lunchen en het heugelijke feit te vieren dat ik ging samenwonen. Ze nam me regelrecht mee naar restaurant l'Olympique op een hoge berg; het restaurant had zich vastgeklampt aan een duizelingwekkende rots, naar haar zeggen een geheim adresje waar Sarah Ferguson ook altijd met haar bodyguard kwam. Ik herinner me nog dat ze rap een fles wijn en eten voor me bestelde en haar relaas zeker een uur duurde. En dat ik met stomheid geslagen niets terug kon zeggen en mijn geluksgevoel in het afvoerputje zag verdwijnen. Ik herinner me nog dat we na de lunch naar buiten gingen en dat het een stuk kouder was geworden. Mijn buik rommelde van de zware lunch, mijn hoofd was licht van de wijn, maar ik was vooral verbijsterd.

Eveline ritste haar jas dicht, klikte haar ski's aan en verdween uit het zicht. Het was druk, ik moest me haasten want over een half uur zou de lift sluiten. Ik probeerde me te concentreren, maar alles draaide. Diverse pogingen om mijn ski's aan te trekken mislukten. Onhandig stond ik de klompen ijs onder mijn schoenen weg te slaan met mijn skistok. Mijn buik speelde op, ik voelde krampen. Eindelijk schoot de skischoen in de binding en ik schoof mijn handen door de grepen van de skistokken. Het krioelde van de mensen toen ik de berg af ging, en ik verloor de controle over mijn ski's op een stukje ijs. Zwaar ademend krabbelde ik overeind en een stevige kramp schoot door mijn buik. Verdomme, ik wilde naar huis, ik ging Eveline vertellen dat ik de volgende lift naar het dorp zou nemen. Dan maar geen skicrack.

Schuifelend roetsjte ik van de berg en toen zag ik haar opeens zwaaien met haar skistok; zelfs tussen alle skiërs op de berg sprong ze in het oog in haar loeistrakke skibroek en oranje ski-jas. Ik was kwaad, hoe durfde dat kreng me de dag nadat Stephan mij zijn liefde had verklaard, te vertellen dat ze vroeger lovers waren geweest? En waarom had Stephan nooit iets gezegd? Beelden spookten door mijn hoofd: de manier waarop ze naar elkaar keken, elkaar omhelsden en discussieerden. Ik had het allemaal normaal gevonden, maar nu was alles uit zijn context gerukt en vond ik het niet meer zo vriendschappelijk, onbevangen en beschaafd. Ze waren minnaars geweest, verdomme! Ik voelde me verraden en ploegde voort. Nog één bocht en dan was ik bij dat nagemaakte kreng. Ik was blij dat Wick morgen kwam.

'Ik wil naar huis, Eveline, ik neem de volgende lift.' Eveline glimlachte en zei dat we er zo waren, ze wees naar beneden.

Mijn benen trilden van vermoeidheid, ik kon niet meer. 'Waar, zeg je?'

Ze wees nog een keer met haar skistok. 'Maar dat is nog hartstikke ver!' De tranen sprongen in mijn ogen.

'Dan lopen we naar boven.'

Ik keek naar de piste en zag dat dat ook geen optie was, het werd bovendien schemerig en het aantal mensen nam snel af. Eveline zei dat ik haar moest volgen, dan zou ze me naar de lift loodsen. Ik had weinig keus. Ik rechtte mijn rug, dit was beter en ik zou zo thuis zijn. Eveline stopte even om te vragen of het wel ging. Ik knikte, de buikkrampen namen iets af. Stom natuurlijk, ravioli met witte truffel gevolgd door een chocoladedessert en daarover nog een liter wijn. Ik wist dat ik een gevoelige maag had, maar door Evelines verhaal had ik er geen acht op geslagen.

Mezelf verwijten makend volgde ik Eveline tot ik van achteren een ongelooflijke tik kreeg. Ik hoorde mezelf gillen en kon niet meer remmen. Ik zag de paniek in Evelines ogen, en ongecontroleerd gleed ik van de berg. Mijn rechterski week af en ik ketste over hobbels, hoorde mensen gillen en zag voor me een enorme kuil opdoemen. Ik schreeuwde en hoorde een oorverdovend lawaai. Daarna was het zwart.

Alles ging als in een roes aan me voorbij. Verdoofd van de pijnstillers vond ik het wel best. Stephan stond tegen Eveline te schreeuwen en ik zag haar bedremmelde gezicht. Ze had actrice moeten worden.

'Hoe kun je in godsnaam met je stomme kop met haar van l'Attelas skiën?'

We zaten bij de eerste hulp. Ik wilde iets zeggen, maar alle energie was verdwenen. De artsen zeiden dat ik enorm veel geluk had gehad. Alleen mijn enkelbanden waren verrekt en dat mocht een wonder heten gezien de val die ik gemaakt had. Ik was in een grote hoop zachte sneeuw gevallen en niet op een rots geknald. Ik herinnerde me dat de hulpverlening razendsnel ter plekke was, en dat Eveline alleen maar jammerde. Ik werd met een glijdende brancard tot de lift vervoerd en beneden direct naar polikliniek gebracht. Toen mijn rechterbeen onderzocht en goed ingetapet was, stonden Stephan, Luna en Tim voor mijn neus. Ik kon mijn tranen niet meer bedwingen. Ik kreeg een paar dagen volledige rust opgelegd, met mijn been omhoog.

Stiekem was ik ook opgelucht; skiën was niets voor mij. Eveline voelde zich vreselijk schuldig en bood me een plekje in de privéjet aan voor de terugreis. Maar geen haar op mijn hoofd die daar aan dacht; ik liep nog liever naar huis. Ik was zo moe dat ik verder nergens meer aan kon denken en alleen maar wilde slapen.

De schemer was al ingetreden toen Wick grijnzend binnen kwam zeilen met een enorme zak oliebollen. Rutger had hem laten ophalen van het vliegveld van Genève. Omringd door tassen en koffers en een keffende Pepita wierpen de kinderen zich in zijn armen. Hij had een rare muts met berenoren op, en struikelde over drie paar laarzen in de gang.

'Schattie!' gilde Wick enthousiast en Eveline kwam met gestrekte armen op hem af. Toen omhelsde Wick mij. 'Wat een toestand!' riep hij uit. 'Dit is zo *Last Christmas*! Wat heb jij in godsnaam gedaan, tuttebel!'

Hij kwam bij me zitten en Luna vertelde over de valpartij waarbij ik nog net niet mijn nek had gebroken. Ik was rozig van de pijnstillers en mijn gedachten dwaalden af.

Wat een verschil met een jaar geleden: toen stond ik met oud en nieuw op de camping van het Kruininger Gors met getrouwde Bart te vozen, en nu zat ik boven op een berg met de high society van Verbier.

Eveline had allemaal wilde plannen om met Wick het nachtleven te verkennen aangezien hij toch niet zou gaan skiën. Gelukkig had ik een goed excuus om niet mee te gaan; ik vond Eveline niet zo'n geweldig gezelschap meer. Ze was dominant, soms zelfs dreinend als een klein kind dat haar zin niet kreeg. En ik vond haar ook niet zo'n bevlogen moeder als iedereen beweerde; ze liet de opvoeding liever aan Irina over. Misschien was deze vakantie met z'n allen wel te veel van het goede. Wat mij vooral opviel was dat ze amper affectie naar Rutger toonde en zich als een verwende prinses gedroeg.

Ik was blij dat Wick er was. Hij kwam weer bij me op de bank zitten en we kletsten over zijn reis.

'Vind je het echt niet vervelend dat ik de eerste avond gelijk al wegga?' fluisterde hij zacht.

'Vind je het echt niet vervelend dat je de eerste avond gelijk al op stap moet?!'

Hij glimlachte. 'Nou, als je het echt wilt weten: ik ben kapot. De salon heeft overuren gedraaid voor de kerst, en ik ben op mijn laatste krachten hierheen gekrópen! Maar ja, schat, als de freule iets in haar kop heeft, zit het niet in haar kont.'

Ik zuchtte diep. 'Waar je zin in hebt...' mompelde ik.

'Ach, lieverd, je weet hoe ze is. Ik ga nu een avond door het lint en dan is de druk van de ketel, zeg maar.' Stram stond hij op. 'Ik ga me even beeldig maken voor al die achttienjarige jongens in de Coco Club...'

Eveline kwam binnen. Ze zag er betoverend uit.

'God, Eef, kon je die Missoni-top weer niet laten liggen? Die fabriek draait goed op jouw aankopen, schat, je moet eens tegen Rutger zeggen dat hij aandelen moet kopen!'

Rutger draaide zich loom om in de Chesterfieldstoel en blies zware rookwolken uit. 'Welke aandelen?' vroeg hij onnozel. Hij bekeek Eveline over zijn leesbrilletje heen. 'En waar gaat dat trouwens naartoe?'

Eveline rolde ongeduldig met haar ogen, wurmde haar slanke hand in massief gouden slavenarmbanden en schudde haar haren naar achteren. '*A girl's night out*, schat, dat heb ik je nou al honderd keer verteld maar jij luistert nooit...'

Stoïcijns bleef hij haar aankijken. 'En waarom mag ik niet mee?'

Heupwiegend liep Eveline naar hem toe. 'Omdat jij op de kinderen moet passen, schat, samen met Stephan.'

Rutger schonk zijn glas wijn bij. 'Ik vind het maar raar om direct het nachtleven in te duiken als je gast net is gearriveerd. Maar je zult er wel behoefte aan hebben. Kun je toch duidelijk zien dat we uit verschillende milieus komen, liefje.'

Eveline rommelde in haar tas en negeerde zijn opmerking. 'Ik maak het niet laat en morgen mag jij met de mannen uit.'

Rutger vouwde zijn krant en las verder. '*Whatever makes you happy.*'

Eveline gaf de kinderen een kus en liet een spoor van Guerlains Shalimar achter.

Eveline 14.

Godzijdank vlogen de dagen om en kwam Wick het gezelschap entertainen, zoals Rutger het uitdrukte. Eveline had Rutger niet aangesproken over zijn slippertje met Irina. Ze deed alsof er niets aan de hand was, maar had wel alvast haar voorraadje recreatieve genotsmiddelen aangesproken, dat ze voor het weekend wilde bewaren.

'Pfffft, soms voel ik me weer net een meisje van dertien dat haar vader om permissie moet vragen,' verzuchtte ze.

Wick haakte zijn arm door de hare. 'En in jouw geval is dat geen prettige herinnering, schat.'

Ze wuifde het ongedurig weg. 'Soms kan Rutger zo verschrikkelijk tegendraads doen!' Haar stem klonk rauw doordat ze de woorden met meer woede uitsprak dan ze had gewild.

Wick grinnikte. 'Is het weer zover?'

Ze slaakte een oerkreet van frustratie. 'Oeehhhww! Hij kan me zo op de kast drijven, echt het blóéd onder mijn nagels...'

Vaderlijk legde Wick een gehandschoende hand op de hare. 'Moet je niet doen, schat, ik heb je toch gezegd dat je het probleem bij hém moet laten.'

Ze knikte, hij had gelijk, ze trok zich alles te veel aan. Misschien was het toch niet zo'n goed idee om met z'n allen in een huis te gaan zitten. Maar nu was Wick er, en Eveline maakte bijna een huppeltje van blijdschap. Ze vlijde zich even tegen hem aan en herinnerde zich plotseling iets. Ze wroette in haar skinny jeans en hield triomfantelijk een klein envelopje omhoog. '*You've got mail!*'

Wick hield zijn pas in. 'Nee, hè, daar zou je na Parijs toch mee stoppen?' riep hij verwijtend.

'Doe niet zo burgertrutterig, alsjeblieft! Alleen op feesten en partijen, alsjeblieft zeg.' Ze zette de woorden kracht bij met haar handen.

'God, Eef, zo heb ik er meer zien gaan...' Wick keek haar meewarig aan.

'Jezus, het is vakantie!' Ze glibberde weg en hij hield haar stevig vast.

'Tuurlijk, maar die feesten en partijen beginnen bij jou al op woensdag!'

Ze schoten beiden in de lach.

'Schei toch uit. Trouwens, ik voel me er veel beter door. Dan is alles weer helder en kan ik de wereld aan en dat heb ik gewoon nodig in dat gesticht dat mijn thuis heet!'

Wick schudde zijn hoofd. 'Je moet het zelf weten, maar ik heb er al heel wat door naar de klote zien gaan.'

De dorpskern was zacht verlicht met kerstlichtjes, en veel mensen liepen nog een rondje voor het slapengaan.

'De pot verwijt de ketel, Wick. Zullen we het gezellig houden?'

Ze sloegen links af en liepen de heuvel op.

'Ik niet meer, hoor, ik heb mijn lesje wel geleerd na die Midsummer Night Party.'

Eveline haalde haar schouders op. 'Na oud en nieuw stop ik er weer mee, beloofd!'

Wick glimlachte en veranderde van onderwerp.

'Waar gaan we ook alweer naartoe?' Wolkjes condens dansten voor hun neuzen.

'We gaan heerlijk sushi eten bij Nétsu.'

Wick grinnikte. 'De Japanner? Boven op een berg? Wat is er met de Wienerschnitzel en de kaasfondue gebeurd?'

Eveline wuifde het weg, ze wachtte wel tot ze er waren: effectenmakelaars uit New York, filmproducenten uit Hollywood, aristocraten van het Engelse platteland en het chique publiek uit Genève, dat zou wel indruk maken op Wick. Galant hield Wick de deur open en ze trad het eikenhouten etablissement binnen.

'Heb je het naar je zin?'

'Naar mijn zin?! Is de *fucking* paus katholiek?' Wick hief zijn handen ten hemel. Naast hem zat een typisch Engelse effectenmakelaar met een haviksneus. Hij had Wick net een lik over zijn wang gegeven en hem verteld wat hij met hem zou willen doen. Wick kirde als een klein meisje dat haar lievelingsbarbie kreeg. Ze waren al bezig aan het achtste kannetje sake, en het eten was bijna niet aangeraakt. Een Italiaan vertelde Eveline waarom hier geen Russen kwamen, terwijl hij onder de tafel met haar knie speelde. Met een omfloerste blik staarde hij haar aan, hij noemde haar al de hele avond 'sexy'. Het was weer *one of those nights*, ze voelde het. Eveline was weer op-en-top vrouw: sterk en opgewekt. Met een enorme boost energie, ze wilde nooit meer naar huis.

De mannen rekenden af en vroegen of ze meegingen naar de Coco Club, waar ze een speciale *membership* hadden. Normaal gesproken ging Eveline altijd naar de Farm Club, maar ze was wel nieuwsgierig naar de plek waar de nouveaux riches zich ophielden. Lachend en glijdend liepen ze de Rue du Medran af, het was inmiddels gaan sneeuwen. Bij de beveiliging kostte het hen moeite hun gezichten in de plooi te houden, en gierend van de lach liepen ze de steile trap af.

De ruimte was donker met een bordeauxrode aankleding. Net een boudoir, hoerig; Eveline had iets meer klasse verwacht. De Engelsman had met zijn gevolg in de vip-room een tafel gereserveerd. Een dj zweepte de sfeer op en de club was bomvol zwetende lijven. De Italiaan bestelde bij de Coco Snow Birds een gesculptuurde icechampagnecocktail voor zes. Een luid gejoel ging op en hij gaf Eveline een knipoog.

'Dit wordt een speciale cocktail, *darling*.' Hij gaf haar een speels tikje op haar kont. 'En vertel eens, heeft deze *sexy ass* nog trek in een lijntje, of niet?' Op een zakspiegel werd een lijn coke gelegd, en het spiegeltje ging rond.

Wick zat op de rugleuning van de bank en schreeuwde Eveline toe: 'Doe je voorzichtig, schat? Dit is al je derde vanavond!'

Waar bemoeide hij zich mee? Eveline deed het prima op sake,

champagne en de *white lady*. Ze voelde zich de beste en dit was haar wereld. Als het hem niet beviel, sodemieterde hij maar op, dacht ze kwaad. De avond ging als in een roes aan haar voorbij, ze ontmoette zo veel nieuwe mensen, en iedereen was bevriend met elkaar. Ze kwam tijd tekort om met iedereen te praten, en de Italiaan pakte haar hand om te dansen.

Op de dansvloer stak hij zijn hand in haar achterzak en trok haar stevig tegen zich aan. Hij keek haar diep in de ogen en zoende haar. De dansvloer leek om haar heen te draaien en de bas van de muziek begon een eigen leven te leiden. Hij zoende verrukkelijk en al haar zintuigen stonden in vuur en vlam. Aan hun tafel voerde hij Eveline kleine slokjes cocktail uit een breed champagneglas.

Plotseling hoorde ze mensen gillen en hysterisch schreeuwen. De menigte op de dansvloer week uiteen en Eveline zag iemand kronkelend op de dansvloer liggen.

'OD! OD!' hoorde Eveline schreeuwen en opeens werd ze naar, ze begon te trillen. De muziek ging uit, de lichten gingen aan en ze zag hulpverleners met een brancard door de mensenmassa rennen. Huiverend keek ze om zich heen, maar Wick zag ze nergens. Alles draaide, het leek wel of ze geen zuurstof meer kreeg, en ze klampte zich vast aan een stoel. Ze voelde haar hart onregelmatig kloppen, paniek greep haar bij de keel.

Plotseling zag ze het verschrikte gezicht van Wick in de menigte en hij leek haar naam te schreeuwen maar ze hoorde hem niet. Hij sprong over een paar stoelen naar haar toe en ze wilde hem vastgrijpen. Maar de ruimte tolde zo snel om haar heen dat ze zich voelde wegzakken op het moment dat Wick haar beetpakte. Eveline verloor haar evenwicht en haar bewustzijn.

Roos 15.

Rutger had zo ongeveer een Chinees nieuwjaar aan vuurwerk besteld om zijn buurman af te troeven. Hij liet speciaal twee man uit Engeland komen om het vuurwerk te installeren en af te steken. Af en toe werd ik kriegel van de overdreven competitie in dit dorp. Terwijl ik juist genoot van het adembenemende uitzicht, de mooie natuur en de stilte. Op de een of andere manier leken Eveline en Rutger daar volledig aan voorbij te gaan. Altijd maar die overtreffende trap, niets was goed genoeg terwijl het mooiste voor het oprapen lag.

Met dikke jassen aan stonden we op het balkon. Ook deze oudejaarsavond sneeuwde het dikke vlokken en van het dorpsplein kwam harde muziek. Elk jaar werd er in Verbier groots oud en nieuw gevierd, en het dorpsplein stroomde dan vol mensen uit alle windstreken. James Blunt zou optreden op het balkon van de Farinet. De Engelsen gingen verkleed, de Italianen wilden iedereen zoenen en de dj zweepte de massa zo op dat dronken mensen door de strenge politie uit lantaarnpalen en kerstbomen geplukt moesten worden. Het was een gekkenhuis en ik was blij dat we vanavond met de kinderen thuisbleven.

Eergisteren waren Wick en Eef tot diep in de nacht uit geweest en Eef was onwel geworden in de Coco Club. Ze was in Wicks armen gevallen en hij had haar met moeite bij kunnen brengen en naar huis kunnen slepen waar ze hevig had overgegeven. Volgens Wick had Eef als een bootwerker gezopen, en Rutger was laaiend op haar geweest. Eef lag al twee dagen kotsmisselijk op bed, haar versie van de gebeurtenissen was dat ze bedorven sushi had gegeten. Rutger zorgde voor de kinderen, hij hunkerde zichtbaar naar een beetje gezelligheid, maar dat was het enige wat Eveline hem niet kon bieden.

's Avonds speelden we een spelletje Risk of Monopoly en dan hadden we de grootste lol; iedereen, behalve de koningin. Ik schrok op toen ik een arm om me heen voelde.

'Waar denk je aan?' Wick. Ik keek naar de duizenden sterren aan de hemel en zuchtte.

'Dat het soms allemaal te mooi is om waar te kunnen zijn.' Ik zei het met een Rotterdams accent en hij gniffelde, kneep me haast fijn.

'Begin je daar nu weer over, tuttebel?'

Spijtig beet ik op mijn lip. '*If it's too good to be true, it ain't true.*'

Wick zuchtte. 'Je kijkt te veel CSI.'

'Soms is er een stemmetje in mijn hoofd dat zegt dat dit allemaal niet normaal is.'

Wick lachte. 'Dat is niet alleen een stemmetje, dat is ook zo!' Het was even stil. 'Kijk, lieverd, jij en ik komen uit een heel normaal milieu en af en toe moet ik ook in mijn arm knijpen. Maar ik weet wel dat deze luxe en rijkdom er niet toe doen.' Ik knikte, hij perste zijn lippen even samen en gaf me een klein duwtje met zijn schouder. 'Ik hoef jou toch niks te vertellen, Roos. Jij weet net als ik dat jij met Stephan even gelukkig bent in een hutje op de hei. Het gaat om de persoon en niet om al die luxe eromheen.' Ik nam een slok champagne. 'En dat kunnen niet veel mensen hier zeggen, schat.' Glimlachend keek ik hem aan. 'Want ondanks alle rijkdom zou Eef liever met een normale man in een twee-onder-een-kapwoning zitten dan hier met Rutger, met wie ze altijd frictie heeft.'

'Weet je het zeker?'

Wick knikte. 'Eveline en Rutger zijn gewoon een slechte match. Daar kun je lang of kort over lullen, het is gewoon zo. En dat wordt duidelijker naarmate ze langer bij elkaar zijn. Ik heb gisteren nog een heel gesprek met haar gehad over jou en Stephan. Dat ze jullie het geluk zo gunt, maar dat ze ook verdrietig is dat zij dat simpele geluk niet kent met Rutger.' Wick legde een plaid neer op een houten bankje op het balkon en we gingen dicht tegen elkaar aan zitten.

'Ik heb soms zelfs het idee dat ze stiekem jaloers op je is!' Ik schonk nog wat Veuve Clicquot bij. 'Maar dat heb je niet van mij, hè?'

'Nee, natuurlijk niet, maar dat gevoel heb ik ook sterk.'

Wick prikte in mijn jas. 'En je gevoel bedriegt je nooit, Roosje, dat moet je goed onthouden!'

Bij wijze van instemming toostten we met onze glazen. 'Wist je dat ze vroeger een verhouding met Stephan had?'

Wick nam een haal van zijn sigaret. 'Wie heeft je dat verteld? Eveline of Stephan?' Hij keek me doordringend aan.

'Eveline. De dag nadat Stephan me had gevraagd officieel met hem samen te gaan wonen, deelde Eveline me fijntjes mede dat Stephan haar eerste vriendje was. Dat was trouwens op de dag van dat skiongeval...' Harde muziek van de Toppers schalde uit de woonkamer.

'Je meent het, moest ze het zó nodig kwijt?'

Ik haalde mijn schouders op en pakte de sigaret van Wick over. 'Denk ik. De boodschap was vooral dat Stephan in relaties altijd hard van stapel liep, maar zich binnen een half jaar verveelde en verder ging kijken.' Ik nam een trekje en liet de rook mijn longen in stromen. 'Rutger en zij sloten zelfs weddenschappen...'

'Je meent het!'

Ik blies de sigarettenrook uit en keek hem zijdelings aan. 'Wist jij dat?'

Hij haalde zijn schouders op en wiebelde met zijn voet. 'Niet dat ze er weddenschappen op afsloot, nee. Maar wel dat ze ooit iets met Stephan heeft gehad. Ik denk dat daar ook haar jaloezie vandaan komt. Ze kan het diep in haar hart toch niet uitstaan...'

De balkondeur vloog open en Eveline kwam naar buiten gedanst, gevolgd door een slinger van kinderen. 'Komen jullie binnen? Het is bijna half twaalf, tijd voor een nieuwe champie!'

We glimlachten beleefd en Wick stak zijn sigaret omhoog.

'O, geef mij snel een haal, nu niemand het ziet...' Ze liet de rook haar longen vullen en heupwiegde de woonkamer weer in.

'We hebben het er nog wel over, Roos, maar heb je het aan Stephan verteld?'

Ik schudde mijn hoofd. 'Nee, stom hè? Het is zo laf van me, maar ik wil op de een of andere manier het sprookje niet verstoren.'

Wick nam een trekje van zijn sigaret en staarde in de verte. 'Snap ik, maar het zou wel eens goed zijn als jij Stephan vertelt waar die bitch allemaal mee bezig is. Ik bedoel: eens moet de waarheid boven tafel komen, toch?'

Ik haalde mijn schouders op. 'Aan de andere kant wil ik erboven staan. Het lijkt wel alsof ze er juist op aanstuurt dat wij ruzie krijgen, en dat gun ik haar niet.'

Wick stond op en gebaarde met zijn hoofd dat we naar binnen moesten. Hij gooide zijn peuk in de sneeuw. 'Als ik eerlijk ben, zijn er voor mij nog zo veel puzzelstukjes die niet passen. Maar je kent me; ik ben op mijn gemak alles aan het uitzoeken, snap je?' Hij ondersteunde me en samen liepen we naar de balkondeur.

Ik fluisterde: 'Wist je ook dat ze een lover had?'

Hij haalde nonchalant zijn schouders op. 'Wie nu weer?'

Ik gaf hem een por en leunde tegen hem aan. 'Een golf-pro, ze heeft het me een paar weken geleden zelf verteld...'

Wick staarde in het niets. 'Dan is ze weer bezig.'

'Waarmee?'

'Niets, ik leg het je nog wel eens goed uit.'

'Je moet het nog een plaatsje geven?'

Wick knipoogde. 'Laten we het daar maar op houden, schat.'

We hoorden de mannen beneden praten, ze waren bezig met het vuurwerk.

'En die louche zaakjes?'

Wick stak weer een sigaret op en inhaleerde diep. 'Jeetje Roos, je hebt wel tijd om na te denken met die verrekte poot! Weet je, ik voel me heel vereerd dat jij me inzet als Sherlock Holmes, maar verwacht geen wonderen. We weten allemaal dat het geen zuivere koffie is met die vastgoedjongens. Samen hebben ze heel veel pandjes en er wordt gefluisterd dat Stephan in het verleden wel eens via ingewikkelde constructies wat panden voor Rutger heeft overgenomen om geld wit te wassen.'

Een golf onrust vloog door me heen.

'Nu lijk je meteen weer een bange haas in het licht van de koplampen, Roos! Zo werkt die business nou eenmaal, en hard bewijs heb je nooit. Er wordt heel wat afgerommeld in die wereld.' Hij doofde zijn sigaret in de sneeuw. 'Maar daar hoef jij je mooie hoofdje niet over te breken. Geniet nou maar van je luxe positie, ik zoek het nog wel voor je uit, en als er echt iets crimineels aan de hand is, dan waarschuw ik je. Trouwens, je bent niet getrouwd!' Blanco staarde ik hem aan. Er schoot een vuurpijl de lucht in.

Luna kwam naar buiten met sterretjes en gilde: 'Mama, het aftellen gaat beginnen!'

Wick tilde haar op. Voor hij naar binnen ging, zei hij nog tegen mij: 'Zolang jij nergens je handtekening onder zet, kan niemand jou iets maken!'

Eveline 15.

'Weet je het zeker? Wil je het echt?' Eveline schudde haar zorgvuldig gekapte haren naar achter en zette haar muts op.

'Zeker weten, koude berglucht en een lange wandeling zijn de beste remedies tegen een kater.'

'Een kater? Schat, het ging om een overdosis! Britney Spears was er een beginneling bij!' Eveline forceerde een glimlach. 'God, Eef, je hebt mijn respect, wat kun jij feesten!' kirde Wick verder. 'Toegegeven, na dat akkefietje in de Coco Club was je even niet aanspreekbaar, maar met oud en nieuw stond je er weer! *Hip and happening!*' Hij gaf haar een knipoog.

'Heb je je handschoenen? Het is min twaalf graden, je vingers vriezen eraf,' zei Eveline droog.

'Niet alleen m'n vingers, schat. Hoe ver is het lopen naar die toko?' vroeg Wick terwijl hij zijn jas dicht ritste.

'Een goed half uur,' mompelde Eveline.

'Een uur dus.'

Ze lachte, hij kende haar ondertussen wel heel goed. 'Maar het is het waard, stadskindje van me, het is een prachtige wandeling met uitzicht op de Grand Combin van 4.318 meter hoog om precies te zijn. Adembenemend.'

Wick trok zijn veters vast. 'En van God en iedereen verlaten, zeker?' vroeg hij.

'Er is helemaal niemand, behalve een overheerlijke gay ober en wat verdwaalde skileraren met wat wacko's. Ik zeg het je: het is een geheimpje voor de incrowd.'

'In dat geval, schat, ploeter ik wel een uurtje door de sneeuw op tweeduizend meter hoogte.'

'Kom, we gaan.'

'Heb jij de sleutels?' vroeg Wick.

'Nee, Irina heeft huisarrest dus die bewaakt het fort.'

'Hoe dat zo?'

'Och, ik heb haar betrapt toen ze de heer des huizes oraal bevredigde in de sauna.'

Wick sloeg zijn gehandschoende hand voor zijn mond. Eveline knikte meewarig.

'Wanneer was dat?'

Ze zuchtte diep. 'Een paar dagen voor jij kwam. En dat vond ik nog niet het ergste! Ze had Suzy totaal onbewaakt voor de televisie gepleurd met een Wicky en een pak koekjes, en dat vind ik onverteerbaar. Maar ik heb niets gezegd, hoor, je kent me. Ik negeer Rutger systematisch en ik zorg ervoor dat Irina geen moment vrij meer heeft en alle rotklusjes moet doen. Mijn wraak is zoet.'

Wick hield de deur voor haar open. 'Vanaf het begin, schat.'

De wandeling naar restaurant Marlenaz was adembenemend, en als je spiritueel was ingesteld, kwam het bijna als healing over. Maar dat was aan Eveline niet besteed, ze had meer dan genoeg kopzorgen, die ze gelukkig met Wick kon delen. Terwijl ze door de sneeuw ploeterden, klaagde ze over Rutger, hoe onbehouwen en respectloos hij was. Hij zou nooit veranderen, zoals haar vader nooit was veranderd. Daar had ze op brute wijze een eind aan gemaakt, maar Rutger was een probleem dat ze niet zomaar kon uitroeien. Daar moest ze of mee leren leven, of ze moest voor een ander leven kiezen. Dat laatste vertikte ze gewoon, ze had er zo hard gevochten, zo onnoemlijk veel concessies gedaan dat ze het nu niet ging opgeven. Toch hunkerde ze naar liefde, ongecompliceerde liefde en gezelligheid zoals bij Stephan en Roos.

Wick luisterde geduldig, worstelend over het bergpad. 'Hoe ver is het nog?'

'We zijn er bijna.'

'Dat zei je een half uur geleden ook.'

Een parapentevlieger suisde over hen heen.

'Nee, echt, nog tien minuten.'

Zwijgzaam liepen ze voort, het tempo daalde steeds verder.

'Tja, Eefje, ik heb er ook niet zo gauw een antwoord op.'

Ze vormde met beide handen een sneeuwbal en zoog eraan. 'Weet je, vlak voor Roos in beeld kwam, waren Stephan en ik van plan er samen vandoor te gaan.'

Wick stopte abrupt. 'Dat meen je niet!'

'Toch wel. We wilden nog een jaartje wachten tot hij zijn business had losgekoppeld van Rutger, en dan zou ik de scheiding aanvragen, zeker vijftig miljoen innen en met Stephan doorgaan. Als dekmantel en om de zaken in goede orde te laten verlopen, heb ik hem toen aangeraden een vriendinnetje te nemen.'

'Roos.'

'Inderdaad. En daar werd Stephan achterlijk gek op.'

Ze snikte. 'Dus mijn plan viel in duigen en nu zit ik met dat vette zwijn opgescheept.' Eindelijk zagen ze restaurant Marlenaz opdoemen.

'Als je het maar niet in je botte hoofd haalt om tussen hen te gaan stoken.'

Eveline gooide de sneeuwbal weg. 'Waarom niet?'

'Omdat we het wel over het geluk van Roos hebben!'

'En mijn geluk dan?'

Wick stond stil. 'Laten we even recapituleren, Eef. Was dat vriendinnetje jouw idee of een idee van jullie samen?'

Eveline zweeg. Ze dacht aan zichzelf en Stephan: samen lachen, samen praten, samen vrijen, samen eten, gestolen momentjes waar ze allebei van genoten. Eveline herinnerde hem af en toe aan hun afspraak, maar Stephan wist altijd handig het onderwerp te omzeilen. Eerlijk gezegd was dat vriendinnetje vooral haar idee geweest, maar dat zei ze niet. Ze ploeterden voort en Wick raakte even haar arm aan.

'Jij komt er wel overheen, Eveline, jij vindt wel een nieuwe prooi.'

Eveline greep hem nijdig bij zijn arm en dwong hem haar aan te kijken. 'Ik wens niet dat je zo tegen mij praat, Wick. Stephan is niet zomaar een prooi, hij is de liefde van mijn leven!'

Buiten adem stonden ze tegenover elkaar.

'Bullshit! Stephan is vooral interessant omdat je hem niet kunt krijgen.'

'O nee? Dacht je dat? Dan heb ik nieuws voor je, Wick: Stephan was mijn eerste grote liefde en ik hou al vijftien jaar van hem. Niemand kan aan hem tippen.' Haar schrille stem echode door de stilte. 'Niemand! Heb je wel eens goed naar Florine gekeken?' Wick reageerde verbijsterd. 'Nou dan, ik bedoel maar,' besloot ze zonder zijn antwoord af te wachten. 'En kleine Roosje vindt wel een nieuwe prooi, zoals je dat zo mooi uitdrukt, en zorg jij er maar voor dat ze eroverheen komt, als *best friend*.' Eveline kon een spottende toon niet onderdrukken. 'Bovendien weet jij ook wel dat Stephan vroeg of laat haar hart gaat breken. Dan kan het maar beter snel zijn, voor ze zich te veel aan hem gaat hechten. Stephan is een jager, en jouw Roosje houdt het voor hem niet lang spannend genoeg.'

Nog een paar honderd meter, en ze waren er. Eveline werd ongeduldig omdat ze er zo veel woorden aan vuil moest maken, het was toch duidelijk? Zij zou haar zin krijgen zoals ze uiteindelijk altijd haar zin kreeg. 'Sterker nog: Stephan wordt het al een beetje zat...' zei ze triomfantelijk.

Wick bleef staan en legde zijn hand op haar arm. 'Wát bedoel je precies?!'

Eveline giechelde. 'Precies zoals ik het zeg. Een paar dagen geleden sméékte hij me werkelijk om een goede beurt in de sauna.' Ze haalde achteloos haar schouders op. 'En wie ben ik dan om de goedheilig man te weigeren?' Ze lachte om haar eigen grap. 'Dus ja, lieve Wick, sorry dat ik je tere hartje moet breken, maar Stephan en ik hebben nu nog steeds regelmatig seks. Werkelijk gekmakende seks. En zo zal het blijven: we kunnen niet zonder elkaar. Dus bereid je lieve burgertuttige vriendinnetje er maar op voor dat ze komende zomer weer gewoon op de camping zit. Kun je haar een beetje opvangen met sushi en chardonnay...'

Wick liep langzaam door en aan zijn hangende mondhoeken zag ze dat hij vanbinnen kookte. 'Als jij dat op je geweten wilt hebben, ga je goddelijke gang. Ik zou bijna denken dat ook dat skiongeluk opzet is geweest.'

Eveline keek hem misprijzend aan. 'Kom op, Wick, zo dom ben ik nu ook weer niet. Ik heb wel honderd keer mijn excuus aangeboden en haar verteld dat het me speet. Ik heb haar zelfs mijn plaats in de privéjet aangeboden...'

Wick liep voor haar uit alsof hij niets met haar te maken wilde hebben. Haastig haalde Eveline hem in en pakte zijn arm. Met een wild gebaar wrikte hij zich los. Ze zag de woede in zijn ogen en voelde zich even benauwd worden.

'Hoe meer ik erover nadenk, hoe gekker het wordt, Eveline. Je hebt hulp nodig.' De woorden bleven even hangen.

Ze schudde snel haar hoofd. 'Nee, nee,' antwoordde ze, 'het gaat goed met me maar...'

Ziedend onderbrak hij haar. 'Je hebt een gaatje in je hoofd gesnoven, Eef, je ziet het niet realistisch meer. Je bent langzaam gek aan het worden, door het levensgrote geheim dat je met je meedraagt, door het wanstaltige leven dat je leidt, doordat je verlangt naar iets wat er niet is en door die eeuwige achterlijke schijn die je probeert op te houden!' Hij hapte naar adem, speeksel vloog van zijn lippen, zijn ogen schoten heen en weer. 'Je bent ziek in je hoofd, je gaat net zolang door tot je je zin krijgt en je deinst er niet voor terug om mensen te manipuleren, of om vrienden te kopen, zoals je met mij hebt gedaan!'

Eveline voelde dat ze duizelig werd en piepte: 'Daar was je zelf bij, Wick, je wilde zelf dolgraag mee naar Parijs en daar ontstond het idee om mijn geld in jouw zaak te pompen en een filiaal in Antwerpen te openen! Samen, helemaal gezellie!'

Wick sloot zijn ogen en stak zijn hand op. 'Hou alsjeblieft je domme kop,' zei hij monotoon. 'Opeens worden me een heleboel dingen duidelijk. Je hebt me er gewoon ingeluisd.' Rillend stond hij vlak voor haar, Eveline kon de ader op zijn slaap zien zwellen. Ongecontroleerd hapte ze naar zuurstof, stapte naar achteren en viel op haar knieën.

Wick boog zich over haar heen, snuivend van woede. 'Het lukt je niet meer, Eveline. Je gelooft je eigen leugens en je bent een gevaar voor de mensheid. Nee, sterker nog: je bent een pathologische leugenaar! Als ik jou bekijk en je drugsgebruik daarbij optel, kan ik nog maar één conclusie trekken!'

Vertwijfeld keek Eveline hem aan, de druk op haar borstkas was zo zwaar dat ze bijna stikte.

'Borderline!' Hij spuwde het woord uit, en het galmde tussen de rotsen. Eveline kroop op handen en voeten door de sneeuw, happend naar adem. Natuurlijk wist ze dat ze nu rustig moest blijven, maar de radeloosheid en de angst om langzaam te sterven grepen haar bij de keel. Ze was bang dat Wick haar zo'n rotschop zou geven dat ze het ravijn in vloog. Eveline begon te huilen en te snikken, oncontroleerbaar en met lange uithalen.

Wick keek minzaam toe. 'Misschien is dat wel de oplossing, Eef, dat jij crepeert in plaats van een ander, misschien keren je emoties dan terug.'

Tranen stroomden over haar wangen, ze wilde wel praten maar haar keel werd dichtgedrukt. Met haar laatste krachten stootte ze kleine woordjes uit. 'Help... me... dan.' Smekend keek ze Wick aan en na een moment van aarzeling reikte hij haar de hand. Moeizaam stond ze op, haar hart klopte in haar keel. Wicks priemende blauwe ogen leken bij haar naar binnen te kijken, zoekend naar haar ware gezicht. Zijn mond ging een paar keer open en dicht. Eveline haalde haar schouders op, haar hartslag werd tenminste rustiger.

'Ik zal je helpen, Eveline, voor je kinderen en voor Roos. Zodat je niet compleet doordraait en er een nog grotere puinhoop van maakt. Maar vriendschap... daar moet je niet langer op rekenen.'

Er verscheen een flauw glimlachje om haar lippen, ze voelde zich weer aan de winnende hand. Ze kon weer normaal ademhalen en ze klopte de sneeuw van haar skibroek. Wick wílde haar niet helpen, hij móést haar helpen, voor zijn vriendin Roos en de hele goegemeente. Ze zette de Siberische bontmuts recht op haar hoofd en keek hem in de ogen.

'Wat is vriendschap, Wick? Vriendschap komt en gaat, en je gebruikt elkaar op het moment dat je elkaar nodig hebt.'

Ze liep de laatste honderd meter naar het restaurant en pakte de deurklink.

'Jouw cynische kijk op vriendschap is opnieuw een bevestiging van wat ik al weet. Helaas. Ik hou je in de gaten, Eveline, en ik zal alleen datgene doen wat nodig is. Maar reken nooit meer op mijn vriendschap.'

'Dan moeten we in Nederland maar onze zaakjes regelen. Het lijkt me duidelijk dat je filiaal in Antwerpen dan niet kan doorgaan.'

Hij knikte. 'Absoluut, ja, maakt me geen moer uit. Ik red me wel.'

'Misschien is het beter zo. Kan ik me weer richten op mijn gezin en mijn man.'

Wick blies in zijn handen. 'Dat lijkt me het beste plan van dit nieuwe jaar.' Hij sloeg de sneeuw van zijn broek af en Eveline opende de deur. 'Ik hoef niet meer te eten.'

Verbaasd draaide Eveline zich om. 'Dus je loopt kilometers door de sneeuw om meteen weer terug te gaan? Wick, doe normaal. We hebben het nu toch uitgesproken? Kom lekker binnen en we bestellen een flesje wit en een lekkere *crôute fromage*. Ik zou nu maar een beetje genieten, het kan zomaar de laatste keer zijn dat je op wintersport bent.'

Wick schudde zijn hoofd. 'Ik vreet liever stront dan dat ik nog met jou aan een tafeltje ga zitten. Ik wens je bon appétit en ik hoop dat je stikt in je *crôute fromage*. Voor de lieve vrede zal ik de rest van deze vakantie normaal doen tegen iedereen, zodat niemand iets merkt. Maar mijn vriendschap met jou eindigt hier. De groeten.'

Roos 16.

Wat kan een mens blij zijn om weer thuis te zijn. In Stephans huis welteverstaan, het nieuwe jaar begon ik samenwonend met Stephan. Mijn huis had ik in de verhuur gegooid en een gescheiden vrouw met twee puberende kinderen wilde er wel een jaar in. Perfect, van de opbrengst kon ik een spaarpotje maken. Luna vond het heerlijk om in het grote huis van Stephan te wonen. Ze mocht op de school van Tim instromen, het was een groot avontuur. Ik merkte dat Tim het ook gezellig vond dat we bij hem kwamen wonen, het ventje werd steeds spraakzamer. Mijn ouders hadden ook positief gereageerd, hoewel ze ook vonden dat we hard van stapel liepen. Stephans moeder zei heel lief dat we een mooi stel waren. Ik bleef twee dagen voor hem werken vanuit huis, en ondertussen startte mijn opleiding als binnenhuisarchitect in Driebergen.

Het ging niet goed met de zaak en vanwege de kredietcrisis had Stephan al twee mensen moeten ontslaan. Daarbij was de belasting een onderzoek gestart naar de boekjaren 2002 tot en met 2007, de jaren waarin Rutger flink in de zaak had geïnvesteerd; kennelijk waren ze in die periode heel creatief met de boekhouding omgesprongen. Dat wist ik al via Wick, maar nu de belastingdienst met twee man op de afdeling alles zat te controleren, was Stephan merkbaar nerveus. Elke avond dook hij in de paparassen, en hij vroeg me hem te helpen. Soms zei ik gekscherend dat hij zijn boot en auto's maar moest verkopen en dat we dan helemaal opnieuw konden beginnen, met Tim en Luna in mijn kleine huisje. Hij drukte dan liefdevol een kus op mijn haar en zei dat ik een vrouw uit duizenden was.

Over de vakantie spraken we niet veel meer, behalve een keer bij mijn ouders. Mijn moeder was dol op Stephan en ik zag haar altijd kokette stapjes maken als Stephan er was. Mijn vader vond het wel best, hij was een man van weinig woorden. Vertrouwen moest je bij hem winnen, en het zou nog wel een tijdje duren. Maar het was iedere keer weer heerlijk om bij mijn ouders te zijn, een veilige haven waar ik altijd terug kon komen.

Met Wick had ik na oud en nieuw niet veel meer gesproken; ik was druk geweest met de verhuizing en de verhuur van mijn huis, maar hield hem op de hoogte per sms. Hij had het blijkbaar helemaal gehad met Eveline en had zich weer op zijn salon gestort. Hij sms'te me bijvoorbeeld dat hij een paar leuke kapperstrainingen in Amsterdam had gegeven en dat hij misschien door SBS6 voor een tv-programma werd gevraagd. En dat ik moest leren twitteren, want Hyves was zo passé, net als Facebook. Zo ging dat bij Wick: zijn leven rolde altijd voor hem uit, en ik was blij voor hem.

Het was druk in de stad, het werd al donker en op de radio hoorde ik dat er vijfentachtig kilometer file stond. Ik zuchtte. Eind januari, koud en guur: Holland op zijn best. Ik had Stephan net naar het vliegveld gebracht, hij moest naar Warschau om de bouw van een hotel af te ronden. Gelukkig had hij zijn vliegtuig gehaald, hij had behoorlijk in de rats gezeten. Bij het uitstappen had hij me een vluchtige kus gegeven. Voor hij het portier dichtgooide, had hij met waterig ogen gezegd: 'Zorg goed voor jezelf.' Hij aarzelde nog even en voegde er terloops aan toe: 'Voor ik het vergeet te zeggen: ga maar een poosje niet naar Wick.'

'Waarom niet?' had ik verbaasd gevraagd.

Stephan zocht naar woorden, de regen kletterde tegen zijn lange regenjas. 'Eh, nou gewoon, Wick is momenteel met een beetje rare dingen bezig.' Hij keek me even aan. 'Geloof me nou maar, Roos, het is beter van niet.' Geïrriteerd had hij zijn tas gepakt, ik zag dat hij ervan baalde dat hij dit moest zeggen. Ik wilde iets zeggen maar hij drukte een kus op mijn lippen en keek me seconden langer aan dan normaal. 'Roosje, ik hou van je. Tot over vier dagen.'

Voor ik kon antwoorden, had hij de deur dichtgegooid en zag ik hem naar de overkant van de straat rennen. Draaideur door, weg was hij. Langzaam trok de trage Range Rover op, ik sloot aan in de file.

Ik keek in het spiegeltje, keurde mijn gezicht. Ik zag er goed uit, zat goed in mijn vel; totaal anders dan een jaar geleden. Hoe snel kon je leven veranderen? Stephan en ik waren de laatste maanden naar elkaar toe gegroeid en het huiselijke leven vond ik heerlijk. *If it's too good to be true, it ain't true,* spookte een klagerig stemmetje door mijn hoofd. Een piep uit mijn telefoon verstoorde mijn gedachten. Ik keek, maar ik wist al wie het was.

SMS Wick: Lieverd, bel me alsjeblieft! Ik moet met je praten, ik zit een paar dagen in de caravan. Love u W. Plotseling prikten de tranen in mijn ogen, ik had een voorgevoel dat er iets aan de hand was, en daar baalde ik van. De raadselachtige woorden van Stephan spookten door mijn hoofd. Ik bekeek de sms nog eens. Wick ging altijd naar de caravan als hij een paar dagen moest bijkomen of dingen in zijn hoofd op orde moest krijgen. Ik bel morgen wel, dacht ik. Ineens had ik een verschrikkelijke behoefte aan een sigaret.

Eveline 16.

'Dan stuur ik je die documenten wel per mail!' zei Lisa Marie.

Eveline checkte haar iPhone, geen berichten. De eerste dagen thuis waren opvallend rustig verlopen, Wick had niets meer van zich laten horen.

'Is goed, Lisa Marie, ik ben blij dat je je er zo in hebt verdiept.' Haar zus glimlachte en stond op. Evelines ogen gleden langs haar lichaam. 'Ben je afgevallen?'

Met ingehouden trots keek Lisa Marie haar aan. 'Vijf kilo.'

'Staat je goed. Knap ook, om tijdens de kerstvakantie af te vallen...'

Met een ruk keek ze omhoog naar haar ogen. 'Mijn god, Lisa, je bent toch niet verliefd?!'

Haar zus giechelde als een klein schoolmeisje. Haar mond bleef openstaan.

'Nee, hoor. Nou, een beetje dan...' Ze hield haar telefoon voor haar neus en Eveline tuurde naar de foto op het schermpje.

'Wat is dat?'

'Dat is Gipsy, mijn nieuwe liefde... ik rijd sinds november weer paard en ik ben he-le-maal verslaafd!' Ze sloeg een arm om Eveline heen. 'En nu dacht ik, als jij ervoor openstaat tenminste, dat het voor de kindertjes leuk zou zijn om wat shetlanders hier in het weiland te zetten, dat is goed voor ze.'

'En dan kan Gipsy erbij, zeker?'

Lisa Marie knikte enthousiast. 'Ja, en Ted kan een schuurtje timmeren...'

Eveline zuchtte diep. 'Welja, waarom maken we er geen *fucking* manege van... Hoeveel kost die knol?'

Lisa Marie kneep haar bijna fijn. 'Dus je doet het?! O zussie, ik ben je eeuwig dankbaar!'

Eveline probeerde er een glimlach uit te persen. 'Maar dan moet jij beloven dat je altijd en eeuwig achter me zult staan.'

'Natuurlijk, daar zijn we toch familie voor? Bloed is tenslotte dikker dan water. En bloed kruipt waar het niet gaan kan.' Ze knikten tegelijk.

'Door dik en dun.'

'Slecht geweten, Eef?' Een dikke envelop belandde op de vloer en Eveline was bijna een halve meter de lucht in geschoten. Haar hart bonkte in haar keel, ze had Rutger niet horen komen. De bibliotheek was haar heiligdom.

Hij torende boven haar uit.

'Wat doe jij hier?' stamelde ze. Met één bil ging hij op de leuning van haar stoel zitten, hij keek naar zijn nagels.

'Scheiden,' zei hij laconiek.

Evelines hart bevroor. Dit was bittere ernst, ze merkte het aan haar lichamelijke reactie. Haar mond werd droog en ze begon te transpireren.

'Open de envelop maar.' Moeizaam bukte Eveline voorover en raapte de zware envelop van de houten vloer. 'Ik wilde het je in ieder geval zelf vertellen. Dat vond ik nog wel zo fatsoenlijk na bijna vijftien jaar schijnhuwelijk.'

Het bloed suisde in haar oren en benauwd scheurde Eveline de envelop open. Ze haalde er een zware stapel papieren uit en haar ogen vlogen over de regels. Echtscheiding – onverzoenbare toekomstvisies – liefdeloos huwelijk – ontrouw – psychologische stoornis – niet langer in staat om voor de kinderen te zorgen – pathologische leugenaar – manisch-depressief – verslaafd aan Temazepam, Sarotex en een langdurig gebruik van pijnstillers vanwege spanningshoofdpijnen – recreatief drugsgebruik – buitensporig alcoholgebruik...

Woest smeet Eveline het dossier weg en de papieren verspreidden zich over de vloer. 'Hoe durf je!' schreeuwde ze, en ze vloog hem met al haar woede aan. 'Hoe lang ben je hier al mee bezig?'

Rutger wierp haar met gemak terug in de stoel. 'Al jaren, Eef, al sinds het eerste steekje dat jij liet vallen. Je moet per slot van rekening bewijzen hebben tegenwoordig, en ik ben mens genoeg om niet bij de eerste de beste tegenslag de handdoek in de ring te gooien. Maar jij – jij bent als een olifant in een porseleinkast tekeergegaan. En het mooie was dat je dacht dat ik niets in de gaten had, dat je dacht dat ik achterlijk was. Vond ik altijd wel aandoenlijk van een gymnasiumscholiere die meende dat ze slim was. Nou, Eef, het was niet makkelijk om jarenlang samen te leven met een pathologische leugenaar die ook nog aan de pillen en de coke verslaafd was. Misschien is dat de reden dat mijn zaak zo succesvol is: ik was zo vaak mogelijk weg en stortte me met ziel en zaligheid op mijn werk,' beet hij haar toe.

De woorden kerfden zich in Evelines ziel. Woest draaide ze zich om en uit onmacht schopte ze Rutger hard tegen zijn scheenbeen. Hij lachte.

'Jij vies, vuil varken! Jij durft mij te betichten van leugens? Terwijl jij jezelf liet bedienen in hoerenkasten? Met sm-meesteressen? Spelletjes speelde met jonge hoertjes? En je in mijn huis liet pijpen door de nanny?! Ik walg van je!'

Rutger haalde laconiek zijn schouders op. 'Daar zijn hoeren voor, schat.'

Ze sloeg hem met vlakke hand in zijn gezicht. 'En dat je op hoge hakken rond paradeerde en je in vrouwenkleding liep op je eigen feestje? Op mijn hakken? Schaamteloos was het, schaamteloos! Door jouw gedrag behandelde iedereen in Brasschaat me als een paria!'

Hij bulderde van het lachen. 'Hou toch op, Eef, heb je het daar vijf jaar na dato nog over? Ik vond het een goede grap om een beetje stennis te schoppen bij die opgedirkte lui. Kijken hoe je zou reageren. Want jij schaamde je, als het zogenaamde perfecte plaatje niet klopte. Verder interesseert het je allemaal werkelijk niets. Ik heb alles, maar dan ook alles gedaan om aan jou een reactie te ontlokken, maar jij vond het allemaal wel prima zo lang jij er maar geen last van had. Je sliep in de logeerkamer of je kroop bij Benjamin in bed, je vloog met wapperende haren door het leven van pedicure naar kapper naar modeshow naar je zogenaamde interessante stichting, en je liet mij maar gaan. Dat, de liefdeloosheid en nog veel meer, is pijnlijker dan een keertje de draak te steken in vrouwenkleding of me door een hoer laten bevredigen!' Zijn woorden galmden door de bibliotheek en Eveline zocht naar iets zwaars. Rutger stond op. 'Jarenlang heb ik gehunkerd naar je liefde, een aai over mijn bol, een kus, een arm om me heen, een liefdevolle blik.' Hij schudde zijn hoofd. 'Je hebt ruimschoots bewezen dat je geen liefde in je hebt voor mij, je hebt me systematisch emotioneel verwaarloosd. Het ontbreekt je aan empathische vermogens, Eveline; zowel voor mij als voor je kinderen. Het spel is over. Er is geen weg meer terug. Je krijgt dit huis, je mag ons vakantiehuis in Saint-Tropez ook hebben, de stichting voortzetten en ik geef je twintig miljoen euro mee. Maar ik vraag de volledige voogdij over de kinderen aan, want jij bent in deze psychische toestand niet in staat om voor hen te zorgen. Zeker niet gezien je drugsgebruik.'

'Dat, dat meen je niet!' schreeuwde ze wanhopig. Alles draaide om haar heen en Rutger knikte kort naar de papieren op de grond.

'Dat meen ik wel. Ik heb jarenlang alles bijgehouden en opgeschreven. Plichtmatig zorg je voor je kinderen, maar je bent er nooit als er een pleister op hun knie moet worden geplakt of als ze jouw liefde nodig hebben. Jij geeft liever je aandacht en energie aan die kutstichting van je dan dat je naar je eigen jong omkijkt. Je ziet liever die randgevallen die mishandeld zijn, dan dat je zelf eens een verhaaltje voorleest of een normale maaltijd voor je eigen kroost kookt. Je regelt liever drie au pairs dan dat je zelf eens een middag thuis bent. Hockey, zwemles, pianoles, turnen, paardrijden, bijles, knutselclub: alles organiseer je om maar niets zelf te hoeven doen. Voeding, kleding en opvoeding klopt allemaal, hoor, voor de buitenwereld, maar liefde – die is niet te koop.' Rutger kwam vervaarlijk dichtbij staan en siste: 'Jij weet helemaal niet wat liefde is.' Het was muisstil. 'Met dit dossier heb ik zelfs geen advocaat nodig.'

Eveline krijste, ze viel op haar knieën en ging als een bezetene door de paparassen. Ze zag foto's van haarzelf, uitgeprinte sms'jes en flarden van telefoongesprekken op papier staan, getuigschriften van nanny's, telefoonnummers van mensen die Rutger onmogelijk kon weten.

'Dit meen je niet, dit meen je niet,' hoorde ze zichzelf jammeren. Rutger wipte van zijn hakken naar zijn tenen.

'Jawel, schat, dit meen ik wel.' Minzaam keek hij haar aan. 'De waarheid is hard, hè? Dit is de welbekende spiegel. En die is niet van rookglas.' Hij lachte.

Eveline veegde ruw wat snot weg en keek hem aan. 'Je hebt me gestalkt, Rutger, je hebt me gewoon gestalkt! Dat is strafbaar!' Haar keel voelde rauw aan.

Hij schudde zijn hoofd. 'Ik heb bewijzen verzameld, liefste. Probeer je eens voor te stellen hoe pijnlijk het was om telkens weer te ontdekken dat mijn prinses die ik op een voetstuk had gezet, het keer op keer deed met mijn beste vriend? Mijn zakenpartner? Of met de golf-pro? Of met de yogainstructeur? De masseur? Of een loser uit Parijs? Coke snoof met een Italiaan in Verbier? Dat doet pijn, Eef, zelfs voor een hoerenloper als ik.' Zijn gezicht was nu weer dicht bij het hare, ze rook zijn zure adem.

'Wat wil je van me?' siste ze.

Rutger haalde zijn schouders op. 'Niets, Eef, helemaal niets. Alleen dat je uit mijn leven verdwijnt. Ik ga nu, ik heb een appartement in Rotterdam waar ik voorlopig woon. Jij blijft hier, de echtscheidingspapieren worden klaargemaakt en als je het slim speelt, accepteer je mijn aanbod. Geen haan die er dan naar kraait; we handelen het snel af, zonder pers. Mensen gaan tegenwoordig wel vaker uit elkaar. We treffen een goede regeling voor de kinderen maar ze komen onder mijn voogdij. Ik beslis voortaan. Als het om geld gaat wil ik nog best wat water bij de wijn doen, maar van de kinderen blijf je af, ik wil ze niet blootstellen aan een psychisch gestoorde moeder. Ik wens je een fijn leven toe.' Hij stapte over de paparassen heen en sloeg de deur hard dicht.

Eveline zakte in de stoel. Als in trance pakte ze haar mobiel en toetste een sms aan Wick in: Help me – NU.

Trillend zocht ze naar haar sigaretten en stak er een op. Dit was haar grootste nachtmerrie, dit had ze niet aan zien komen; nooit zou hij haar kinderen kunnen afpakken. Ze stuurde nog een sms, naar haar huisdealer Tygo: ze moest helder in haar hoofd blijven en kon wel wat gebruiken.

Roos 17.

Midden in de nacht werd ik plotseling wakker. Ik voelde naast me, maar het grote bed was leeg. Ik spitste mijn oren; het leek wel of ik iemand had horen roepen. Met een onbestemd gevoel stapte ik het bed uit en trok een joggingpak aan. Daar was het weer, nu hoorde ik het duidelijk: 'Rooos!'

Het was Wick, ik wist het zeker. Zonder na te denken rende ik de trap af, aarzelde even, belde zijn nummer maar kreeg de voicemail. Onrustig vroeg ik me af wat ik moest doen. Ik moest Wick spreken, er klopte iets niet. Dat sms'je, die onrust in mijn hoofd, ik kon er niet langer van slapen. De kinderen, schoot het door mijn hoofd. Maar ze sliepen toch, ik kon vast wel een uurtje weg. Deze droom was niet zomaar iets, hij had me gewekt en ik was klaarwakker.

Ik pakte stilletjes mijn sleutelbos, sloop naar buiten en stapte in mijn auto. Ik reed direct naar het Kruininger Gors. Mijn voorgevoel had me nooit bedrogen. Wick wilde gisteravond al met me praten, maar ik had me er met een flauwe smoes van afgemaakt. Ik hoopte dat het niet te laat was.

Het was na middernacht en ik stond voor het verkeerslicht te wachten. De natgeregende straten waren verlaten. Opeens hoorde ik weer een mannenstem in mijn hoofd roepen. 'Roos!' schreeuwde hij; het was een langgerekte kreet, alsof iemand van grote hoogte naar beneden viel. Ik hoorde de wanhoop in de stem en vreesde het ergste. Met hoge snelheid joeg ik mijn auto de ringweg van Rotterdam op, langs de raffinaderijen van de Europoort. Het asfalt strekte zich als een racebaan voor me uit en de teller wees 160 kilometer per uur aan. Ik voelde dat elke seconde cruciaal was, behalve het onbestemde voorgevoel dat me opjoeg zinde ook Stephans waarschuwing me niet. Er was iets heel erg mis.

Binnen twintig minuten bereikte ik het recreatiepark en geconcentreerd stuurde ik mijn auto in de richting van Wicks stacaravan aan het water. Ik parkeerde de auto, opende het portier en voelde een intense warmte langs mijn benen trekken. Toen ik naar de stacaravan rende, zag ik dat die omgeven was door een hevig rokende vlammenzee. Ik stormde het trapje op en rukte met één hand voor mijn neus en mond aan de deurklink. De deur zat op slot. Door de rookwolken heen zag ik een schim achter het raampje van de caravan. Nu hoorde ik ook duidelijk gebons en geschreeuw, waarin doodsangst doorklonk. Er was geen tijd te verliezen. Ik trapte uit alle macht tegen de deur; ik moest Wick redden, mijn allerbeste vriend, mijn surrogaatbroer!

Wick! probeerde ik te gillen, maar de rook verschroeide mijn keel. De onmacht overmeesterde me en ik raakte in paniek. Ik voelde de vermoeidheid in mijn benen en het bloed dat door mijn hoofd raasde. Net op het moment dat ik overwoog een raam in te slaan, werd ik achteruit geblazen door een enorme explosie. Daarna volledige geluidloosheid. Ik lag doodstil op mijn rug in het natte gras. Duizenden sterren fonkelden aan de hemel en de maan scheen door een wirwar van takken. Ik tilde moeizaam mijn hoofd op en wachtte, maar Wicks stem kwam niet terug. Zou ook nooit meer terugkomen.

Het blauwe schijnsel van de zwaailichten cirkelde om mijn hoofd. Ik wilde me oprichten, maar ik werd vastgeklemd door een deken en strakke banden om mijn lichaam.

'Ze is bij,' hoorde ik iemand schreeuwen en ik zag het gezicht van een vrouw boven me.

'Wat is er gebeurd?' prevelde ik en ik zag het gezicht vertrekken.

'Een explosie, een grote brand,' mompelde de vrouw. 'Wat deed u hier op dit tijdstip?' Mijn gedachten waren even blanco, maar toen herinnerde ik me flarden van de gebeurtenis bij de caravan.

'Wick, W-w-wick,' stotterde ik.

Ze knikte kort. 'Is hij familie van u?'

Ik schudde langzaam mijn hoofd, het kostte me heel veel moeite. 'Wick is mijn beste vriend, hij is als een broer voor me...' snikte ik. Ik durfde niet te vragen wat er was gebeurd.

'En die andere?' vroeg ze formeel, maar ik begreep niet wat ze bedoelde. 'Ik zie u in het ziekenhuis,' zei ze koel, en de brancard kwam in beweging. Een broeder en een verpleegster kwamen bij me in de ambulance zitten.

'Hebt u pijn?' vroeg de jongste vriendelijk. Ik sloot mijn ogen. Ze had geen idee.

Ik werd twee dagen ter observatie gehouden, maar meer dan een lichte hersenschudding en wat eerstegraads brandwonden had ik niet.

Stephan zocht me op in het Zuiderziekenhuis in Rotterdam, en ik zag aan hem dat er iets mis was. Ongemakkelijk ging hij naast me zitten en keek meteen op zijn horloge. De stilte tikte weg. Ik probeerde hem aan te kijken maar hij ontweek mijn blik. De verpleegster vertrok na wat formaliteiten te hebben meegedeeld. Pas na enkele ongemakkelijke minuten sprak Stephan.

'Hoe... hoe heb je de kinderen 's nachts alleen kunnen laten?' Het kwam er woedend uit. Ik dacht na, het leek nu niet belangrijk. Stephan zat voorovergebogen met zijn handen in zijn haar. Toen keek hij fel op. 'Wat deed je daar in godsnaam?'

Ik haalde mijn schouders op. 'Ik... ik weet het niet, Stephan... ik had zo naar gedroomd en ik had een voorgevoel dat er iets mis was...'

Hij keek me kil aan. 'Ik zei nog zo dat je geen contact moest zoeken – voor je eigen bestwil, begrijp je dat dan niet?' Ik knikte beduusd. 'Je was er bijna niet meer geweest, Roos, bijna.' Hij hield zijn wijsvinger twee millimeter van zijn duim af en schoof naar achteren.

'Er zijn zaken waar jij je gewoon niet mee dient te bemoeien omdat ze ver boven je verstand gaan, boven jouw beschermde wereldje. Wat weet jij in godsnaam nou van het leven? Of van Wicks leven? Waar hij allemaal mee bezig was en met wat voor duistere figuren hij contacten onderhield?' Zijn gezicht was vervaarlijk dicht bij me en zijn ogen schoten vuur. 'Ik begrijp godverdomme niet hoe je zo dom kunt zijn om halsoverkop midden in de nacht naar je homovriend te rijden en je kinderen alleen in een huis achter laat, Roos, ik vind het onbegrijpelijk.' Stil keek ik naar hem, mijn keel zat dicht. 'Onvergeeflijk ook. Ik dacht verdomme dat ik je kon vertrouwen.' Hij schudde zijn hoofd en ik zag de woede in zijn ogen. 'Ik zal het je nooit vergeven, Roos, dat jij vanwege een achterlijk voorgevoel mijn zoon en je bloedeigen dochter moederziel alleen achterlaat, terwijl ik je heb gewaarschuwd.' Hij sloeg hard op de stalen buis rond het ziekenhuisbed. 'Verdomme, Roos! Ik dacht dat ik wel iets aan je kon overlaten! Maar nee, mevrouw moet op eigen gelegenheid en midden in de nacht *CSI* gaan spelen! Stond je er dan echt niet bij stil dat je je dood had kunnen rijden of dat je net zo goed bij die explosie om had kunnen komen? Dat er iets met de kinderen had kunnen gebeuren? Hoe ze in paniek waren toen je er niet was?'

Voor het eerst zag ik groeven in zijn gezicht. Ik voelde me zo stom en keek naar mijn geschaafde vingers.

Stephan zuchtte diep, zoekend naar woorden. 'Ik vind het moeilijk om te zeggen, Roos, maar Wick is omgekomen bij de explosie.' Mijn hart bonsde in mijn borstkas, ik werd ineens overspoeld door een immens verdriet. Stephan maakte een gebaar met zijn hand en ik zag tranen in zijn ogen. 'En Rutger ligt met zware brandwonden in het ziekenhuis.' Zijn stem schokte en ineens brak hij. Snikkend viel hij in mijn armen.

'Rutger?' fluisterde ik. 'Rútger?!'

'Hij leeft nog, maar ik weet niet of hij het haalt... Hij is er verschrikkelijk aan toe.' Stephan leunde zwaar op me.

'Waarschuwde je me daarvoor? Wist je ervan?' Ik probeerde Stephan aan te kijken, maar zijn schouders schokten.

'Ik was gewoon bang je kwijt te raken, Roos, en dan gebeurt dit... Ik begrijp het ook allemaal niet meer, ik begrijp het ook allemaal niet meer...' Ik probeerde hem te troosten en vond het verschrikkelijk om te zien dat de man van wie ik zo veel hield, gebroken was van verdriet. Ik liet hem even gaan en reikte hem toen trillend een glas water aan.

Ik was misselijk, had het gevoel dat ik moest braken. 'Hoe is dat in godsnaam mogelijk?'

Stephan wreef over zijn nek. 'Ik weet het niet. Ze zouden gaan praten over de een of andere zaak...'

Langzaam knikte ik. Ergens had ik opgevangen dat Eef zou investeren in een filiaal van Wick in Antwerpen. Maar het leek me niets voor Wick om 's avonds in de caravan af te spreken. Met Rutger. En het was even ondenkbaar dat de gefortuneerde zakenman zich op zo'n plek zou vertonen.

'Het is echt de vraag of Rutger het overleeft, Roos, hij is er zo erg aan toe...' Stephan snikte en greep me weer vast. 'Hij heeft derdegraads brandwonden, ik ben zo bang...'

Ik streek over zijn rug om hem te kalmeren. Ik zat hem naar mijn idee uren te wiegen en voelde hem langzaam rustig worden. Maar het ontzaglijke verdriet bleef, voor ons beiden.

Stephan snoot zijn neus en zei: 'We zullen nooit weten wat daar is voorgevallen. Dat geheim gaat waarschijnlijk mee Wicks kist in.'

Eveline 17.

Haar handen trilden onophoudelijk. Ze had al twee dagen amper gegeten, maar daar ging het nu niet om. Ze moest helder zijn, helder blijven.

Met de grootst mogelijke moeite had Eveline Wick over kunnen halen een afspraak met Rutger te maken. Ze had haar laatste troef ingezet: Stephans bedrijf. Eveline hoefde maar een telefoontje te plegen en ze kon hem failliet laten verklaren en hem gevangenisstraf voor fraude, witwassen en belastingontduiking laten opleggen. Eveline kon het Wick haarfijn uitleggen. Smit Makelaardij & Projectontwikkeling had veel geld geleend van Rutger en investeerders gezocht voor zijn vastgoedprojecten in Portugal en Spanje. De investeerders werden gouden bergen beloofd met een gegarandeerd rendement van elf procent. Samen met Rutger had hij fors geïnvesteerd in een stuk grond vlak bij Quinta de Lago, en een prachtig park ontwikkeld, een resort dat zijn weerga niet kende en waar de luxe villa's een eigen zwembad en uitzicht op de golfbaan hadden. De investeerders konden ervoor kiezen om aan timesharing of verhuur deel te nemen, zodat hun jaarlijkse kosten ruimschoots gedekt zouden worden. Bovendien zou hun investering na ruim tien jaar zeker het dubbele opleveren; volgens Stephan een win-winsituatie. De investeerders werden overgehaald door luxe reizen met een privévliegtuig, exclusieve brochures, golfevenementen en vip-party's in de Algarve met bekende voetballers. Stephan had vier indrukwekkende modelwoningen laten bouwen, maar wat de geïnteresseerde investeerders niet wisten was dat hij de vergunning voor de geplande vijftig villa's nog niet rond had. Na een intensieve reclamecampagne in de *Miljonair*, *Quote* en bij Harry

Mens in *Business Class*, hadden slechts twintig mensen daadwerkelijk getekend en de vereiste aanbetaling van twintig procent van het aankoopbedrag overgemaakt. De overige villa's waren nog niet verkocht toen de economische crisis was toegeslagen en de Engelsen massaal hun villa's voor een habbekrats te koop hadden gezet.

Wat een lucratieve handel leek te zijn, bleek een kat in de zak. Daarnaast stond de bouw van het geplande winkelcentrum met hotel in Warschau stil, stagneerde de bouw aan het villapark in de buurt van Kalmthout, was het nieuwbouwproject in Brielle nog niet voor de helft verkocht en tikte de tijd door, net als de verschuldigde rente. Stephan zat op een tijdbom en hij wist het. Hij was niet voor niets halsoverkop naar Warschau gevlogen. Verkeerde investeringen, een gigantisch uitgavenpatroon en weinig uitzicht op verbetering. Vijf jaar geleden had hij een zeiljacht van 2,7 miljoen euro gekocht, en hij had meegedaan aan de European Rolex Swan Regatta, wat op jaarbasis ook zo'n negen ton kostte. Daarnaast had hij dure auto's op naam van de zaak gezet, het pand laten inrichten door Eric Kuster, luxe businesstrips met klanten gemaakt, op de Miljonair Fair prominent met een stand gestaan en op kosten van zijn zaak zijn huis laten verbouwen. Allemaal van het geld van zijn investeerders en van Rutgers geld. Later zou hij met vette winst terugbetalen. Mis. Stephan wist de boel steeds te sussen en creatief met de boekhouding om te gaan, maar nu moest Rutger ook maar eens weten dat hij naar zijn geld kon fluiten, besloot Eveline haar relaas tegen Wick.

Eveline probeerde Wick ervan te overtuigen dat hij met Rutger over de situatie moest gaan praten, anders zou ze de relatie tussen Roos en Stephan voorgoed verzieken. Want, zo had ze Wick fijntjes duidelijk gemaakt, zijn lieve naïeve vriendinnetje Roosje had onder de sterrenhemel in Verbier in haar rooskleurige verliefdheid een samenlevingscontract getekend waarin ze verklaarde alles met Stephan te delen. Dus als hij ging, ging zij mee.

Wick moest Rutger vertellen dat het niet het moment was om te scheiden, het zou hem te veel geld kosten. Eerst moest Rutger het met Stephan uitzoeken, daarna zou die scheiding pas worden ingezet, instrueerde Eveline. Wick had tegengesputterd met heel veel argumenten maar feit bleef dat er een oplossing moest komen, anders zou Roos op de lijst van de BKR belanden. Eveline eiste dat Wick Rutger de waarheid zou vertellen omdat zij anders de rollen zou omdraaien en Stephan aan de hoogste boom zou opknopen. Met tegenzin had Wick uiteindelijk ingestemd.

Feit was dat Wick te veel van haar wist, Eveline had er spijt van dat ze hem in een onbezonnen bui haar diepste geheimen had verteld. Hij kon haar pakken als alles zou uitlekken; het was slechts een kwestie van tijd. Eveline vertrouwde hem niet langer en ze was bang dat hij op het punt stond Roos alles op te biechten. Eveline peinsde er niet over dat ze hem haar plannen zou laten dwarsbomen, nu ze zo dicht bij haar einddoel was. Met het feit dat Rutger van haar wilde scheiden viel nog te leven, maar dat die hoerenloper haar kinderen van haar wilde afpakken, zou ze hem nooit vergeven. Dat had bij haar de stoppen doen doorslaan.

Eveline had zijn dossier doorgekeken en gezien dat hij dezelfde aanpak had gebruikt die zij destijds bij Aurelie had geënsceneerd: hij zou haar psychisch incapabel laten verklaren, manisch-depressief en drugsverslaafd. Eveline zou haar kinderen heel weinig kunnen zien en dat was niet te verteren. Plus de blamage! De initiatiefneemster van Stichting Teddybeer zou de voogdij over haar kinderen verliezen! De schade was niet te overzien. Alleen al bij de gedachte kookte ze van woede. Na al die jaren, het vuile varken. Om haar zo te behandelen, zo te vernederen.

Wick zou met hem praten, zeggen dat het weinig zin had om zich zo hard op te stellen. Dat Eveline best haar eigen leven wilde leiden maar dat ze niet de voogdij over haar kinderen zou opgeven. Ze zou dat nooit te boven komen. Wick mocht van haar eventueel ook nog het dramaverhaal gebruiken dat ze door haar eigen vader was mishandeld; het doel heiligde alle middelen. Maar diep in haar hart wist ze dat Rutger nooit zou toegeven, nooit zou buigen. Net als haar vader, destijds.

Zonder het te beseffen was Eveline met een duplicaat van haar vader getrouwd.

Ze zat al twee uur in de bosjes te wachten, het was koud en ze rilde. De maan scheen zwak door de duisternis. Toen hoorde ze iets. Ze zag eindelijk twee koplampen en drukte zich plat tegen de aarde. Rutgers auto. De Bentley reed met knerpende banden het schelpenpad op en stopte bij Wicks stacaravan. De lichten doofden en ze zag Rutger zichzelf van de zitting hijsen. De deur van de caravan ging open en Eveline zag Wick in de deuropening staan met een mok in zijn hand. Bij wijze van groet stak hij een hand in de lucht.

'Je weet dat ik niet lang kan blijven, Wick.'

'Ik ben al heel blij dat je wilde komen, Rutger, dat je onder vier ogen met me wilde praten...'

Ongemakkelijk schudden ze elkaars hand en gingen de caravan in. De deur viel dicht en de stilte die volgde was oorverdovend. Nu moest Eveline wachten. Hoe lang? Vijf of tien minuten? Ze had dit in gedachten al zo vaak gerepeteerd en nog was ze er niet uit. Eveline pakte het buisje coke dat aan een kettinkje bungelde en snoof wat op. Rustig blijven, kalm blijven, sommeerde ze zichzelf. Ze telde binnensmonds, de mannen waren nu zo'n vijf minuten binnen. Hadden waarschijnlijk formaliteiten uitgewisseld, een glas whisky ingeschonken. Nog vijf minuten voor ze in een diep gesprek gewikkeld raakten en alles om zich heen vergaten. Eveline kroop op haar buik naar de achterkant, ze had haar voorbereidingen getroffen. Rondom de caravan had ze benzine gegoten die alleen nog maar aangestoken hoefde te worden. Het foeilelijke geval stond op stenen en vanmiddag had ze daar allemaal aanmaakblokjes en verdroogd hout onder geduwd. De bodemplaat was van hout; dat wist ze omdat ze vooronderzoek had gedaan, als wilde ze zo'n ding aanschaffen. Feit was volgens haar dat mensen die een caravan hadden of wilden kopen, allemaal even smakeloos waren. Een caravan deed haar denken aan die walgelijke vrachtwagencabine van haar vader.

Eveline keek op haar horloge. Elf minuten, nu moest het gebeuren. Ze ademde diep in en sloot nog even haar ogen. Nu. Nu was het moment. Een vreemde opwinding trok als een rilling langs haar rug. Ze stak het aanmaakhoutje aan en liet het vallen. Het vuur leek te doven en even raakte ze in paniek, maar toen vatte het verdroogde gras vlam. De vlammen likten om zich heen tot ze ineens het spoor volgden. Eveline keek gebiologeerd naar de steeds breder wordende vlammenstroom met de kleur van smeulende lava. Moeizaam rukte ze zich los van het schouwspel want ze moest nu zo snel mogelijk de deur blokkeren. Ook hier had ze haar voorbereidingen getroffen, en in Parijs Wicks sleutel laten namaken, voor het geval dat. Eveline glimlachte, soms vond ze haar eigen ideeën zo briljant: onbewust met voorbedachten rade.

Razendsnel kroop ze op handen en voeten naar de deur en viste de sleutel uit haar bh. Haar handen trilden zo verschrikkelijk dat ze hem amper kon vasthouden. Haar zenuwen stonden onder hoogspanning, maar ze moest binnen drie seconden de sleutel omdraaien in het slot. Messen schraapten langs de binnenkant van haar hoofd, ze voelde een ongelooflijke magnetische kracht tegenwerken en een golf van misselijkheid kwam omhoog. Ze zette haar voet tegen de deur en concentreerde zich op de sleutel. Ze voelde het snelle bonken van haar hart. Binnen klonken de opgewonden kreten van Wick en Rutger, die het vuur inmiddels hadden opgemerkt. Dit was haar laatste kans. Gesticht, gevangenis of vrijheid, dit was haar laatste kans. Toen zag ze de gezichten van haar kinderen voor zich en met volle kracht wierp ze haar gewicht naar voren. De sleutel gleed gemakkelijk in het slot. Ze hoorde gestommel en voelde dat de klink van binnenuit werd beetgepakt en met al haar kracht hield ze de deur tegen. Ze voelde een klik, het slot zat dicht. Aan andere kant werd er aan de deur getrokken, ze hoorde geschreeuw en gehoest. De deur stond helemaal bol, iemand schopte ertegen.

'Het raam! Het raam!' hoorde ze Wick gillen. Eveline sloot haar ogen, draaide de sleutel een stukje terug en hij gleed uit het slot. De rook bereikte haar nu en ze moest maken dat ze wegkwam. Na drie grote passen liet ze zich in de bosjes vallen. Ze hoorde Wick gillen, oorverdovend krijsen. 'Eeeeeeeeef!'

Ze verborg haar gezicht in het tapijt van dorre bladeren en bedekte haar oren. Haar naam klonk als de kreet van een roofvogel, ging door merg en been. Wick had haar gezien, hij wist dat zij het was. Op haar buik klauwde ze verder, weg van de hitte. Een stuk hout sneed pijnlijk door haar handpalm en ze voelde de struiken langs haar benen schuren.

Toen zag ze plotseling een fel licht. Eveline drukte zich tegen de grond en gooide haar capuchon over haar hoofd. Onder de struiken rook het naar hondenpoep. Verdomme, er stopte een auto. Ze probeerde haar ademhaling rustig te krijgen. Met haar ogen op de auto gericht, tastte ze naar het Chinese gelukspoppetje dat ze altijd bij zich droeg. Ze schrok: het zat niet meer in haar zak.

Geschreeuw deed haar opschrikken, daar was Roos! Ze rende haar auto uit en begon aan de deur te trekken. Die gloeiende verrader, hoe kon ze hier zijn? Had Wick haar gewaarschuwd? Roos keek verwilderd om zich heen, rukte nog eens aan de deur, en Eveline kon een glimlach niet onderdrukken. Met alle kracht trok Roos aan de deurklink, maar het hielp niets. Ze hoestte ongecontroleerd.

Toen klonk er een oorverdovende knal en Roos werd door een stuwende kracht naar achteren geworpen. De gasfles was geëxplodeerd, precies zoals Eveline had gehoopt. Ze bedekte haar hoofd, tientallen scherven vlogen door de lucht. Daarna was het doodstil, op het zachte geknetter van het vuur na.

Een lucht van geschroeid vlees bereikte haar neus, Eveline moest kokhalzen. Ze schuifelde met behulp van haar onderarmen naar de kade en wierp intussen wat bladeren op haar spoor. Toen liet ze zich bijna geruisloos in het koude water zakken, keek nog even naar het spektakel en zwom met krachtige slagen weg.

Roos 18.

Het 'Ave Maria' van tenor Enrico Caruso schalde over de begraafplaats in Rotterdam-Zuid. De aanwezigen stonden eerbiedig met gebogen hoofden naar het grind te staren. De wind ritselde in de bomen, en verloren bladeren dwarrelden naar beneden.

Eveline trotseerde de regen met opgeheven hoofd. Ze had haar blonde haar in een strenge wrong achter op haar hoofd vastgezet, haar ogen dramatisch met zwarte eyeliner aangezet en haar lippen Chanel-rood gestift. Ze zag er verslagen maar vastberaden uit, en hield de handen decent gevouwen. Ze droeg een lange fluwelen jas die klokkend langs haar slanke lijf gleed, en leren handschoenen. Stephan stond naast haar, het sneed door mijn ziel.

De dienst in het rouwcentrum was heel beladen en ik stond met mijn ouders naast Nel, Wicks moeder. Iedereen was stemmig gekleed en keek naar de grond. Nel was haperend een speech begonnen, maar kon halverwege van verdriet geen woord meer uitbrengen. Mijn vader was achter haar gaan staan en had haar speech afgemaakt. Je kon een speld horen vallen, iedereen was uit het veld geslagen door Wicks plotselinge dood. Over de wijze waarop werd met geen woord gerept, het was te pijnlijk.

Wick had altijd geroepen dat hij een begrafenis wilde waar iedereen in het wit gekleed zou zijn en na afloop een borrel dronk. Met muziek, bekenden, wodka en champagne. Hij had zelfs een compilatiefilm laten maken met alle mooie foto's uit zijn leven en de muziek uitgekozen. Na zijn plotselinge dood vonden wij dat zijn moeder mocht zeggen wat zij wenste. Zij vond een feest niet gepast en we hadden een ingetogen begrafenis georganiseerd. Vrienden en collega's hadden afscheid kunnen nemen tijdens de condoleance, maar zijn moeder wilde alleen familie en goede vrienden bij het echte afscheid, als de kist ter aarde werd besteld. De wijze waarop Wick aan zijn einde was gekomen was gruwelijk, en Nel was ontroostbaar. Ik vond het jammer dat ik haar niet had kunnen overreden om op de Wickeriaanse manier een groots afscheid te organiseren, en nu voelde ik me leeg. Niets zou meer hetzelfde zijn en ik vroeg me voortdurend af waarom.

De dagen trokken uitzichtloos aan me voorbij. Ik had mijn mobiel uitgezet en beantwoordde voicemails met sms'jes: ik wilde niemand spreken. Stephan daarentegen kon er niet tegen om thuis te zijn, hij was nog nooit zo veel weg geweest. Hij voelde het als zijn plicht om Eveline in deze misère te helpen en bij te staan waar hij kon. Daarnaast ging zijn zaak door, evenals het belastingonderzoek. Dat vrat aan hem. Hij vertrok 's ochtends rond zeven uur en kwam nooit voor het donker thuis, terwijl de dagen voor mij tergend langzaam voorbij kropen.

Een week na de begrafenis reed Stephan om half elf 's avonds de oprijlaan op. Vreugdeloos opende hij de deur en het viel me op hoe grauw hij zag. Hij trok zijn stropdas los en plofte op de bank tegenover me.

Hij keek dwars door me heen. 'Hoe gaat het met je?' Ik had geen zin om te zeggen dat ik weer een hele dag had zitten huilen, dat ik het niet begreep, dat er dingen waren die absoluut niet klopten. Dat de wijzers van de klok vooruit kropen en ik alleen maar kon janken, snikken om wat niet meer was. Wanneer Tim en Luna uit school kwamen, droogde ik mijn tranen met een theedoek en deed mijn best.

'Redelijk. En met jou?'

Stephan gooide zijn hoofd in zijn nek en hief zijn armen in de lucht. Minutenlang bleef hij zo zitten. Uiteindelijk kwam hij overeind en zuchtte diep, ik zag de vertwijfeling in zijn ogen.

'Nou Roos, ik denk dat dit het einde is.' Het vuur knapperde in de open haard.

Mijn maag kromp ineen. 'Hoe bedoel je?' vroeg ik zacht.

Hij haalde zijn schouders op. 'Tja, waar moet ik beginnen? *This is it.*'

Angst bekroop me en ik hield het fluwelen kussen stevig vast. Zijn ogen zochten de mijne en hij keek me minutenlang zwijgend aan. 'Ik heb verloren.'

Ik durfde amper te bewegen, zelfs niet te ademen. Hij keek naar zijn handen en ik ging naast hem zitten.

Verontschuldigend keek hij me aan. 'Sorry, Roos, sorry, sorry, sorry.' Ik pakte zijn hand en hij brak, ik voelde zijn schouders schokken. 'Ik heb er zo'n klerezooi van gemaakt, Roos, ik ben alles kwijt.'

Ik legde een kalmerende hand in zijn nek, zijn spieren voelden als strakgespannen kabels. 'Ssht, Stephan, wees alsjeblieft niet zo hard voor jezelf.'

Hij snikte, veegde met een ruw gebaar zijn tranen weg. 'Ik schaam me Roos, ik schaam me.'

Ik wreef zachtjes over zijn rug, beseffend dat elk gebaar te veel kon zijn. Minuten tikten weg. 'Begin alsjeblieft bij het begin. Ik hou van je, dat weet je toch?'

Hij knikte, durfde me amper aan te kijken en zuchtte diep. Hij staarde naar zijn handen. 'Mijn leven is niet zo mooi als jij denkt, Roos, het is veel gecompliceerder. De reden dat ik je niet alles heb willen vertellen, is dat ik je geen pijn wilde doen – achteraf begrijp ik niet dat het zo ver heeft kunnen komen. Ik dacht dat het allemaal wel los zou lopen. Niets is wat het lijkt. Ik word geleefd en ik zit nu in een situatie waar ik onmogelijk uit kan. Natuurlijk begaf ik me op glad ijs, dat doe ik mijn hele leven al. Maar nu ben ik gaan glijden en het is niet meer te stoppen.' Hij wreef geëmotioneerd in zijn ogen. Ik slikte. 'Ik leef in een wereld die de mijne niet is. Mijn vrienden, mijn familie en zakenrelaties denken allemaal dat ik de gevierde jongen ben, maar het is niet meer dan een zeepbel.' Zoekend naar woorden hief hij zijn handen. 'En het erge is dat ik dingen niet eens kán uitleggen. Jij kent geen achtergronden, jij ziet *the bigger picture* niet.' Hij haalde zijn schouders op en lachte schamper. 'Ik inmiddels ook niet meer...'

Ik herhaalde zijn woorden in mijn hoofd. Ik was bang voor wat zou komen, maar voelde toch een onbedwingbare behoefte om alles te weten.

Spijtig keek Stephan me aan en legde zijn warme hand op mijn been. 'Als je maar weet dat ik dingen verzwegen heb om jou... om jou...' Zijn stem haperde.

'Te sparen?'

Hij knikte, keek naar beneden. 'Dat is de enige reden, Roos, mijn gevoelens voor jou waren echt...'

Ik voelde een woede in me opkomen; hij had dus alles van tevoren geweten en mij erin meegesleurd. Nu de zeepbel uit elkaar dreigde te spatten, zat hij te janken als een klein kind.

'Dus ondanks alles hou je van me?' vroeg ik met ingehouden woede.

Hij knikte, zijn ogen waren rood. 'Dat is het enige wat ik zeker weet: ik hou van je, Roos.'

Ik sloeg mijn armen over elkaar. 'Mooi is dat. Je houdt zogenaamd van me, maar maakt er tegelijkertijd een klerezooi van zonder iets te vertellen.' Ik keek hem fel aan. 'Goed, ik geef je een kans. Maar nu niks achterhouden...'

Hij kneep zijn lippen samen, ik zag weer tranen in zijn ogen.

'Goed dan. De belastingdienst spit in mijn boeken en er kloppen dingen niet. Ze accepteren bepaalde uitgaven niet, en bovendien leveren de lopende projecten momenteel geen rendement op. Tel daarbij op dat Rutgers bedrijf betrokken was bij een aantal zaken die ze nu dubieus vinden... Dat noemen ze witwassen.' Ik knikte geërgerd, ik wist heus wel wat dat betekende. Hij staarde uit het raam. 'Het staat er slecht voor, Roos...' Hij kon even niet verder spreken door de emoties. Kwaad wreef hij over zijn ogen. 'De recherche is ook op de zaak geweest.' Hij beet op zijn onderlip en ik zag zijn kaak trillen. 'Of ik word failliet verklaard en van fraude beschuldigd, of ik word ondervraagd over de poging tot moord op Rutger... Ik weet verdomme niet wat erger is.' Ik voelde alle energie uit mijn benen stromen. Stephan vervolgde: 'Volgende week komen ze de auto's ophalen, de boot, en het huis moet in de openbare verkoop...'

Ik kon hem nauwelijks verstaan. 'Wat?' fluisterde ik, maar hij stak zijn hand op.

'Dat is nog niet het ergste. Hoogstwaarschijnlijk nemen ze me in voorarrest zo lang het onderzoek van Expertise International loopt.' Ik sloeg mijn hand voor mijn mond en keek hem ongelovig aan. 'Ik weet het, lieverd, ik weet het. Het is één grote puinzooi en ik weet niet waar ik moet beginnen. Ik ben eigenlijk maar een eenvoudige makelaar, met als hobby een beetje zeilen. Maar ik heb me laten verleiden door het grote geld. Het werd steeds meer en ik moet eerlijk bekennen dat het me zo makkelijk afging! Ik liet me meevoeren door de grote verhalen en ik zit er nu tot over mijn oren in. Ik leefde in de wereld van Peter Stuyvesant, het leven van mijn vrienden... En eigenlijk wil ik dat helemaal niet, maar er is geen weg meer terug. Ik zit er diep, diep, diep, tot mijn nek in verstrengeld.' Hij huilde nu met ongecontroleerde snikken en leunde zwaar op mijn schouders. 'En ook dat is niet eens het ergste, Roos. Weet je nog dat jij met kerst een samenlevingscontract hebt getekend? Je bent dus medeverantwoordelijk...' Hij durfde me niet aan te kijken.

Ik hield op met over zijn rug te aaien. Het begon tot me door te dringen wat dit kon betekenen. 'Waarom...' Ik onderbrak mezelf, de reden hoorde ik later wel. 'Ik bedoel, hoe ben je in godsnaam in deze situatie verzeild geraakt? En waarom heb je mij er verdomme bij betrokken? Je wist wat er gaande was!' Ik stond op en keek op hem neer. Ik was woest, ik stond niet voor mezelf in.

'Ik had geen keus, Roos...' Stephan keek me als een geslagen hond aan.

'Geen keus? Geen keus? We leven in een vrij land, Stephan! Wie heeft in godsnaam zo veel invloed op jou dat je mij, degene van wie je dus zo veel houdt, een contract laat tekenen terwijl je weet dat het schip op het punt van zinken staat?' Ik kon hem wel slaan, zijn ogen uit zijn kop krabben, maar ik beheerste me. 'Dat je zo veel van me houdt. God, je weet niet eens wat "houden van" is!' Mijn stem klonk schril door de ruimte. Ik ijsbeerde van de open haard naar Stephan en weer terug. Mijn gedachten sprongen koortsachtig heen en weer. Ik boog me voorover en plaatste mijn handen op de leuning van de fauteuil. 'Wie, Stephan, wie?' Ik zag dat ik met consumptie sprak, maar het kon me niets schelen. 'Wie wil ons kapotmaken? Nou?'

Hij zweeg, het maakte me furieus.

'Rutger?'

Stephan schudde zijn hoofd. 'Dat kun je nooit raden... of nooit begrijpen...'

Langzaam begon het me te dagen, ik zag beelden als puzzelstukjes in elkaar vallen. Al die tijd had ik diep vanbinnen het vermoeden gehad maar ik wilde het niet weten, stopte mijn kop in het zand. Ik wist het antwoord wel.

'Eveline?!' Hij knikte beschaamd en friemelde met zijn handen. Ik sloeg met vlakke hand op de leuning van de stoel. 'Ik wist het!' Ik liep naar de open haard en schopte keihard tegen de koperen bak met houtblokken. 'Dat verdomde takkewijf!' gilde ik.

Het bloed raasde in mijn hoofd, ik voelde dat ik hysterisch werd. Ik vloog op Stephan af, maar hij pakte me hardhandig beet.

'Doe normaal,' siste hij. 'Doe normaal! De kinderen slapen!' Hij pakte mijn polsen beet. Ik probeerde me aan hem te ontworstelen, maar hij was te sterk.

'Jullie waren vroeger lovers!' gilde ik en ik spuugde Stephan in zijn gezicht. Abrupt liet hij me los en ik liet me op de bank zakken. Dreigend vroeg hij: 'Hoe weet jij dat?'

'Heeft ze me zelf verteld.'

Met een zakdoek veegde Stephan zijn gezicht schoon. 'Dus je wist het al een tijd?' vroeg hij. Ik haalde achteloos mijn schouders op. 'En waarom heb je niets gezegd?' mompelde hij.

'Om dezelfde reden als jij.' Ik merkte dat mijn hartslag iets rustiger werd. 'Ik wilde denk ik ook in het sprookje geloven.' Hij plofte naast me neer op de bank en streek door zijn haar. 'Ik denk dat je me maar eens echt de waarheid moet vertellen, Stephan.'

'Beloof je me niet in de steek te laten?' fluisterde hij.

Bedachtzaam keek ik naar zijn gezicht. Zijn rechte neus, zijn grijze slapen. Zijn prachtige groene ogen, omrand door zwarte wimpers. Ik moest het weten, de onderste steen moest boven komen. Ik wist de consequenties niet, maar ik was bereid ze te aanvaarden. Ook wist ik niet of ik Stephan nog zou kunnen vertrouwen, de tijd zou het uitwijzen, maar ik moest zijn kant van het verhaal horen.

Ik keek naar hem en een warme golf van liefde overspoelde me. 'Dat samenlevingscontract heb ik verdomme niet voor niets getekend. Met mijn stomme kop geloof ik oprecht dat ik van je hou en dat we samen sterk zijn. Het zou nogal zwak zijn als ik in het heetst van de strijd de handdoek in de ring gooi. Ik geloof dat we beiden naïef zijn geweest, Stephan, we zitten samen diep in de shit, dus ik geloof dat we hier samen uit moeten komen. Zo snel mogelijk.'

Hij sloot vermoeid zijn ogen. 'Gelukkig, Roos, gelukkig heb ik jou nog...'

Ik kuste hem op zijn hoofd, rook zijn transpiratiegeur. 'De grens tussen liefde en haat is dun, Stephan, dus belazer me niet nog een keer,' fluisterde ik. Hij pakte weer mijn hand en drukte er een kus op.

'Ik zal je vanaf nu alles vertellen, Roos, maar ik wil dat je ervan overtuigd bent dat ik verschrikkelijk veel spijt heb.'

Ik knikte ongeduldig, nu wist ik het wel.

Stephan rechtte zijn rug en speelde met mijn vingers. 'Voor ik het vergeet – weet je wat ik vandaag ook nog hoorde?' Ik schudde mijn hoofd. 'Dat Rutger zijn advocaat een maand geleden heeft ingeschakeld om een echtscheiding voor te bereiden.'

Ik zat met een ruk rechtop.

Eveline 18.

Zo had ze het zich nooit voorgesteld. Ze zat in een achtbaan van emoties. Iedereen zat haar op de huid en de pers liet haar geen moment met rust. Het stond in bladen en kranten, het kwam op tv. Dat maakte haar nerveus, ze sliep slecht. Telkens zag ze weer die enorme explosie voor zich, het leek wel of ze wakker was geschud uit haar trance. Ze hadden haar gewoon met rust moeten laten. Rutger had niet mogen dreigen met een echtscheiding, Stephan had niet mogen gaan samenwonen met Roos, en Wick had niet mogen roepen dat ze een borderliner was. Ze stookten samen het vuur op, maar zo had ze het nooit bedoeld. Eigenlijk had het een waarschuwing moeten zijn, maar die was uit de hand gelopen. Ze wilde alleen maar laten zien wie de sterkste was. Haar vader wilde ook altijd alles voor haar bepalen, en dat pikte Eveline niet langer. Haar vaders vernederingen en verkrachtingen, Rutgers emotionele mishandeling, Stephans leugens en draaierij. En Wick wist alles, die moraalridder zou nooit zijn bek kunnen houden.

Nu moest Eveline met nog een geheim leven. Ze kon het natuurlijk opbiechten, maar dan zou ze voor de rest van haar leven achter de tralies verdwijnen. Misschien met verzachtende omstandigheden vanwege haar emotionele toestand, maar toch.

Eveline zat in de val en moest toch verder. Gelukkig had ze het goed voorbereid, geen losse eindjes achtergelaten. Het scenario was goed geschreven en foutloos uitgevoerd. En ze had alles helemaal alleen gedaan, net als bij haar vader. Het had tijd nodig, heel veel tijd. Telkens trokken de scènes weer aan haar voorbij en elke keer pijnigde ze haar hersens of ze niets was vergeten. Het was slopend. Het was een slechte B-film die op de herhalingsstand stond, en zij was slechts toeschouwer.

Elke dag vertrok Eveline naar het ziekenhuis waar Rutger was opgenomen. Hij lag aan de beademing in een steriele kamer van het brandwondencentrum waar de luchtvochtigheid en temperatuur gereguleerd werden om hem van de brandwonden te laten herstellen. De artsen hielden hem in een kunstmatige coma omdat de pijn anders ondraaglijk zou zijn. Bovendien moesten ze nog afwachten of zijn longen niet te ernstig beschadigd waren door de rook. De komende dagen was het erop of eronder.

De onzekerheid was gekmakend. Vanwege de grootte en de dieptegraad van de brandwonden konden ze niet voorspellen of hij het zou overleven en wat de kans was dat hij weer bij zou komen. Of er ernstige beschadigingen waren aan zijn gehoor en zicht. Of hij voor de rest van zijn leven zou doorbrengen als een kasplantje of dat hij zou herstellen. Zijn gezicht en rechterarm waren ernstig verminkt door de explosie, en Eveline was ten einde raad. Ze was niet alleen bang voor zijn overlevingskansen maar vooral voor het feit dat hij zich nog iets van het ongeluk zou kunnen herinneren. Dat hij haar had gezien en haar zou verraden. Ze had Wick haar naam horen schreeuwen, Rutger moest het zich herinneren, ook al had hij geen harde bewijzen. Rutger was de enige getuige die haar alsnog kon verwoesten en dat vrat aan haar.

Ondertussen zorgde Eveline voor haar kinderen, die ieder op zijn eigen manier met het verdriet om hun vader omgingen. De begrafenis van Wick was in een roes aan haar voorbijgegaan, en ze wilde er niet aan terugdenken. Eveline keek alleen maar vooruit, ze wilde de stukken gaan lijmen. Ze zou het nooit meer zo ver laten komen, dat zwoer ze op haar overleden moeder. Ze moest sterk zijn, ze moest vertrouwen hebben in een goede afloop, hoewel Rutger voor de rest van zijn leven waarschijnlijk zwaar verminkt zou zijn. Ze moest zijn kapitaal veiligstellen en ze hoopte maar dat hij nooit zou gaan praten. Dit was de zonde waar ze de rest van haar leven voor zou moeten boeten. De rest van haar leven zou ze in bezinning met haar gezin leven, en zich helemaal richten op de opvang van mishandelde kinderen, zich in dienst stellen van de mensheid.

Ze friemelde aan haar zakdoekje, haar neus liep voortdurend. Ze zou Stichting Teddybeer grootmaken.

Eveline tuurde vanuit haar bibliotheek, waar ze door de papieren van de stichting had zitten bladeren, naar buiten en zag de tuinman met de maaier rechte banen over het grasveld trekken. Stuurs keek hij voor zich uit, niet een keer keek hij op of om. Eveline zag het als een aanwijzing. Als zij vooruitgang wilde boeken in het leven, moest ze ook vooruitkijken, en niet achterom.

Langzaam ontvouwde zich in haar hoofd een plan om voor de kinderen een grootse veiling op te zetten, een benefietavond om geld in te zamelen. Ooit was ze in de Laurenskerk in Rotterdam geweest, waar alle notabelen acte de présence gaven bij het Right for Kids Gala. Ze droomde weg en zag de zacht verlichte kerk voor zich met grote kroonluchters boven met wit damast gedekte tafels, met gepoetst zilver en dames in prachtige galajurken. Een optreden van Froger, met de cast van de musical *Mary Poppins*, steltenlopers uit Cirque du Soleil en een optreden van Candy Dulfer met haar band. Of van Trijntje Oosterhuis. Magnums champagne, oesters, de catering van Herman den Blijker en een kinderkoor. Alle BN'ers die ze kende zouden er zijn: van Christine Kroonenberg tot Ed Nijpels, van Joop van den Ende, Herman Heijnsbroek en Erica Terpstra tot Ruud van Nistelrooy, en zelfs de Brenninckmeyers. Evelines hart ging opgewonden kloppen bij de gedachte alleen al dat ze alle bekende mensen die ze ooit had ontmoet kon samenbrengen in een fijne mix van de high society. Mart Visser, prinses Anita met Pieter Christiaan, Job Cohen, Hanneke Groenteman, Paul de Leeuw en Gordon.

Er zou een documentaire gemaakt worden over de totstandkoming van Stichting Teddybeer, met veel tranen trekkende momentjes; ze zag zelfs een realityprogramma voor zich, zoals dat van de Frogers, *Zo Heppy*. Met als uitsmijter een speech van Ivo Opstelten waarin ze bedankt werd voor haar goede inzet. Flitsende fotografen en paparazzi bij de rode loper. Zij zou weer terugkomen, als een feniks uit de as herrezen in een prachtige Mart Visser-jurk. Ze zou zich weer omhoogwerken uit deze bodemloze put en iedereen zou weten hoe groot haar hart was, wie ze was. De opbrengst van de veiling zou ze verdubbelen. Het zou een nationale feestdag worden voor het mishandelde kind. Ondanks het feit dat haar man op sterven na dood was, zou ze vechten voor het geluk van die gekwelde zieltjes.

Ze staarde nog steeds naar de tuinman. Rechte banen groen gras schitterden in het zonlicht, ze kon de geur bijna ruiken. Vastberaden klapte Eveline haar ordner dicht en herinnerde zich een wijze les uit de zondagsschool: net als de apostel Lucas zou zij de hand aan de ploeg slaan. Om recht vooruit te kijken en niet achterom naar de fouten die ze in het verleden had gemaakt. Ze stond op en liep naar de boekenkast om haar bijbel te pakken, raadpleegde de inhoudsopgave en zocht het verhaal op. Haar ogen scanden de tekst en haar vinger bleef rusten bij de onderste alinea: 'Tijdens het zaaiseizoen in het Midden-Oosten moesten de boeren ploegen met een os of een ezel. Dat was een hele klus, zeker in het bijbelse Palestina waar de grond dor en droog was. Terwijl de ezels of ossen de lichte houten ploeg voorttrokken, kostte het de boer zelf al zijn kracht en aandacht om rechte voren te trekken; achteromkijken was taboe. Dan veranderde de druk op de ploeg waardoor een rechte voor onmogelijk werd.'

Eveline tuurde naar buiten en zag de tuinman zijn laatste baantje maaien. Ze begon zachtjes te snikken en viel op haar knieën. Ze smeekte God om een nieuwe kans.

Roos 19.

Stap voor stap. Stap, plant en hef. Ik concentreerde me, hoe moeilijk kon het zijn? Ik stapte, plantte mijn voet in het hoge gras en rolde af. Mijn andere voet hief zich automatisch weer op. Bijna viel ik, uit balans door de vertraagde beweging. Ik ademde door mijn neus en voelde de koele lucht naar binnen stromen. Zodra een gedachte door mijn hoofd schoot, moest ik die loslaten: als een wolkje wegblazen en me concentreren op mijn handeling. Stap, plant en hef. Onwillekeurig zag ik Wicks levenloze lichaam voor me. Adem in, adem uit. Stap, plant en hef. Ik herinnerde me liever zijn uitdagende ogen, zijn bulderende lach.

'Adem in, adem uit, begin opnieuw als je de tel kwijt bent geraakt.' De stem van Joline bereikte me. Verdomme, dacht ik kwaad, ik was er bijna.

Herhaaldelijk reconstrueerde ik in gedachten de afgelopen weken en liep stap voor stap de gebeurtenissen na. De film speelde zich telkens weer af, en ik hoopte iets bijzonders te zien. Slapeloze nachten, talloze huilbuien, geen energie om uit bed te komen.

Van Marjan had ik een cursus energetische meditatie gekregen om rust in mijn hoofd te scheppen. Nu deden we de loopmeditatie, maar ik vond het moeilijk om mijn gedachten los te laten. Stephan zat inmiddels drie weken in voorarrest op de Noordsingel in Rotterdam, en het was hartverscheurend om de man van wie ik hield vast te zien zitten. Halsoverkop hadden we zijn huis verlaten; we woonden tijdelijk in mijn huis. Godzijdank was de huurder begripvol geweest. Het deed mij weinig om alles achter te laten, maar het was Stephans levenswerk. Hij was stuk. Eveline had beloofd hem te helpen, ze had haar advocaat erop gezet.

Maar mijn gevoel over Eveline werd steeds sterker: ze was niet te vertrouwen. Stephan had me verteld dat ze er alles aan deed om hem terug te krijgen en dat ze jaloers op me was. Hij had ook verteld dat hij haar hulp nu nodig had, tijdens de rechtszaak en de afwikkelingen daarvan. Ik kon het niet uitstaan dat ze contact hadden, zeker nu ik wist hoe de vork in de steel zat. Als ik haar soms tegenkwam, reageerde ze ijzig koud, in haarzelf gekeerd. Stephan zei dat ze dat uit zelfbescherming deed, maar ik voelde dat er meer meespeelde. Die nacht had hij me ook verteld over de witwaspraktijken, de duistere zaakjes met Rutger. Ik had het nu allemaal op een rijtje, en het kon niet anders of Stephan kreeg inderdaad een paar jaar gevangenisstraf. En nog hield hij Rutger en Eveline de hand boven het hoofd, het kon niet anders dan dat er nog meer speelde. Ik hield me vast aan Wicks gevleugelde woorden: 'Vertrouw op je intuïtie', maar wist niet waar ik moest beginnen.

Volgende week gingen we Wicks appartement leeghalen; bij de gedachte alleen al keerde mijn maag zich om. In het gras lag een veertje, ik raapte het op, bekeek de zachte structuur en voelde plotseling de tranen over mijn gezicht stromen. Wick had de etalage van de kapsalon vlak voor zijn dood met vogelveren gedecoreerd. Ik miste hem zo. Zo veel tijd had ik niet voor hem gehad sinds ik met Stephan samenwoonde, en dat speet me enorm. Er hing een duisternis om me heen en ook al moest ik van iedereen doorgaan met mijn leven, ik had er gewoon geen zin meer in. Alles lag op z'n kop: mijn dromen, mijn gevoelens, mijn hoop en vertrouwen waren in een klap weggevaagd. Mijn toekomst was door de explosie uit elkaar gerukt.

De afgelopen weken had ik Stephan regelmatig bezocht maar telkens had hij hetzelfde verhaal afgestoken. Ik kon zijn afwezigheid niet accepteren, en evenmin het sterke gevoel dat hij iets verborgen hield.

Ik begon weer opnieuw met tellen, ik moest die malende gedachten achter me laten. Direct zag ik Wick weer voor me, hoorde zijn stem. Wick was niet door een stom ongeluk omgekomen, maar ik kon mijn vinger er niet op leggen, dus ik moest op onderzoek uit.

Een zwakke lichtstraal viel door het wolkendek op mijn gezicht; verwonderd keek ik omhoog. Stap, plant en hef, de ene voet voor de andere. Het gras was dor, onder mijn voet hoorde ik iets knarsen. Verdomme. Ik tilde mijn voet op en zag iets slijmerigs aan de zool van mijn laars hangen. Welja, een slakkenhuis platgetrapt. Ik veegde de schoenzool af aan het gras. Verdomme, met mijn meditatie vernietigde ik de natuur. En zo was ook Wick vernietigd: omdat hij in de weg liep. Ik moest gaan zoeken, maar ik wist niet waar.

'... En vond je het lekker?' Ik knikte, nam nog een slok van mijn sterrenmuntthee. Marjan glimlachte opgelucht.

'Mooi zo, ik denk dat we het allemaal wel kunnen gebruiken.' Ze had me meegenomen naar deze meditatiecursus opdat ik wat rustiger werd in mijn hoofd. Tenminste, dat hoorde ik haar tegen mijn moeder zeggen. Ik leefde op de automatische piloot, gebruikte mijn telefoon als enige lijntje met de buitenwereld en wachtte dagenlang tot ik Stephan weer kon bezoeken. Ik kwam met moeite mijn bed uit, en wilde liever in het niets verdwijnen tot deze nare nachtmerrie over was en Stephan me belde dat hij werd vrijgelaten. Ik sliep slecht, en regelmatig schrok ik wakker uit nachtmerries of zag ik een schim in mijn kamer staan. Met kloppend hart lag ik dan uren te wachten tot de zon opkwam.

Mijn omgeving probeerde me ervan te overtuigen dat ik het dagelijks leven weer op moest pakken en ik wilde proberen deze week vorderingen te maken door Wicks appartement op te ruimen. Wie weet werkte dat helend.

'Moet het echt?' Marjan stak de sleutel al in de deur van Wicks appartement.

'Ja, het moet echt.' Zwijgend liep ik achter haar aan, knipperend met mijn ogen om te wennen aan de duisternis.

'Eerst gooien we een raam open,' riep Marjan over haar schouder, 'wat een bedompte lucht.'

Het liefst was ik hier nooit meer teruggekomen, aan alles kleefde een herinnering. Zeker tien jaar van mijn leven had ik hier doorgebracht en in allerlei gemoedstoestanden.

Wick had een testament achtergelaten: zijn moeder liet hij de flat na, maar alle spullen waren voor Luna en mij. Zijn moeder had besloten het appartement te verkopen omdat er te veel herinneringen aan vastzaten, en nu was het moment gekomen om alles in te pakken en op te ruimen.

Ik liet mijn hand langs de garderobekast glijden, al zijn jassen hingen er nog. Afschuwelijk. In de woonkamer hingen zijn planten er verdord bij, de krant lag nog op de eettafel.

Ik zuchtte; waar moest ik beginnen? Wat was van waarde, waar moest ik het laten? Ik had besloten alles wat ik niet kon gebruiken naar de kringloopwinkel te brengen. Marjan mocht uitzoeken wat ze wilde, maar ook zij was niet te porren. Ik moest hierdoorheen, het had geen zin om het uit te stellen. Ik liep Wicks slaapkamer in, de gordijnen waren gesloten. Alles was zwart: het bed, de gordijnen en het tapijt. De slaapkamer grensde aan een inloopkast en ik streek langs Wicks kleding. Allerlei outfits; net als Maik de Boer had Wick kleding in elke stijl, zelfs een Schotse rok; ik gniffelde even. Maar ook een leren broek, een Joling-achtig blingblingjasje, een oranje boa, een jagershoedje. Ik zuchtte, dit ging dagen duren. Ik stak mijn hoofd om de hoek en zag Marjan driftig dozen in elkaar vouwen.

'Hoe gaan we dit in godsnaam doen?!'

Ze keek even om. 'Tanden op elkaar en doorbijten.'

Ik knikte beduusd. Eerst maar een sterke kop koffie, dan kon ik aan de slag.

'Lukt het een beetje?' vroeg Nel, Wicks moeder. Ze kwam polshoogte nemen en had een zelfgebakken cake bij zich. Stram kwam ik omhoog en keek naar de kartonnen dozen: twaalf in totaal.

Warm omhelsde ik haar. 'Het gaat wel, ja. In het begin wist ik niet waar te beginnen, maar nu ga ik maar door. Als je nog wat spullen wilt, moet je het zeggen, hoor.'

Ze schudde haar hoofd. 'Welnee, kind, ik heb het belangrijkste er al uit gehaald.' Ze friemelde aan haar handen. 'Hier, misschien heeft Luna wat aan zijn iPhone...' Ze viste het apparaatje uit haar tas. 'Ik wilde Wicks telefoontje wel overnemen, maar hier is geen beginnen aan!'

Ik glimlachte, Wick was verzot geweest op nieuwe gadgets, en destijds was hij voor dag en dauw opgestaan om de eerste iPhone te kopen.

'Die zal Luna héél mooi vinden,' zei ik enthousiast.

'Je kunt er van alles mee, zeggen ze, maar ik kan de aan- en uitknop niet eens vinden! Hetzelfde met die Mac-laptop, ik heb er helemaal niets mee.'

'Zijn láptop?' stamelde ik.

Nels mond was tot een smalle streep vertrokken. Ze schudde haar hoofd.

'Soms denk ik dat die zoon van mij een dubbelleven leidde, dat ik de helft niet wist.' Ik zweeg. De helft niet wilde weten, dacht ik. Voorzichtig formuleerde ik de zinnen in mijn hoofd terwijl ik een emmer liet vollopen met heet sop. Marjan kwam gedag zeggen, ze moest met haar dochter naar de orthodontist. We namen stil afscheid, en ik sloot zachtjes de voordeur.

'Soms is het beter om het verleden te laten rusten, Nel, je lost er niets mee op.'

Minutenlang zweeg ze, nam een slokje water en staarde door het raam. 'Nou, dan ken je me slecht. Want ik denk dat het allemaal niet klopt. Dat Wick niet door een ongeluk is gestorven maar dat hij is vermoord.' Ik schrok. Ze keek me strijdlustig aan. 'Ja, Roos, het klopt gewoon niet! Wat moest die achterlijke blaaskaak van een Rutger daar?!' Het hoge woord was eruit.

'Dan moeten we die iPhone en zijn laptop toch echt aan de politie geven.'

Ze schudde vastberaden haar hoofd. 'Dat weiger ik. Niet de spullen van mijn kind. Ik bedoel: wat weten zij er nou van? Die rechercheurs hebben honderden zaken lopen en geen tijd, leer mij ze kennen.' Verwoed begon ze te soppen met een van de gele doekjes uit de emmer. 'Dat hoef ik jou toch niet te vertellen? Je weet toch dat ze niets doen? En het is wel mijn kind, snap je.' Stram richtte ze zich op, zwaaiend met haar doekje. 'En ik vertrouw die Eveline niet, ze belt veel te vaak...'

'Eef belt jou?!'

'Het is een doortrapt secreet. In het begin belde ze om me zogenaamd te troosten, maar algauw zat ze te vissen of ik meer wist. Pappen en nathouden noemen ze dat op Zuid; maar geloof me, Roos, ik ben niet achterlijk.'

'Natuurlijk niet,' mompelde ik. Eveline had Nel gebeld? Ik vond het onwaarschijnlijk, hoe kwam ze aan haar nummer?

'Heb je haar nog gezien na de begrafenis?' Mijn stem klonk onvast.

Nel wapperde met haar handen. 'Nee, ze belt me alleen. Een weerzien is te emotioneel, natuurlijk. En ze moet haar kindertjes opvangen. En dat uithuilen zal ze 's nachts wel in de armen van een vriendje doen.'

'Je denkt toch niet dat ze zich gelijk weer in de armen van een ander stort?'

Nel haalde haar schouders op. 'Het zou me allemaal niets verbazen, ze is zo'n vals, berekenend kreng. Ze vraagt steeds tussen neus en lippen of ik die laptop van Wick al heb gevonden want daar zouden aanwijzingen op kunnen staan. Ik blijf volhouden dat-ie waarschijnlijk ook in vlammen is opgegaan. Eveline doet alles met een reden, en daarom vertrouw ik het niet. Ze zei ook nog dat ze een topadvocaat op Stephans zaak heeft gezet. Zal mij benieuwen of het uit schuldgevoel is of dat ze weer iets van plan is.'

Ik knikte sloom. Opeens viel het kwartje: Eveline briefde deze informatie door aan Nel opdat die met een omweg bij mij terecht zou komen. Ik stond op en pakte een fotolijstje op met een foto van Wick en mij samen.

'Geef me kracht, Wick,' prevelde ik, 'ik heb je nu meer dan ooit nodig.' Zuchtend draaide ik me om. 'Nou, Nel, ik denk dat Eveline jou gebruikt om dingen te weten te komen. Leid haar alsjeblieft om de tuin, dan zal ik Wicks computer eens nakijken!' Op een merkwaardige manier voelde ik me heel strijdlustig worden.

Heel even taxeerde Nel me.

'Goed, doe dat maar. Laten we volgende week weer afspreken, als we het appartement opleveren. Misschien heb ik dan nog meer voor je. Want als mijn zoon is vermoord, loopt de dader nog vrij rond.'

Eveline 19.

Uiteindelijk kwam het allemaal op z'n pootjes terecht. Het was net als met de kredietcrisis: je moest gewoon geduld hebben. Het was zonde dat Stephan door de fiscus werd opgehangen, maar hij was nu eenmaal de katvanger. Stephan zweeg in alle talen. Op het nieuws zag Eveline hoe de Range Rover en de Bugatti van Stephan op een trailer werden geladen, zijn huis in de openbare verkoop werd gezet en zijn zeilboot uit het water werd gehaald. Dat moest hem aan het hart gaan, dat jacht was zijn lust en zijn leven. De pers smulde ervan en toonde allerlei foto's en fragmenten van party's waar hij het breed liet hangen. Een oud interview met hem uit *Business Class* van Harry Mens werd ook weer uit de kast gehaald. Smit Makelaars & Projectontwikkeling was in december nog een van de hoofdsponsoren van de Miljonair Fair geweest; zo snel kon het gaan, had de presentator smalend gezegd. Hij vervolgde dat de FIOD-ECD invallen had gedaan in Stephans kantoor en beslag had gelegd op de boekhouding, het kantoor en zijn huis omdat de opsporingsdienst meende dat slechts een gedeelte van het geld van de investeerders in nieuwbouwprojecten was gestoken en dat hij zich met de rest in luxe had gedompeld. Bovendien werd hij beschuldigd van witwaspraktijken voor zijn beste vriend, de onlangs zwaar verwonde ICT-tycoon Rutger van A. van Expertise International. De kale presentator eindigde met een hooghartig lachje. 'Stephan S. zit voorlopig in hechtenis.' Puur volksvermaak.

Zuchtend pakte Eveline de afstandsbediening en veranderde van tv-kanaal. De door haar ingehuurde topadvocaat moest Stephan redden en de goede naam van Expertise International zuiveren. Eveline had de advocaat opdracht gegeven zo snel mogelijk vrijspraak te eisen. Als dat opgelost was kon Stephan haar helpen bij het draaiende houden van de zaak. Er was nu een interim-manager benoemd, maar Eveline wilde dat het bedrijf bestuurd werd door iemand met wie ze verder wilde in het leven en die ze kon vertrouwen. Althans, die ze dacht te kunnen vertrouwen, zeker nu hij wist hoe ver haar macht reikte. Stephan had stilzwijgend met haar plannen ingestemd toen ze hem in de gevangenis bezocht. Het was een kwestie van tijd en dan zou hij zich bij de loop der dingen neerleggen.

Wie zich brandt moet op de blaren zitten, dat wist Eveline. De politie had haar twee keer verhoord, maar haar niet in hechtenis genomen. Elke dag was opnieuw een waarop ze ontmaskerd kon worden, waarop iemand met zijn vingertje zou kunnen wijzen: zij heeft het gedaan. Daarom hield ze zich koest, als een konijntje in z'n holletje.

Het dagelijkse leven ging door. Het gaf afleiding om de kinderen te verzorgen en te bemoederen. Stichting Teddybeer gaf haar genoeg houvast en een goed gevoel. Ze speelde de rol van bezorgde echtgenote met verve.

Ze bezocht Rutger elke dag. Voor ze de kamer kon betreden, moest ze zich wassen, haar sieraden afdoen en door een sluis lopen, waar ze een steriele mantel om kreeg en hoesjes over haar schoenen.

Eerst vroeg ze de verpleegster of de dienstdoende arts hoe Rutger de nacht had doorgebracht, en dan begon het wachten. Urenlang zat ze naast zijn bed, soms lezend, soms dommelend. Ze luisterde naar zijn ademhaling en recapituleerde het scenario van het ongeluk keer op keer. Had iemand haar die middag gezien, of had Roos haar zien liggen in de struiken? Het was een kwelling die haar in zijn greep hield. Ze had het nooit mogen doen, ze had in haar wanhoop nooit dit plan moeten uitvoeren. Ze had beter kunnen scheiden, een nieuw leven kunnen beginnen en haar kinderen kunnen opvoeden. Maar daar lag het cruciale punt: ze had de voogdij over haar kinderen kunnen verliezen. Dat was niet te verteren, ze vocht als een leeuwin voor haar kinderen. En de omstandigheden waren veranderd, ze zorgde nu heel goed voor haar kinderen. Met aandacht en liefde, ook al beweerde Rutger anders.

Rutger bewoog en zuchtte diep. Eveline keek nauwlettend naar de monitor, ze zag een regelmatige streep.

Een verpleegster nam zijn polsdruk op en glimlachte. 'Ik denk dat de heer van Amerongen gebadderd wil worden.' Eveline knikte stuurs. 'Helpt u mee?'

Dit was de grootste kwelling: de stinkende wonden van haar echtgenoot wassen. De hydratherapie was belangrijk voor het herstel van zijn huid. Als de wonden van Rutger goed genazen, zouden er geen huidtransplantaties nodig zijn, alleen plastische chirurgie op zijn gezicht. Om het risico op infecties zo klein mogelijk te houden, werden de wonden van Rutger elke dag verschoond. Deppen, bandages vervangen, zalven. De geur was afschuwelijk en de verschroeide huid zag er vreselijk uit, maar Eveline deed het. Want ze wilde weten wat er in hem omging en er als eerste bij zijn als hij bijkwam.

Na weken kregen de artsen een beter beeld van zijn verwondingen, Rutger genas goed. Zijn rechterkant was verbrand. Zijn gehoor was waarschijnlijk niet beschadigd, maar het was nog maar de vraag of hij met zijn rechteroog kon zien. Er was een grote kans dat zijn stembanden beschadigd waren door de rook. Rutger werd met morfine gecedeerd zodat hij pijnvrij kon genezen. Hij kreeg sondevoeding en elke dag een uitgebreide wondbehandeling; wanneer ze de verbanden verwisselden, kon Eveline zien hoe vervormd Rutgers gezicht was, als van een gesmolten plastic etalagepop.

Als zijn herstel zo voorspoedig bleef verlopen, zouden de artsen hem volgende week uit de kunstmatige coma halen, en een team van hygiënisten, psychologen en plastische chirurgen stond klaar om hem verder te behandelen. Het goede nieuws was dat Rutger zou blijven leven, maar zijn leven zou er totaal anders uitzien.

Op een onbewaakt moment had ze de heer van Boxtel, de behandelende arts, achteloos gevraagd wat slachtoffers zich later nog konden herinneren van een dergelijk voorval. De arts had haar verteld dat slachtoffers van brand het ongeluk heel bewust beleven. Juist omdat de pijn zo overweldigend is, zijn ze volslagen bij hun bewustzijn. De meesten kunnen zich praktisch alles van het ongeluk feilloos herinneren, geen detail ontgaat ze omdat hun bewustzijn tijdelijk in de hoogste staat van paraatheid is gebracht. Pas na de gebeurtenis verliezen ze vaak het bewustzijn. Het hing natuurlijk ook van de omstandigheden af: of er in de gesloten ruimte veel giftige stoffen waren vrijgekomen en of Rutger er een inhalatietrauma of een neurologische beperking aan had overgehouden.

Eveline vreesde het ergste. Niet zozeer voor Rutger, maar voor zichzelf.

Het verplegend personeel leefde met haar mee en de politie geloofde haar, ze had een ijzersterk alibi. Haar zus Lisa Marie had de politie meerdere malen verteld dat ze die avond met Eveline en de kinderen gebraden kippetjes hadden gegeten en vervolgens een filmpje hadden gekeken, *Shrek 4*.

Roos 20.

'Mama, zitten er in frikadellen echt koeienogen?' Ik staarde Luna aan alsof ik haar voor het eerst zag. 'Want Tim zegt dat er in frikadellen koeienogen en varkensuiers zitten.'

Mijn ogen prikten, ik legde mijn ene hand op Luna's armpje en pakte met de andere de Roosvicee.

'Dat is niet waar, liefje,' mompelde ik.

'Wat zit er dan in frikadellen, mama?' vroeg ze en ze nam nog wat mayonaise.

'Weet ik niet, afvalvlees geloof ik...'

'Uit de vuilnisbak?' Luna keek me met grote ogen aan. Ik was opeens moe en leunde achterover. 'Waarom zien we Tim eigenlijk nooit meer?'

'Tim woont bij zijn moeder in Brussel tot zijn vader vrijkomt.'

Ik haalde mijn schouders op, Stephan zat inmiddels drie maanden in hechtenis, drie maanden van onzekerheid en verdriet. Ik zag hem langzaam veranderen in een stille, verslagen man.

'Blijft Stephan voor altijd in de gevangenis?' vroeg Luna, haar helblauwe ogen prikten dwars door me heen.

'Nee, hoor,' stamelde ik, 'nog een paar maanden en dan is hij weer vrij.'

'Wanneer dan?'

Weer haalde ik mijn schouders op. 'Op twintig augustus.'

'Dan pas?' Ze stak het laatste patatje in de mayonaise. Ik knikte nauwelijks merkbaar. 'En komt Stephan dan weer bij ons wonen?' Ze onderdrukte een boer. 'Ik vond het veel gezelliger om bij Stephan en Tim te wonen.'

Verloren keek ik naar mijn rode wijn en mijn pakje Kent Menthol. 'Ik ook, schat, maar het is niet anders. We moeten geduld hebben.'

Ze stootte bijna haar Roosvicee om. 'Dat zegt de juf ook altijd. Nou, volgens mij is het gewoon een smoesje!' Pepita draaide rondjes om Luna's stoel. 'En we eten bijna elke dag patat of pannenkoeken, daar word zelfs ik zat van!' Ik glimlachte flauw, ze had gelijk. 'Waarom bel je die gevangenismeneer niet dat hij thuis moet komen?'

Nu voelde ik de irritatie opkomen. 'Alsjeblieft, Luna, zeur niet zo. Dit is nu eenmaal de situatie en daar kan ik niets aan veranderen.' Ik ruimde de bordjes op en zag haar mondhoek trillend naar beneden trekken. Ik liet me weer op de stoel zakken. 'Alles komt goed, lieverd, we moeten alleen even door deze moeilijke periode heen. Zal ik anders vragen of Tim zin heeft om een weekendje bij ons te logeren?'

Ze knikte en slikte haar tranen weg. Dapper wijfie. 'Mag dat van die gemene moeder?'

Ik stak een sigaret op en inhaleerde diep. Luna wuifde demonstratief de rook weg. Ik stond op om het keukenraam te openen, en frisse lucht stroomde de keuken in.

'Ik kan het proberen,' mompelde ik, 'en misschien is die moeder van Tim helemaal niet zo gemeen...' Peizend bleef ik staan, ik blies de rook door het keukenraam. 'Misschien kan die moeder van Tim ons wel helpen...'

Luna keek me verwachtingsvol aan. Ik doofde mijn sigaret in de gootsteen en pakte mijn mobieltje. Ik had een lumineus idee. Met een schuin oog op Luna voelde ik opeens weer kracht door mijn lijf stromen. Ik kon hier niet blijven zitten afwachten, ik moest iets doen, 'dapper zijn', zoals Wick dat kon zeggen. Ik gaf Luna een knipoog en zocht het nummer van Aurelie op.

'Ik ga Tims moeder bellen, ga jij maar lekker met Pepita televisie kijken.'

Luna glimlachte opgelucht.

'En gaan we daarna een nieuw spelletje kopen voor mijn DS?'

Lachend schudde ik mijn hoofd, die shopverslaving had ze vast van mij.

Na drie dagen onafgebroken zoeken op Wicks laptop, klapte ik 'm dicht. Tot zover had ik niet bijster veel ontdekkingen gedaan, behalve een aantal dubieuze foto's van internetvriendjes en onzedelijke voorstellen in de mailbox. Zo kwam ik niet veel verder. Ik beet peinzend op mijn nagel. Ik kon niet opgeven, moest blijven zoeken tot de onderste steen boven was. Eigenlijk had Wick het best zakelijk gehouden, in zijn computer stonden voornamelijk briefwisselingen met accountants, het reclamebureau waarmee hij werkte, en met zijn leveranciers. Hij had een indrukwekkende database van klanten en hij had bijgehouden wie hij waar had ontmoet, heel vreemd. Wick was altijd goed in namen en gezichten geweest, maar ik dacht dat het door zijn beroep kwam. Niet dus, ook Wick moest het hebben van ezelsbruggetjes. Ik had gezocht naar Stephan: makelaar – gedreven – succesvol – sympathiek – rokkenjager – twee kids – valt best mee.

Vreemd, Wick wist donders goed dat Stephan alleen Tim had. En bij Eveline stond: classic beauty – achterdochtig – onzeker – neuroot – vals doortrapt kreng – vier kids. Rutger: mr. Business – liefdeloos – ambitieus – identiteitscrisis – more and more – hoerenloper – drie kids.

Tot zover klopte het allemaal redelijk, maar ik had het idee dat er meer moest zijn. Of Wick had het slim opgeborgen, of hier eindigde mijn speurwerk. Er was geen enkele mail aan of van Rutger, terwijl hij met hem toch had afgesproken. Dat gold ook voor Wicks telefoon: er was geen contact tussen die twee geweest. Ik vond het sowieso onverklaarbaar dat Wick zijn iPhone thuis had laten liggen. Hij had een dag voor het ongeluk wel een mailtje naar Eveline gestuurd: 'Xie je snel, ik zal proberen met die vent van je te babbelen, maar ik beloof niets!' Het mailverkeer daarvoor was openhartig geweest – van Evelines kant, dan. Dat ze van Rutger af wilde, dat hij stelselmatig naar de hoeren ging, dat hij werd gechanteerd met foto's. Dat was voor Eef de druppel en als die publiciteit naar buiten zou komen, zou ze direct van hem scheiden. Wick mailde vooral dat ze rustig moest blijven, haar koppie moest gebruiken en dat hij nog wel een keer met Rutger zou gaan praten. Toch stonden er geen verwijzingen naar zijn vermeende liefde voor Rutger, waarvan de politie dacht dat het de reden was voor diens aanwezigheid in de caravan die avond. Of was het feit dat hij nog een keer met hem zou gaan praten al genoeg?

Ik schoof de laptop weg en stond op. Wick had niets met Rutger, wat een onzin. Ik moest op mijn intuïtie vertrouwen, dat had Wick altijd gezegd. Niet voor niets was ik wakker geworden in de nacht dat Wick en Rutger in levensgevaar verkeerden. Niet voor niets was ik er direct naartoe gereden. Ik voelde precies dat er iets aan de hand was, maar kon mijn vinger er nog niet op leggen. In het mailverkeer stonden allemaal losse flarden, ik kon er geen touw aan vastknopen. Het feit dat Rutger de scheiding wilde aanvragen, klopte niet. Althans: het verbaasde me niet, maar ik vroeg me af of het verband hield met de moord. Want dat het moord was, bleef maar door mijn hoofd spoken, ook al had het politieonderzoek niets concreets opgeleverd. Logisch, want de caravan was ontploft en tot op het karkas afgebrand. Het was een ongelooflijk wonder dat Rutger nog leefde.

Volgens Stephan ging het beter met hem, binnenkort zouden ze hem uit zijn kunstmatige coma bijbrengen en dan kon de revalidatie beginnen. Misschien moest ik eens bij hem langsgaan. Maar eerst zou ik in het diepste geheim met Aurelie praten, ik wilde haar kant van het verhaal wel eens horen. Ik liep het risico dat ze me dingen zou vertellen die ik liever niet wilde horen, maar voor Wick had ik het over. Voor Wick en vooral voor mijn eigen gemoedsrust.

Ik keek op mijn horloge, de Daytona die van Wick was geweest. Het getik was vertrouwd en zo had ik hem toch een beetje bij me. Ik moest me klaarmaken voor het afscheid van Wicks appartement. Nel had nog een aantal weken extra nodig gehad om alles af te ronden, maar nu was de flat leeg en wij zouden samen nog een laatste keer gaan kijken en ritueel de deur sluiten. Vrijdag zouden we Tim ophalen in België, en maandag zou ik weer aan de slag gaan bij Woonnet Rijnmond. Gelukkig wilden ze me terug, graag zelfs. Zo was het cirkeltje rond: terug naar af, eigenlijk.

Eveline 20.

Degene die Eveline echt zorgen baarde en slapeloze nachten bezorgde, naast Rutger, was Roos. Ze had haar op Wicks begrafenis gezien, maar Roos was niet met de gebruikelijke compassie op haar af gelopen en haar blik was afstandelijk geweest. Eveline hield haar vijanden liever dicht bij zich, maar Roos keerde zich van haar af. Eveline wist dat ze het moest loslaten maar dat was moeilijk; ze kon het niet gebruiken dat Roos ging spitten. Stephan was natuurlijk een goede bliksemafleider; Eveline had van haar privédetective gehoord dat ze hem regelmatig bezocht en hem een verse maaltijd bracht omdat het eten in de gevangenis van Rotterdam niet zo denderend was. Ze hield haar rivale in de gaten.

'Dus het is mogelijk?' ongeduldig hield Eveline de telefoon van haar oor af. Die verdomde Belg sprak razendsnel in een Antwerps accent zonder echt iets te zeggen. Het irriteerde haar mateloos, haar gedachten vlogen alle kanten op.

'Luister,' onderbrak ze hem, 'ik hoef alleen maar te weten of het kan en wanneer je die actie dan gaat ondernemen.' Ze luisterde naar het antwoord, keek in haar agenda en knikte instemmend. Toen zag ze de weerkaatsing van haar spiegelbeeld in de donkere ruit en schrok. IJverig bladerde ze in haar adressenboekje en wipte de L op met haar nagel. Ze moest dringend een afspraak maken bij Leco, ze had een uitgroei van zeker drie centimeter. Kon ze hem gelijk uitnodigen voor het gala van de stichting.

Ze was druk bezig alles te organiseren en iedereen warm te maken voor hét event van het jaar. Zaterdag 10 september zou een perfecte datum zijn; iedereen was dan terug van de zomervakantie en klaar om weer in the picture te staan. Hopelijk was Rutger dan ook een beetje op de been, hoewel het er volgens de dokters nog niet rooskleurig uitzag. Hij was uit zijn kunstmatige coma gehaald, maar was nog verdoofd van de morfine en andere medicatie. Een team van therapeuten en psychologen had geconstateerd dat hij nog steeds in shock was.

Die middag had ze weer uren aan zijn bed gezeten, en de geur zat nog steeds in haar neus. Apatisch lag hij haar aan te staren en hij viel met tussenpozen in slaap. Dan kermde hij en kreunde met diepe uithalen. Voor zover de arts kon beoordelen, was hij een deel van zijn spraakvermogen kwijt en had hij tijdens het ongeluk een lichte hersenbloeding gehad. Mentaal zou Rutger nooit meer de oude worden en dat stelde Eveline gerust. Nu kon ze met verve de weduwe spelen en hem met liefde en aandacht verzorgen. Rutger was geen gevaar meer, hij was slechts een kasplantje. Stroken huid kwamen eraf tijdens zijn hydrotherapie, maar ze dwong zichzelf erbij te zijn als de drukverbanden werden verwisseld.

In de verte hoorde ze de stem van de privédetective weer en zuchtte. 'Luister, Rembert, hoe moeilijk kan het zijn?' Ze zei het poeslief maar met een venijnige ondertoon.

'Eind deze week gaat Roos met Wicks moeder naar zijn oude appartement, en jij laat je mannen gewoon haar PC of laptop uit haar huis halen. Hoe moeilijk kon dat zijn? Ze woont in een fucking rijtjeshuis!'

Moedeloos luisterde ze naar zijn argument dat juist in een woonwijk met rijtjeshuizen de sociale controle heel groot was.

Ze streek een lok naar achteren. 'Dan geef ik je één tip, Einstein: rijd in elk geval niet met een busje met Belgisch kenteken die straat in, maar regel een busje van de Eneco of zo, met een paar monteurs die de meterstand komen opnemen. Je laat zo min mogelijk sporen na en hoogstwaarschijnlijk staat die computer of laptop in haar slaapkamer, op de keukentafel, onder de bank of in het vriesvak. Voor meer ideeën raad ik je aan eens naar een aflevering van *CSI* te kijken. Of naar *Baantjer*, voor mijn part.' Ze hoorde de Belg haperen en reageerde geagiteerd: 'Ben ik nou zo slim of ben jij zo dom?'

Ze wachtte het antwoord niet af, en keek weer naar de reflectie van haar spiegelbeeld in het raam. 'Het maakt verdomme niet uit waar Roos op dat moment is, die moet dat appartement van Wick opleveren en daar zal ze wel even zoet mee zijn. Dat gedeelte hoef jij niet te regelen, Einstein, dat doen vriendjes van Tygo.' Het irriteerde haar dat hij over een afleidingsmanoeuvre sprak en onderbrak hem rap. 'Goed, Rembert, ik snap het al. Ik geef je vijftienduizend euro meer, maar dan heb ik zaterdag die laptop.'

Die lui waren allemaal hetzelfde, het ging om geld en niets anders. Ze hing op zonder te groeten en scrolde snel naar het nummer van Tygo.

'Tygo, lieverd! Kom je heel snel hetzelfde recept brengen? Dank je, schat, ik heb het even nodig. Een spoedje, ja.' Kwaad smeet ze haar iPhone op het bureau. Het spel ging nu echt beginnen.

Roos 21.

Luna had ik naar haar vader Roland gebracht in Leiderdorp, en ik voelde me misselijk; het moment kwam steeds dichterbij. Het liefst was ik onder de dekens gekropen maar ik moest dit doen, Wicks moeder had me hard nodig. Ik haalde Nel op in haar flat en in de auto spraken we weinig, het verdriet was tastbaar. Het druilerige weer werkte ook niet mee en zwijgend parkeerde ik mijn Peugeot op de parkeerplaats. Ik voelde me unheimisch, alsof iemand me in de gaten hield. Met een bonzend hart drukte ik op de knop in de lift. Elke stap, elke beweging was de laatste keer. Mijn keel werd dichtgedrukt en zo te zien voelde Nel hetzelfde. Ik pakte haar hand en haar blik ving de mijne. Ik kreeg een brok in mijn keel.

De lift zoefde omhoog en het viel me op hoe schemerig het was op de slecht verlichte gang. Nel opende de voordeur en ik schrok van de leegte in de flat; opeens kwam die dreigend op me over. Dit was Wicks huis niet meer. Stil inspecteerden we de ruimtes en ik maakte terloops een opmerking over de gordijnen die ze had laten hangen. Alsof het ertoe deed. Naarmate de minuten verstreken werd ik nerveuzer.

'Ik... ik heb een naar gevoel, Roos.'

Ik slikte, pakte haar beide handen en kneep er zachtjes in.

'Niet doen, Nellie, we moeten ons op de toekomst richten.' Ze schudde haar hoofd en keek naar beneden. Ik zag dat haar rode haar dunner begon te worden, vroeger kamde Wick het altijd zo mooi op.

Toen keek ze me ineens recht aan. 'Geloof me, Roos, dit is niet koosjer...' Ik wachtte af, wilde het moment niet verstoren. 'Er zijn dingen gebeurd die het daglicht niet kunnen verdragen, dat voel ik gewoon.' Ze haperde. 'En Wick wil me dat duidelijk maken.' Ze slikte, ik zag de tranen in haar ogen. 'Ik mis hem zo, ik kán niet meer...' Huilend viel ze in mijn armen en ik voelde hoeveel ze was afgevallen.

'Zeg nou geen rare dingen, Nellie.' Ik probeerde haar gerust te stellen maar ze schudde haar hoofd.

'Hij was mijn kind, alles wat ik had.' De tranen rolden over mijn wangen, het was zo oneerlijk. Mijn keel brandde en ik voelde me zo machteloos. Niet alleen door het plotselinge verlies maar ook door de manier waarop. Wick had geen vijanden, iedereen mocht Wick dolgraag. Of vergiste ik me?

Over het algemeen liet mijn intuïtie me niet in de steek en ik had mijn vermoedens, die ik bezig was te onderzoeken. Het gesprek met Aurelie, de moeder van Tim, was verhelderend geweest. Opeens kreeg ik een idee. Ik tuurde door het raam naar buiten, het was bijna donker. Ik voelde de aanwezigheid van Wick heel sterk, hij was bijna tastbaar.

'Blijf je een poosje bij mij logeren?' vroeg ik zacht aan Nel.

Ze haalde haar schouders op. 'Ach, kind, ik wil jullie niet tot last zijn. Ik ben op van de zenuwen, ik kan niet goed slapen en ik zie overal spoken... De telefoon gaat 's nachts, er wordt niets gezegd en weer opgehangen.'

'Waarom heb je me dat niet verteld?' fluisterde ik.

Ze wuifde het weg. 'Nou ja, jij hebt je eigen verdriet en dat gedoe met Stephan.'

'Maar nu ben ik er en nu moet je me vertellen wat er allemaal is gebeurd.' Ik hield haar een stukje op afstand en keek naar haar ingevallen gezicht. 'Ik heb je nodig, Nel.'

Ze perste er een glimlachje uit.

'Weet je wat? We gaan naar mijn huis, er hangt hier nog zo veel verdriet, hier kunnen we niet praten. Het zou me juist helpen als je bij mij in huis komt. Ik zit nog met zo veel vragen, zo veel gedachten en de enige aan wie ik die durf toe te vertrouwen, ben jij. Misschien kun je me helpen...' Peinzend keek ze me aan, ze aarzelde. 'Jij blijft gewoon net zo lang bij ons tot je een beetje bent bijgekomen.'

Ik drukte haar stevig tegen me aan. 'Arme Nel!' Ik hoorde haar opgelucht ademhalen en zag een klein beetje licht in haar ogen.

'Hier,' zei ze en ze gaf me een envelop. 'Hier heb je het allerlaatste aandenken van Wick.'

'Wat is dat?' mompelde ik.

'Een USB-stick, of zo,' zei Nel, 'tenminste, dat schreef hij.' Vragend keek ik haar aan. 'Hij schreef dat ik het aan jou moest geven en dat jij er heel voorzichtig mee om moest gaan. Ik durf het niet langer thuis te houden, ik ben bang...' Haar mond vertrok tot een smalle streep.

'Waar heb je dit gevonden?'

Ze schudde haar hoofd. 'Dit heb ik niet gevonden, dit heeft Wick me gestuurd in zo'n bubbeltjesenvelop. Een dag na zijn overlijden belde de postbode bij me aan met een aangetekende brief. Wick had die op de dag van zijn overlijden gestuurd. Ik dacht dat ik niet goed werd! Toen de postbode weg was, heb ik zeker twee uur in de hal op de grond gezeten, huilend als een klein kind. Wick schreef in een kort briefje dat ik deze USB-stick aan jou moest geven omdat hier bewijs op stond, voor het geval je hem niet op zijn woord wilde geloven. En dat hij zielsveel van me hield en dat altijd zal blijven doen...' Ze begon zo heftig te snikken dat ze ervan schokte.

Sprakeloos keek ik haar aan, mijn nekharen stonden overeind. 'Dus... dus je had dit al die tijd al bij je?'

Ze knikte met haar hoofd naar beneden gebogen. 'Ik weet het ook niet, misschien was ik wel bang voor de waarheid. God, Roos, ik weet het ook niet meer. Ik ben helemaal confuus. Echt, kind, ik ben zo bang...'

Ik omhelsde Nel en wreef over haar rug tot ze een beetje bedaarde.

'Waar ben je nog zo bang voor dan?' fluisterde ik.

Nel stootte een diepe zucht uit. Ondanks het diffuse licht kon ik zien dat haar ogen roodomrand waren. 'Ik heb het gevoel dat het nog niet voorbij is.' Ze haperde en zocht naar woorden. Ik zag hoeveel moeite het haar koste, ze stond te trillen van de emoties. Uiteindelijk keek ze me recht aan, ik schrok van de felheid waarmee haar ogen ineens oplichtten.

'Roos, het hele zaakje stinkt, Wick wist meer dan jij en ik denken. En toen ik die brief kreeg... was het net een boodschap van boven.'

'Misschien heb je gelijk, Nel, misschien heb je gelijk. Ik ga het uitzoeken en daar heb ik jouw hulp hard bij nodig.'

Ze knikte. Ik liet de envelop met de USB-stick in de zak van mijn spijkerbroek glijden en glimlachte bemoedigend.

'Ben je klaar om te gaan?' vroeg ik na een kwartiertje.

Nel zuchtte diep. 'Het moet maar.'

Ik gaf haar een arm. 'Kom op, Nel, laten wij voor Wick alsjeblieft nog wat van ons leven maken!'

Ze schonk me een mager glimlachje.

'Vooruit dan maar.'

Voorzichtig sloot ik de deur en draaide de sleutel om. De laatste keer, het was nu definitief. Ik hoorde aan Nels ademhaling dat ook zij er heel veel moeite mee had. Ik keek naar de kleine, magere vrouw en besefte hoe donker het was toen we de hal in liepen naar de lift. Ik drukte op de knop en keek om me heen. Wick deelde de verdieping met nog twee bewoners. Een Surinaamse man die we weinig zagen, en stewardess Kiki die veel en onregelmatig de wereld over reisde.

De lift kwam eraan en de deur ging langzaam open. Ik knipperde tegen het felle licht en zag twee grote mannen dreigend voor ons staan. Ze droegen zwarte kleding met donkere bivakmutsen, en hadden een herdershond bij zich die wild begon te blaffen en aan de riem trok. We deden tegelijk een stap achteruit, en mijn hart bonkte wild.

De grootste man met de blaffende hond liep dreigend op ons af terwijl zijn handlanger de liftdeur klemzette met een koevoet. Ze ons moesten hebben, dat was duidelijk. Ik verstijfde toen beide mannen onheilspellend op ons af liepen en ons razendsnel bij de arm pakten. Het ging zo vlug dat ik geen tijd had om te schreeuwen. De grootste man pakte Nel en duwde haar bruut tegen de muur. Zijn handlanger draaide mijn arm op mijn rug en trok me tegen zich aan.

'Wat willen jullie?!' schreeuwde ik.

Ik zag de donkere ogen van mijn belager en schrok, dit was een blik van onverschrokken overmoed. 'Kop houden!' schreeuwde hij met een vreemd accent. 'Kop houden!' Hij sloeg me in mijn gezicht en mijn kaak gloeide van de pijn. 'Kijk maar goed naar jouw omaatje!'

Hij sloot mijn mond hardhandig met zijn handschoen af en angstig keek ik naar de muur. De grote vent haalde uit met zijn rechterarm en Nel schreeuwde. Hij sloeg haar met al zijn kracht tegen haar hoofd en ze zakte door haar knieën. Toen pakte hij haar tas af en draaide zich om. Mijn belager gooide me op de grond en ik voelde iets in mijn voet verdraaien.

'Pak die tas!' schreeuwde zijn handlanger. Hij smeet me nog een keer hardhandig tegen de muur, en ook ik zakte door mijn benen. Toen schopte hij nog een keer in mijn buik, pakte het lange hengsel van mijn tas die altijd schuin over mijn schouder hing, en rukte met grof geweld de tas van mijn lijf. Minachtend stapte hij over me heen.

Ik proefde bloed en keek naar Nel. Die lag kermend op de grond, ik zag een wond op de plek van haar slaap. Mijn hart pompte als op hol geslagen mijn bloed rond. Dreigend kwam de grootste vent gehurkt voor me zitten.

'Ik hoop dat de boodschap duidelijk is, mevrouw.'

De andere crimineel lachte en trok de koevoet los. 'Jij nu weten wie hier der baas ist!' sprak hij met zijn blikkerige accent. Ze lachten hard, stapten de lift in en zoefden naar beneden.

'Ik hoorde dat jullie de flat van Wick hebben afgesloten.'

Ik had politieagente Natasja van Kerkstee en haar collega binnengelaten.

'En we komen nog even langs om te vragen of jullie iets hebben gevonden of opgemerkt.'

Stuurs keek ik naar het gezicht van de agenten. Ik sloeg mijn armen over elkaar. 'Dat kondigde je al aan over de telefoon, ja,' zei ik mat.

'En?' Hoopvol keek ze me aan.

Ik leunde tegen het aanrecht en bood ze geen koffie aan. 'Niets, nakko, nada.' Ik hoorde de klok tikken.

'Ook geen laptop?'

Spijtig schudde ik mijn hoofd. 'Nee, waarschijnlijk in vlammen opgegaan...'

Ze observeerde me, en geloofde er kennelijk niets van. Ze zocht een andere ingang. 'Maar heb je verder geen enkele aanwijzing? Is je niets bijzonders opgevallen? Ik bedoel, jij was toch zijn beste vriendin, een vertrouwenspersoon om het zo te zeggen?'

Ik keek naar mijn nagels. 'Nee.' Ik zei het hard en ferm.

Ze haalde haar schouders op. 'Dan moet je het zelf maar weten.' Ze klapte haar map dicht. 'Maar als ik een opsomming maak, is het voor mij duidelijk, hoor. Op een paar ontbrekende puzzelstukjes na.' Ze probeerde me uit de tent te lokken.

'Maar je hebt geen bewijzen, hè?!'

Ze knikte aarzelend.

'Geen keiharde bewijzen, nee.'

Ik stond op. 'En die moet je toch hebben, anders begin je niks, tenzij je Peter R. de Vries heet. En dan nog. Ook mister de Vries met of zonder snor krijgt de grootste criminelen niet achter slot en grendel.' Natasja zuchtte maar ik was nog niet klaar. 'Nee hoor, in dit land weten ze je wel te vinden voor belastingontduiking en word je in hechtenis genomen voor vermeende fraude, maar als er iemand is vermoord – of in vlammen is opgegaan – wordt het onderzoek gestaakt wegens gebrek aan harde bewijzen. Dat klopt toch niet?' Ik voelde mijn ogen prikken.

Natasja dacht na. 'Misschien gaat Rutger ooit praten,' mompelde ze voor zich uit.

Ik haalde mijn schouders op. 'Schei toch uit, alsjeblieft. Voor hem staat er net zo veel op het spel.'

'Weet je niet,' diende Natasja me van repliek, 'misschien is hij wel uit zijn droom geholpen.'

Ik nam een slok Red Bull en haalde mijn schouders op. Ik had mijn lesje geleerd, ik zei niets meer, alles kon tegen me gebruikt worden. Vriendelijk glimlachend begeleidde ik de agentes naar de deur, hoewel mijn hart tekeerging.

'Je weet me te vinden, hè, als je iets te binnen schiet,' zei Natasja ironisch.

'Natuurlijk,' zei ik, 'geen probleem.' Ik bleef in de deuropening staan tot ze de straat uit was, en voelde mijn hartslag zakken. Ik wachtte mijn kans wel af.

Eveline 21.

Uiteindelijk komt alles goed, dat was Evelines mantra in het afgelopen half jaar geweest. En zoals ze vroeger amper kon geloven wat voor fijne wending haar leven had genomen nadat ze haar vader had vermoord, zo durfde ze nu bijna niet te geloven hoe voorspoedig alles verliep wat de afwikkeling van de zaken rondom Rutgers ongeluk betrof. De politie had het dossier afgesloten, zíj had de laptop van Wick en Roos had nooit aangifte gedaan van diefstal of bedreiging. Waarschijnlijk was de boodschap duidelijk: Eveline liet niet met zich sollen. De privédetective had Roos' mobiel doorzocht en geen bijzonderheden gevonden. Het was goed zo.

De enige manier om dingen te verwerken was de knop omzetten, wist Eveline. Verder met het leven. Dus stortte ze zich op het werk: het organiseren van het gala, het overleg met de advocaten om het alles netjes te regelen; en dan was er natuurlijk nog Stichting Teddybeer. Eveline zorgde voor een strakke planning en organisatie en hield haar hoofd erbij. Geen uitspattingen, geen confrontaties of energieverspilling; ze werkte met precisie.

Langzaam dwarrelde het stof weer neer. Haar strakke agenda deed niet onder voor de planning van Neelie Kroes. Er was geen ruimte om lang na te denken over privézaken en Eveline voelde zich daar beter bij.

Het bedrijf van Rutger werd voor 220 miljoen euro verkocht aan zijn grootste concurrent Digital. Ze had het Rutger niet verteld omdat ze niet wist of het tot hem door zou dringen. Zijn herstel verliep langzaam, Rutger kon na de hersenbloedingen amper praten of zich uitdrukken. Hij was een kasplantje en zou waarschijnlijk nooit meer thuis kunnen wonen. Een week geleden had ze voor het eerst de kinderen meegenomen naar het ziekenhuis. Het was een emotioneel weerzien en ze zag een kleine opleving in zijn ogen.

Met de opbrengst van de verkoop van het bedrijf kon ze Stephan helpen zijn naam te zuiveren. Zakelijk koppelden ze de bedrijven los en betaalden de schuldeisers terug. Met de fiscus werd een regeling getroffen en het zou nog maar een paar maanden duren voor Stephan vrijkwam. Eveline bezocht hem een keer in de week. Over romantische gevoelens durfde ze het aanvankelijk niet te hebben, tot hij haar vertelde dat hij op 20 augustus vrij zou komen en toen vroeg of ze die heugelijke dag met hem wilde vieren in hotel De Witte Lely in Antwerpen. Om haar te bedanken voor haar loyaliteit en diensten, had hij er met een ondeugend glimlachje aan toegevoegd. Eveline liep de weken daarna op wolkjes. Telkens als ze aan die lichte sprankeling in zijn ogen dacht, fladderden er vlinders in haar buik.

Het geld van de verkoop van Expertise International had Eveline na aftrek van belasting en afkoopsommen voor schuldeisers, in een fonds voor de Stichting Teddybeer gestopt. Elk jaar zou een gedeelte van de rente de kosten van de stichting kunnen dekken. Ze had het grote huis te koop gezet en een gezellige boerderij aan de rand van Brasschaat gekocht, met vier slaapkamers en een grote woonkeuken; groot genoeg voor het gezin, en hier had ze tenminste geen batterij personeel nodig. De huizen in Saint-Tropez en Verbier had ze verkocht; er kleefden te veel herinneringen aan en Eveline had juist zin in een nieuw leven, om de wereld opnieuw te ontdekken. Ze had genoeg sisyfusarbeid verricht.

Eveline wilde opnieuw beginnen, met een carte blanche.

Roos 22.

Tijdens de overval in het trappenhuis van Wicks appartement had ik een verstuikte enkel opgelopen. Maar dat was alleen erg omdat ik nu niet kon hardlopen om mijn gedachten te verzetten. Het was veel erger dat ze diezelfde dag in mijn huis waren geweest. Ik rook het al voor ik het zag. Alles was met uiterste precisie doorgespit. Ook al lag mijn ondergoed in een bundeltje in de lade, het lag er nu anders, zonder tastbaar bewijs. Het laatje van de wandtafel was niet goed gesloten omdat-ie klemde; een kwestie van millimeters, maar ik zag het. De gordijnen hingen iets meer naar rechts en een stapel tijdschriften was haastig teruggelegd. In de keuken leek alles op z'n plaats te staan, maar ik zag dat ze door mijn snoeplades waren gegaan. Ik opende de koelkast om een glas Crystal Clear te pakken, en zag dat het vriesvak niet goed dichtzat. Ik schrok. Het rode puntje dat wegviel als het deurtje goed gesloten was, keek me waarschuwend aan.

Zo goed en zo kwaad als het ging rende ik de trap op naar Luna's kamertje. Ook haar lades hadden ze doorgespit.

Koortsachtig keek ik in haar Mickey Mouse-kast, maar alles hing nog hetzelfde. Spiedend liep ik door de badkamer en zag de handdoek scheef over de verwarming hangen, en met een angstig voorgevoel liep ik naar mijn slaapkamer. Ik had die ochtend geen zin gehad om de gordijnen open te doen en ik kneep mijn ogen samen tegen de duisternis. De lucht voelde dik aan, verstikkend, en de geur van opgedroogd zweet drong in mijn neus. Mijn dekbed lag nog opengeslagen, de boeken, de *Grazia* en de *Linda.* lagen op de vloer. Op mijn kaptafel lagen de kaarten van het godinnenorakel nog keurig uitgespreid. Mijn adem stokte. Elke avond voor het slapengaan trok ik een kaart voor de volgende dag en mediteerde zoals ik geleerd had. Boven op de stapel lag een kaart met een prachtige afbeelding van een godin Inanna, las ik, met de boodschap: schaduw omhelzen. Vliegensvlug vlogen mijn ogen over de letters. *Aangekomen bij de Onderwereld werd ik bij elk van de zeven poorten zevenmaal ontdaan van alles waarvan ik dacht dat ik het was. Tot ik naakt mijn ware zelf werd. Toen zag ik haar: harig en groot en ze had een leeuwenkop en leeuwenklauwen. Ze verslond alles wat op haar pad kwam. Eresjkigal, mijn zuster, had alles wat ik niet had, verborgen hield of had begraven. Eresjkigal, mijn zuster, mijn schaduw, mijn naakte ik.*

Spiedend keek ik rond, ik voelde een zware energie achter me. Mijn hartslag schoot omhoog, alsof ik wist wat er ging komen. Mijn oren begonnen te suizen, misselijkheid overviel me.

Beneden hoorde ik Nel de deur opendoen en met iemand praten. 'Dank u wel, hoor!' zei ze voor ze de deur sloot. Als in trance liep ik naar de gordijnen en schoof ze met een ruk open. De verlaten speeltuin aan de overkant zag er troosteloos uit in het miezerige weer. Ik draaide me tergend langzaam om, stofdeeltjes joegen voor me uit in het lamplicht. Ik slikte weer. Het begon tot me door te dringen wat er mis was. De spijkerbroek die ik gisteravond op de poef voor mijn bed had gegooid, lag anders. De wasmand ernaast stond scheef. Met ingehouden adem veegde ik met één beweging de stapel kleding van de poef en haalde de deksel eraf. Jachtig groef ik door de stapels foto's, sjaaltjes en riemen. Maar mijn vingers voelden geen koud plastic. Wicks laptop was weg.

Ik weet niet hoe lang ik naar buiten had zitten staren, maar de stem van Nel drong eindelijk tot me door. 'Roos!' riep ze van beneden. 'Kom je een kopje thee drinken? Ik heb rooibosthee met honing gemaakt, daar hou je toch zo van?'

Met loodzware benen stond ik op en bevend liep ik de trap af, hevig in twijfel of ik dit aan Nel moest vertellen. Het had me heel veel moeite gekost om haar ervan te overtuigen geen aangifte te doen van de overval, ook al waren onze tassen gestolen en waren we letterlijk bruut bedreigd. Want het kon niet anders of Eveline zat hierachter, en we moesten het geduld opbrengen om eerst alles uit te zoeken. Ik moest hard bewijs verzamelen en daar kon ik op dit moment de politie nog niet bij gebruiken. Met een paar telefoontjes had ik onze bankpassen en de telefoons laten blokkeren, en nieuwe besteld met behoud van onze nummers.

Ik dacht terug aan de kaart die ik de vorige avond had getrokken, Inanna, de vrouw met de leeuwenkop. Ik besefte dat ik sterk moest zijn en ik toverde een montere glimlach op mijn gezicht, voor Wick, voor Nel, en liep de woonkamer in.

'Ga lekker zitten, kind,' zei Nel. Ik zag dat ze een schortje droeg.

Dankbaar nam ik de kop thee in ontvangst en keek haar aan. 'Wat denk je, Nel, kun je nog een paar weken blijven? Om de boel draaiende te houden, met Luna en zo?' Vragend keek ze me aan maar ik stak mijn hand op: 'Geen vragen, alleen een ja of nee.'

Ze beet bedenkelijk in een roomboterkoekje. 'Ja,' zei ze toen, 'ja, dat wil ik heel graag. Want als ik hier de boel regel, dan kun jij...'

'Precies,' zei ik, 'precies. Dan kan ik mijn gang gaan.'

Nel gaf me een zware envelop. 'Hier,' zei ze, 'de postbode belde aan omdat dit niet door de brievenbus paste...' Ik scheurde de envelop open en las de uitnodiging op geschept papier.

Stichting Teddybeer Gala
Zaterdag 20 september 2011
In de Laurenskerk in Rotterdam organiseren wij een
uniek fundraising charity gala voor Stichting Teddybeer
Host of the night: Bart Peters
Guests of Honour: Ivo Opstelten en minister Rouvoet
Spetterend optreden van René Froger, Trijntje Oosterhuis
met band, het Gospel Choir uit Nanzuba Sabi en
als special guest: Michael Bublé.
Catering wordt verzorgd door Herman den Blijker van
Engel Catering, en de stukken worden geveild door
mr. Cees Jan van Hoogwinden.
RSVP voor 1 september

De letters waren van zilver en een klein briefje met glitters dwarrelde op de vloer. Met sierlijke letters stond erop geschreven: 'Lieve Roos, ik hoop dat je er op deze voor mij bijzondere avond bij kunt zijn. Ik heb een plaatsje gereserveerd aan mijn tafel en ik hoop dat we positief het nieuwe jaar in kunnen gaan. *After all: we'll still be friends...*' Zwijgend overhandigde ik de uitnodiging en het briefje aan Nel, die het geheel aandachtig bekeek.

'Ik zei het toch, die harteloze trut heeft gewoon haar leven weer opgepakt. Wat heb ik je gezegd: óf ze ligt alweer in de armen van een ander, óf ze heeft een nieuw "projectje".' Ze gaf me de uitnodiging terug alsof het een vies vod was. 'En waarschijnlijk ligt ze in de armen van een ander over d'r "projectje" te praten. Leer mij dat valse kreng kennen. Madame moet zich weer zo nodig profileren op het hoogste niveau.' En toen hoofdschuddend: 'Terwijl míjn kind onder de grond ligt...' Ik pakte haar hand en streelde die zacht. Haar stem klonk schril. 'Altijd moet ze de beste zijn, die Eveline, nooit kan ze normaal doen of haar leven rustig in de anonimiteit doorbrengen.' Nel staarde voor zich uit en mompelde zacht: 'Eveline moet altijd de beste zijn, koste wat het kost.' Stram stond ze op. 'Doe alsjeblieft wat je moet doen, ik hou de boel hier wel draaiende.'

Eveline 22.

Eveline bekeek zichzelf in de badkamerspiegel en pakte haar make-uptasje. Oude mascara's en lipglossjes gooide ze weg en haar vingers zochten automatisch naar het Chinese gelukspoppetje dat ze ooit van Wick had gekregen. Naarstig doorzocht ze het tasje, maar ze kon het niet vinden. Plotseling besefte ze dat ze het had verloren op de avond van de ontploffing. Een huivering kroop langs haar ruggengraat. De herinneringen achtervolgden haar op de meest onwelkome momenten. Dag en nacht. Wicks panische schreeuw achtervolgde haar zodra ze even tot rust kwam. Beelden van het vuur, de ontploffing, fragmenten van ruzies met Rutger, hun eerste kind, hun huwelijk, werkelijk alles spookte door haar hoofd de laatste maanden. Daarom was ze zo blij met afleiding. Ze moest doorgaan, want zodra ze stilstond, verstikten de herinneringen haar. Ze plande haar dagen vol en nam 's nachts een slaapmiddel.

Ze stiftte haar lippen en schoot in de lach. Overdag een paar uppers, 's avonds een paar downers, ze vond het niet eens meer raar. En vanavond ging ze uit eten met een van de leveranciers voor het gala, ze had er zin in. Het was een heerlijk jong ding van dertig en hij deed zijn best de opdracht binnen te halen. Eveline vond alle aandacht geweldig en ze vroeg zich af of ze het nog in zich had. Dagenlang hadden ze al intensief sms-contact en de sms'jes waren steeds erotischer getint.

Bastiaan was een kind van de nieuwe x-generatie, goed gelukt en van rijke ouders. Lichtblauwe huskey-ogen, warrig donkerblond haar en verschrikkelijk lekkere zoenlippen. Goede kleding, hij kwam op de juiste plaatsen en had als model de kost kunnen verdienen als hij niet zo slim was geweest om voor zichzelf te beginnen. Eveline had al vaker gemerkt dat juist jonge mannen haar aandacht schonken. Ze wist dat verwende rijkeluiszoontjes graag weddenschappen afsloten om onbereikbare vrouwen hun bed in te praten. En zij stond hoog op de lijst. Als ze Bastiaan zag, negeerde ze hem stelselmatig terwijl ze voelde hoe de spanning tussen hen broeide. Ze speelde het spel van aantrekken en afstoten, ze genoot ervan. Bastiaan had haar bijna gesmeekt om mee te gaan naar Bo Cinq in Amsterdam.

Ze had hem een sms gestuurd: Als je geluk hebt, ben ik er om 8 uur. Doe wat leuks aan ;-)

Eveline had zin om zich op te tutten, naar een restaurant te rijden en zich onder te dompelen in het feestgedruis, ook al was Bastiaan vijftien jaar jonger. Ze vond dat ze het verdiende, ze zag het als oefenmateriaal voor haar afspraak met Stephan. Want met hem wilde ze eindigen, daarvan was ze overtuigd. In de tussenliggende speeltijd kon ze wel wat afleiding gebruiken.

Ze probeerde van het ritueel van het opmaken te genieten, maar haar handen trilden onophoudelijk, het ging bijna niet. Ze zette bibberig haar ogen aan, bracht blush op en streek lichtbeige gloss op haar lippen. Eveline keek in de spiegel en herkende haar gezicht niet: holle ogen, een uitgeputte uitstraling. Snel pakte ze haar envelopje en snoof een lijntje coke. Nu ging het ineens een stuk beter. Ze belde haar chauffeur, klapte haar tas dicht en liep monter naar beneden. Ze gaf de kinderen, die met haar zus in de woonkamer zaten, allemaal een kus. Suzy riep met haar tandeloze mond dat ze er 'SUPEWWW' uitzag.

Lisa Marie schonk Eveline een warme glimlach. 'Ik weet niet wie het is, maar hij is een geluksvogel,' zei ze met een knipoog. 'Geniet ervan!'

De kinderen kropen behaaglijk dicht tegen haar zus aan op de bank, ze hadden allemaal een schaaltje Ben & Jerry's ijs met Smarties. Eveline voelde zich bijna overbodig.

Het schemerde. De chauffeur zette Eveline af op de Prinsengracht en ze liep zelfverzekerd naar binnen. Ze speurde de lange bar af.

Bastiaan zwaaide en heupwiegend liep Eveline naar hem toe. Er stond al een fles champagne in de koeler klaar en hij groette haar beleefd.

'Mag ik je voorstellen aan Ruben, vriendje van me.'

Eveline keek hem plagend aan. 'Durfde je niet alleen?!'

Glimlachend nam hij een slok. 'Ik durfde wel, maar met ons tweeën zijn we beter.'

Proostend hieven ze het glas, Eveline wist dat Bastiaan het leven begreep.

'Geen dessert voor mij, alstublieft,' zei Eveline. De hand van Ruben lag op haar blote been en Bastiaan schonk nog eens bij. 'Wat gaan we hierna doen?' vroeg ze onschuldig.

'Of we gaan naar Jimmy's, of...' Bastiaan pakte haar hand en drukte er een kus op terwijl hij haar bleef aankijken, '... of zal ik jou eens lekker door de hotelkamer jagen?'

Ze streelde zijn kin. 'Ik dacht dat jullie samen zo veel beter waren?'

Bastiaan gaf haar een knipoog. 'Je hebt aan mij genoeg, baby, *trust me*.'

Eveline had nooit kunnen dromen dat een jonge man haar zo kon beminnen. In Hotel de l'Europe had Bastiaan stoïcijns de grootste suite met jacuzzi geboekt. In de lift hadden ze elkaar al gezoend, onstuimig. Bastiaan trok haar de grote suite in, recht naar de slaapkamer.

'Eerst in bad,' beviel hij en hij liet het grote bad vollopen. Bastiaan ontkleedde haar aandachtig en ze voelde zijn opwinding tegen haar aan.

'Je zoent heerlijk,' fluisterde ze en ze greep hem bij zijn billen. Hij liet zijn baggy spijkerbroek zakken en trok zijn zwarte shirt met v-hals uit. Ze kreunde toen ze zijn gespierde borstkas zag en likte zijn huid. Zo jong nog, hij rook zo fris. Een ondeugende glimlach verscheen op zijn gezicht en hij trok haar het bad in.

'Je hebt zo'n heerlijk lichaam,' kreunde hij en hij legde haar hand op zijn penis. Eveline wist niet wat haar overkwam, zo jong en schuchter als hij in het dagelijks leven overkwam, zo overtuigd van zijn kwaliteiten was hij nu. Ze wist niet of het de champagne was die haar hoofd licht maakte, zijn vingers die haar lichaam overal beroerden of het maandenlange gemis aan seks, maar het leek wel of ze in brand stond. In zijn volle naaktheid stond hij op uit bad en trok haar mee, drijfnat het bed op. Met een zachte handdoek wreef hij haar droog; hij likte haar borsten.

'Wat ben je een heerlijke vrouw, Eef,' zuchtte hij en ze sidderde onder zijn aanrakingen. Hij draaide haar op haar buik en likte haar ruggengraat. Plagend aaide hij haar billen en floot bewonderend. 'Wil je meer, Eef,' vroeg hij zachtjes. 'Of wil je liever dat ik stop?'

Eveline draaide zich om en trok hem aan zijn haren omhoog. 'Neem me,' hijgde ze, 'en neuk me zoals je nog nooit iemand hebt geneukt.'

Ze gingen de hele nacht door, maar om vijf uur belde ze de chauffeur en beval hem haar op te halen, zodat ze thuis zou zijn voor het ontbijt met de kinderen. Ze viel terug in de kussens en beroerde Bastiaans lippen.

'Je was lekker, schatje,' prevelde ze en hij glimlachte met zijn ogen dicht. 'Doen we snel een keer weer, want mijn lijf heeft liefde nodig.' Bastiaan rolde op zijn zij en zijn hoofd leunde op zijn hand.

'Ben ik door de ballotagecommissie?' vroeg hij plagend, en hij liet zijn hand naar beneden zakken. Ze knikte.

'Je bent geslaagd, popje, je zou een pro moeten worden.' Ze viste een pump onder het bed vandaan. 'En voor ik het vergeet: geen hysterische telefoontjes, geen getrek en gezeur, en als we elkaar ergens tegenkomen doen we beleefd: ik bel je wanneer het mij uitkomt.' Hij hielp haar met het haakje van haar bh en zoende haar rug. 'Ik ben nog steeds een getrouwde vrouw, liefje, en dat wens ik ook te blijven. Dus dit zijn de regels, het gaat me puur om de seks.' Ze glimlachte. 'Goede seks.' Hij hield haar borsten nog even vast.

'Je bent een ongelooflijke vrouw, Eveline, een ongelooflijk geil beest.'

Ze hield haar hoofd schuin en kroelde door zijn haar. 'Dit was slechts het begin, schatje, ik ben onverzadigbaar.'

Gelukzalig liet hij zich achterovervallen. 'Heb ik dan ook de opdracht?!'

Eveline zocht haar kleren, ze moest nu opschieten. Ze liet haar zijden jurkje over haar hoofd glijden en keek hem schalks aan.

'Jij hebt de opdracht binnen, kleine ondeugd, onder de voorwaarde dat je me een keer per week neukt.'

Hij glimlachte loom. 'Deal.'

Roos 23.

Ik blies in mijn thee terwijl mijn computer langzaam opstartte. Dit was het moment waar ik zo tegen op had gezien, maar het moest gebeuren, ik moest de waarheid weten, al was die nog zo hard. Zuchtend stak ik de USB-stick in de pc. De afgelopen dagen had ik alles met de bankpassen, mijn telefoon en mijn werk geregeld. Nu had ik een dag vrij, en was Nel met Luna naar Blijdorp vertrokken. Ik klikte op het Word-document en langzaam ontvouwden zich een stuk of tien pagina's. Ik grinnikte om de naam van het document: Dossier (T)Eveline. Typisch Wick.

Lieve Roos,
Waarschijnlijk vind je me nu een bemoeizuchtige ouwe nicht en hopelijk lachen we hier over een half jaar om. Maar Eveline zit me op de huid en daarom zet ik alles even op papier. *Just in case.* Ik weet niet wat ze van plan is maar ik heb een voorgevoel.

Ik heb Eveline leren kennen als een intelligente vrouw met humor en schijt aan iedereen, maar ik weet inmiddels dat ze echt over lijken gaat. En dat baart me zorgen. De reden dat ik je niet alles heb verteld, is omdat het nogal gecompliceerd ligt, en omdat ik heb beloofd bepaalde zaken voor me te houden. Maar ik weet ook dat als jij alles zou weten, je mij zou willen waarschuwen en beschermen, en dus Stephan of Rutger zou aanspreken; want dat ligt in jouw aard. Je hebt haar altijd op een afstandje gehouden. Sterker nog: ik heb jou nooit een diepzinnig gesprek met haar zien voeren, terwijl je dat zo graag doet. Nou, Roos, je onderbuikgevoel klopt. Helaas. Eveline is een manipulerende gevaarlijke gek met borderline, en ik heb met oud en nieuw een punt achter onze vriendschap gezet. Definitief. Ze is gevaarlijk, ze heeft zo vaak haar diepste geheimen met me gedeeld om vervolgens te dreigen dat ze jou kapot zou maken als ik iets los zou laten. Ik weet dat ze eropuit is jou en Stephan uit elkaar te drijven. Dat ze in ieder geval een beerput open zal trekken en dat de gevolgen dan niet te overzien zijn. En ik wil niet dat jij gekwetst wordt, vandaar dat ik mijn mond hield. Ik wil het z.s.m. oplossen, maar mijn gevoel zegt dat er iets staat te gebeuren en dan wil ik dat jij, vandaag, 4 februari 2011, in ieder geval de feiten weet. Want ze gaat om zich heen slaan en met modder gooien. Ze zal alles doen om mij voor leugenaar te kunnen uitmaken of om me kapot te maken als ik de waarheid vertel.

Om bij het begin te beginnen: Stephan is haar grote liefde. En ze neukt hem nog steeds. Waarom? Om controle te houden, ze wil uiteindelijk met hem verder, ze heeft een ideaal plaatje in haar hoofd waarin hij past. Om hun relatie te maskeren, heeft ze jou uitgekozen als secretaresse. Echt. Eveline heeft jou uitgekozen en tegen Stephan gezegd dat hij met jou een relatie moest beginnen zodat zij samen hun gang konden gaan. Maar er kwam een kleine kink in de kabel: Stephan ging echt om je geven. Ze kan het niet uitstaan dat hij gek is op jou, en volgens haar is dat een kwestie van tijd.

Ze heeft de touwtjes in handen, Stephan heeft heel veel geld van Rutger geleend en verkwist, en Eveline weet dat. Door haar koest te houden met zijn regelmatige wipbeurten, zegt ze niets, maar het is een tikkende tijdbom.

Vorige week heeft Rutger scheiding aangevraagd, en dat is voor haar niet zo erg want ze wordt riant afgekocht, maar hij eist de voogdij over de kinderen. Al die jaren heeft hij haar laten schaduwen en gegevens verzameld, hij weet dat ze coke gebruikt, tranquillizers, slaapmiddelen slikt als m&m's; dat ze vreemdgaat en de zorg voor haar kinderen liever aan de nanny overlaat. Rutger weet dus allang dat zijn beste vriend Stephan haar nog steeds neukt, en hij gebruikt dat ook in zijn verweerschrift. Kijk, vroeger, toen Stephan jong en onbezonnen was, vond hij het een sport om de mooie vriendin van zijn beste vriend te veroveren. Zoals hij alles als een sport ziet, opdat hij kan bewijzen dat hij de beste, de grootste en de belangrijkste is. Dat noemt hij 'de uitdaging in het leven' en zo zag hij de mooie, grillige supermodelvriendin van zijn beste vriend ook. Toen hij Eveline scoorde, werd zijn natte droom waarheid en binnen een jaar was ze zwanger. En daarna nog een keer, en voor Rutger besefte dat ze helemaal niet zo'n goede vangst was, had ze hem al in de tang. Hij kon niet meer terug en ging zijn heil buiten de deur zoeken in hoerententen; en ter compensatie van een klein piemeltje maakte hij zijn bedrijf gigagroot. Die jongen is volgens mij veel tekortgekomen in zijn jeugd...

Enniewee, toen hij erachter kwam dat Eveline en Stephan eigenlijk de lachende derden waren, werd hij woest. Maar slim als hij is, heeft hij zijn tijd uitgezeten en zijn wraak goed voorbereid. Alles gedocumenteerd, met keiharde bewijzen tegen Eef en Steef (heb je daar ooit aan gedacht, dat ze samen bijna hetzelfde heten?).

Stephan zat in de tang bij Eef en gaf haar wat ze wilde om van het gezeik af te zijn: seks. En Eef wist genoeg over zijn financiële mismanagement om hem daarmee te chanteren. Volg je me nog? Tevelientje beweert ook dat Florine van Stephan is, en om dat entre nous te houden, gebruikt ze al haar macht; maar die is ze nu aan het verliezen.

De beerput is diep, lieve schat, en het deksel is eraf. En het stinkt. Ik hoef jou niet te vertellen dat Rutger woest is en alles zal doen om Stephan failliet te laten verklaren. Hij wil niks meer te maken hebben met die heks van een ex en neemt de touwtjes weer in eigen handen. Het is oorlog.

Morgenavond ga ik een laatste poging wagen om te bemiddelen, de boel te sussen en een beetje te proberen te redden wat er te redden valt. Maar ik heb een naar voorgevoel; daarom schrijf ik je deze brief. Die stuur ik naar m'n moeder, want die heeft toch geen idee wat een USB-stick is, en ik vraag haar de stick aan jou te overhandigen voor het geval iets niet goed afloopt.

Ik wil dat je één ding van me aanneemt, lief Roosje van me: Stephan geeft echt en oprecht om je, niets daarvan is gespeeld. De insteek (leuk woord) was misschien verkeerd, maar het is echte liefde, schat, geloof ome Wick maar. Maar het is uit de hand gelopen en ik kan me zo voorstellen dat je, nu je dit allemaal weet, niet door kan gaan met hem. Want hij belazert je. Punt. Sorry schat, maar het is zo, wat hij ook beweert: hij heeft met zijn volle verstand aan het spel meegedaan. Dat zijn gevoelens echt waren geloof ik, maar van de rest geloof ik geen reet meer, Roos, en ik denk dat jij en ik uit hetzelfde hout zijn gesneden. Eens een leugenaar, altijd een leugenaar; in principe verdienen Eef en Steef elkaar.

Goed, Roos, morgenavond komt Rutger naar mijn caravan. Ik ben een soort mediator, ik moet proberen Rutger tot redelijkheid te brengen zodat hij Stephan niet kapot maakt en Eef een gedeelde voogdij geeft. Ik moet wel, ik kan allicht proberen het leed te verzachten.

Uiteindelijk kom jij toch achter de waarheid, en die is niet mooi. Ik had me niet zo veel zorgen gemaakt als Eef me niet alle drama's uit haar leven had verteld, en dat begon met misbruik door haar vader, draaide uit op moord op haar vader, en eindigde in het listige bedrog en gemanipuleer van Stephan en Rutger. Maar ze heeft ook de ex van Stephan manisch-depressief laten verklaren door de Belgische rechter, zodat Stephan Tim kreeg toegewezen. Om vervolgens met z'n allen weer *happy family* te spelen. Snap je 'm? Ze is tot alles in staat, Roos, en ze komt er steeds mee weg! Ik weet niet hoe dit gaat eindigen. Hopelijk loopt het met een sisser af, maar ik denk dat Eveline serieus professionele hulp nodig heeft. Ze gelooft haar eigen leugens en creëert haar eigen waarheid en door de dichte mist zie ik ook niet meer goed wat wel en niet waar is. Maar dat ze gek is, is een feit. Eef is een soort vrouwelijke variant van Tiger Woods, met Endstra-achtige leugentjes.

Ik wacht morgen af. Er is zo veel wat ik je nog moet vertellen, schattie, maar dat komt nog wel; in elk geval staan de belangrijkste dingen nu zwart op wit, en ik hoop dat het allemaal nog goed komt. De tijd zal het leren. Ik zou nog best zo'n Ernest Hemmingway kunnen worden, vind je niet? In ieder geval is dit verhaal net een slechte soap, ik bedoel, dit verzin je toch niet? Goed schat, mijn flesje wijn is leeg, ik ga slapen; wil je nog even laten weten dat ik van je hou, mijn lieve Roos, en dat ik het allemaal voor jou doe. Wees gewaarschuwd en vertrouw niemand. Behalve jezelf.

X Wick

Ik voelde me zo bedrogen, zo belazerd, zo dom, zo gebruikt. Zo woedend, zo allemachtig misbruikt. Vernederd. Mijn keel was rauw van het huilen, het hysterisch schreeuwen van ongeloof in mijn kussen. Waarom? Waarom? Hoe kon ik in godsnaam niet door hebben gehad wat er achter mijn rug allemaal speelde? Had ik dan zo weinig mensenkennis, zaten de mensen dan zo rot in elkaar? Was dit allemaal met voorbedachten rade gebeurd? Konden mensen werkelijk zo gemeen zijn, zonder over de gevoelens van een ander na te denken? Ik was emotioneel kapot, alles draaide en ik voelde een krop van misselijkheid in mijn keel.

Het zou nog wel even duren voor Nel en Luna thuis zouden komen. Ik voelde me zo eenzaam, het leek wel of de muren op me af kwamen. Resoluut trok ik mijn laarzen aan en pakte de autosleutels. Ik moest naar de begraafplaats waar Wick was begraven.

Eveline 23.

Soms verbeeldde ze zich dat ze een muis was. Een dunne, grijze muis waarvan de snorharen trilden van angst. Of een oude hond die bij bezoek nauwelijks nog opkeek. Ze kon zich natuurlijk uitstekend verschuilen achter het rouwproces om de langzaam wegkwijnende Rutger. Radeloos van verdriet. Maar de waarheid was anders, heel anders, en die droeg ze als een etterende zweer met zich mee. De afspraak met Bastiaan was heerlijk geweest, maar het leek wel of de realiteit daarna drie keer zo hard terugsloeg. Rauw, koud en katterig. Ze had hem nog twee keer gezien, maar ze kreeg bij hem geen orgasme meer. Eveline begon aan zichzelf te twijfelen; ze was ervan overtuigd dat Rutgers wroeging zich in haar brein had genesteld. Lichamelijk kon ze zich nog wel geven maar emotioneel raakte ze geblokkeerd op het moment suprême, ook na een liter champagne en met oppeppende middelen. Het was Rutgers schuld en ze haatte hem daarom. Tegen Bastiaan had ze gezegd dat ze hem zat was, dat de spanning eraf was, dat ze een andere *toyboy* ging zoeken. In werkelijkheid waren haar gedachten steeds vaker bij Rutger, bij zijn kwijnende aanwezigheid.

Inmiddels was hij alweer drie maanden uit zijn coma ontwaakt, maar nog niets waard. Hij zat daar maar, kermend. De broeiende blik in zijn ogen was onverdraaglijk. Hij kon niet spreken, de helft van zijn lichaam was verlamd en de etterende wonden stonken. Rutger rotte tergend langzaam weg, zijn lichaam werd opgevreten door de pijn. Hij leefde als een kasplant, maar hij probeerde haar met zijn blik te vermoorden.

Zo goed en zo kwaad als het ging probeerde Eveline haar leven voort te zetten en het verleden te vergeten.

Maar de herinneringen maalden in haar hoofd. Haar gedachten waren steeds vaker tegenstrijdig, ze piekerde zichzelf een maagzweer. *Had ik wel? Moest ik wel? Waarom? Waarom ben ik op het moment dat Rutger een echtscheiding eiste, doorgeslagen?* Niets had haar gewaarschuwd voor de migraineaanvallen, de slapeloosheid en de bonzende paniek die haar onverwachts greep. Niets had haar gewaarschuwd voor de schuldgevoelens, het knagende geweten of de nachtmerries. Ze was als een dolle tekeergegaan, overtuigd van haar gelijk. Elimineren wat haar in de weg liep.

Na de moord op haar vader sliep ze gewoon, was ze dartel, opgeruimd; ze werd nooit door twijfels geteisterd. Het was hij of zij, er was geen middenweg geweest. Maar bij Rutger was het anders. Naast zijn openlijke bedriegerij en verbale vernederingen had hij haar ook liefgehad. Haar steelse blikken toegeworpen. Was trots een restaurant binnengelopen met zijn hand losjes rustend op haar onderrug. Hij had haar innige blikken toegeworpen toen de kinderen werden geboren. Ze hadden samen gehuild toen haar moeder overleed, en gebulderd van de lach om zijn cynische opmerkingen die alleen zij begrepen. Soms belde hij haar om haar stem te horen, euforie te delen of verliezen van zich af te praten. Ergernissen of teleurstellingen af te reageren. Of naar de stiltes te luisteren die zich tussen de zinnen vormden. Of hij had met dat typische gebaar het kettinkje in haar nek vastgemaakt. Hij kon haar met een bewonderende blik bekijken, als een klein jongetje.

Er was ook liefde geweest en dan bedoelde Eveline niet de materiële dingen die hij haar toewierp – horloges, diamanten, bontjassen en auto's – nee, juist de onuitgesproken gebaren verbonden hen. Dat was ze voor het gemak even vergeten. Daar had ze niemand tussen moeten laten komen. Had ze hem niet terug kunnen winnen? Opnieuw kunnen beginnen, zij samen? Had ze hem ervan kunnen overtuigen dat het zaadje van de liefde nog steeds verankerd was in hun bestaan? Hadden ze wederzijds respect moeten terugwinnen? Alleen dat, simpel: liefde.

Maar zij moest hem zo nodig aftroeven, ze moest zo nodig bewijzen dat ze uit hetzelfde hout gesneden was. Successen behaalde.

Slim was, ertoe deed. Ons soort mensen. Het elastiekje werd steeds verder uitgerekt en stilzwijgend observeerden ze elkaar om te zien wie het eerst zou knappen.

Nu zag Eveline Rutger overal: in winkelstraten lopen, uit huizen komen. Met zijn karakteristieke houding in een menigte verdwijnen of langsrijden. Of plotseling hoorde ze zijn stem op tv, dan stond haar hart letterlijk stil. Zijn nummer stond nog altijd in haar mobiel, hij kon alleen niet meer opnemen. 's Nachts werd ze wakker uit nachtmerries waarin ze bleef vallen, dieper en dieper, als in een eindeloze put en ze kon zich nergens aan vastklampen. Hij maakte haar zwak, hij putte haar uit met die verwijtende blik. Had ze hem maar liefde gegeven. Want de waarheid was dat hij nooit uit haar leven zou verdwijnen maar haar juist zou achtervolgen. En toch miste ze hem.

Roos 24.

Aan weerszijden stonden de cipressen als slanke wachters langs de statige oprijlaan. Een zekere rust en een onheilspellend gevoel draaiden om elkaar heen als een wervelwind. Alsof je in de gaten werd gehouden door de Almachtige. Wick had me vroeger wel eens meegenomen naar deze begraafplaats, hij kwam hier graag. Zijn grootouders en zijn vader lagen hier ook en hij ging hier vaak 'channelen', zoals hij het uitdrukte. 'Even met die ouwe praten,' zei hij dan stellig, 'of ik nog goed bezig ben. Op het rechte pad zit.'

Wick lag in het familiegraf en zo werd hij met zijn voorouders herenigd. Mijn benen voelden loodzwaar aan maar zetten vanzelf de juiste stappen in de richting van het graf. Mijn adem stokte toen ik er was. Er lag een zee van bloemen.

WICKERT HENDRIK SCHREURS
09-07-1964 – 05-02-2011

OP DE VLEUGELS VAN DE WIND
ALS EEN VLINDER MEEGEVOERD
NAAR DE ACHTERKANT VAN DE REGENBOOG
RUST ZACHT LIEVE JONGEN

Met mijn hoofd schuin las ik de kaartjes bij de bloemen. Nel: 'Voor mijn allerliefste jongen. We zullen je nooit vergeten.' Nieuwsgierig draaide ik het kaartje om aan een grote bos zalmroze rozen. 'Ik mis je, Eef.'

Ik voelde me bijna voorovervallen, het bloed raasde door mijn lichaam van woede. Die valse teef, die alles had verstierd, die geraffineerd hele gezinnen moedwillig kapotmaakte met haar gekonkel en draaierij.

'Hou je rustig,' zei een stem in mijn hoofd en ik zoog de lucht naar binnen. Wick. Hij was hier, ik voelde het. 'Hou je rustig en denk goed na. Oordeel niet, maar luister naar je eigen gevoel.'

Afwezig veegde ik het zand van de steen en ik pakte een vaas om daar mijn pioenrozen in te zetten. Ik liep in gedachten verzonken naar het kraantje aan het einde van het pad, en vulde de vaas met water. Ik zette de bloemen erin, een voor een. 'Je bent mijn liefste,' had ik op het kaartje gekrabbeld, en dat was ook zo. Wick was mijn liefste, mijn alles, degene die onvoorwaardelijk in mij geloofde, die me liefhad. Hij had nooit gelogen, me nooit belazerd. Hij had onbarmhartig veel van me gehouden, was er onvoorwaardelijk voor mij geweest. Mijn klankbord, mijn geweten, mijn ruggengraat, mijn doldwaze cabaretier, mijn vriend. En nu was hij er niet meer.

De wind ruiste door de bladeren van de eikenbomen en een wolk schoof voor de zon. Mijn buik borrelde, ik had vaak krampen, de laatste tijd.

'Ben ik nou zo slim of zijn de anderen zo dom?'

Ik weet niet hoe lang ik al op de steen bij Wicks graf zat, maar de dreigende wolk was weggevoerd door de wind. Een waterig zonnetje scheen op mijn benen. Ik glimlachte, Wick was dol op imitaties van Louis van Gaal, hij kon zelfs de karatetrap nadoen, tot grote hilariteit van Luna.

Afwezig speelde ik met het zand, de brok in mijn keel ging niet weg. Natasja van Kerkstee had me uitdrukkelijk laten weten dat ze het politieonderzoek zouden staken als ik niet met nieuwe feiten kwam. Feiten, aan insinuaties hadden ze niets. Niets wordt voor waarheid aangenomen als het niet met keiharde feiten is onderbouwd. Ik zuchtte. Wick en ik waren dol op Amerikaanse thrillers en series waarin een jury moest beslissen of iemand schuldig was of niet. Vaak hielden we hele nachtelijke sessies in onze pyjama's, en dan had Wick vaak al een fel oordeel klaar terwijl ik nog verzachtende omstandigheden aanvoerde.

'Misdadigers moeten achter de tralies en moordenaars op de elektrische stoel! *No mercy*! Er zijn wetten, Roos, en die zijn anders dan normen en waarden, principes en ethiek. Daar moet iedereen zich aan houden, van die Serviër Milan Martic tot en met Koningin Beatrix, iedereen moet zich aan de wet houden. Staat in het Verdrag van Genève.' Triomfantelijk trok hij dan zijn schouders omhoog en keek me provocerend aan, het beeld stond op mijn netvlies gegrift.

Het zand gleed tussen mijn vingers door en ik keek er afwezig naar. De politie staakte het onderzoek bij gebrek aan bewijs. Het dossier werd dichtgeklapt en opgeborgen; op naar de volgende zaak. Noodlottig ongeluk, explosie van een gasfles. De inspecteur had bijna verontschuldigend zijn schouders opgehaald. Eigen schuld dikke bult, las ik in zijn ogen. Dom hè, om af te spreken in een stacaravan op een verlaten recreatiepark. Zeker voor zo'n vermogend man als Rutger, hij kneep zeker de katjes in het donker met zijn vriendje Wick. Ik hoorde het ze denken. Maar ik wist dat Wick elk jaar een vermogen betaalde aan onderhoud van de caravan en de hele boel liet nakijken.

'Iedereen denkt dat dit een simpel caravannetje is maar ondertussen heeft het de hightech van het schip van Abramovitsj, ik hou van mijn comfort.' Ik hoorde het hem zeggen, en mijn ogen prikten. Soms rook ik nog de geur van verbrand vlees en smeulend plastic. Ik staarde naar de granieten grafsteen en beroerde met mijn hand het koude oppervlak. Het klopte niet, maar ze waren te lui om een diepgravend onderzoek te starten. Te moeilijk, te lastig, te weinig mensen en geen tijd; ik kende de excuses onderhand wel. Stelletje lafaards. Hulpeloos keek ik naar boven, naar het steeds veranderende wolkendek.

'Help me, Wick, alsjeblieft, geef me de kracht.' Minutenlang bleef ik met mijn gezicht naar de zon gekeerd zitten, maar ik kreeg niets door. Stram stond ik op, zag op Wicks horloge dat het inmiddels bijna vijf uur was; Nel en Luna zouden zo wel thuiskomen. Ik drukte een kus op Wicks steen en liep langzaam weg. Er was niemand meer op de begraafplaats en ik liep onder de ruisende bomen naar mijn auto, de sleutels in mijn hand geklemd. Het begon harder te waaien, de takken van de bomen zwaaiden waarschuwend heen en weer. Een onbehaaglijk gevoel overspoelde me toen ik mijn auto op de lege parkeerplaats zag staan. De eerste druppels vielen.

'Zelf doen,' hoorde ik plotseling fluisteren. Ik keek om me heen, maar zag niemand. Afwachtend opende ik het portier. 'Zelf doen' hoorde ik nu luider door het ruisen van de wind klinken.

Het begon echt te regenen. Met een bonzend hart stapte ik in mijn auto, en grote druppels spatten op mijn voorruit uiteen. Ik startte de motor en zette de ruitenwissers aan. Ik moest het zelf doen.

Eveline 24.

Innerlijke tranen met tuiten. Het bestond, wist Eveline nu. In de zomervakantie was ze met haar kinderen letterlijk naar een vijfsterrenresort in Turkije gevlucht. Xander de Buisonjé was er net geweest met zijn aanstaande, er stond een reportage in de *Linda.* met Linda de Mol en haar nieuwe vriend die hetzelfde resort hadden bezocht, en Frank Rijkaard had er net een trainingskamp geleid met zijn elftal. Bovendien beweerde men dat Bodrum het Saint-Tropez van de Turkse Rivièra was. Reden genoeg om het voor twee weken als haar toevluchtsoord te kiezen.

Ze merkte dat haar handelingen steeds moeizamer gingen; mama en papa spelen voor de kinderen brak haar op, ze had rust nodig. Bovendien kon ze de getergde blik van Rutger niet langer verdragen. Ze had hem verteld dat ze wegging en hij had geknikt maar het was de vraag of hij het begreep. Ze had geen idee wat er in zijn hoofd omging; of juist wel, maar daar wilde ze liever niet aan denken.

In elk geval had ze gedacht dat twee weken *sun and fun* een welkome afwisseling zouden betekenen, maar verdriet nam je mee, waar je ook ging. En het bleef, ook toen een ober met een prachtige glimlach een ijskoude soda met een schijfje citroen aan haar strandbed kwam brengen en zei dat ze de mooiste was. Als ze een ober had gewild, had ze die in Nederland wel gezocht, had ze hem fijntjes medegedeeld. Ze had nog even overwogen om de masseur te verleiden, maar Eveline was emotioneel geblokkeerd.

Zodra het gala achter de rug was en Rutger een plaats had gekregen in het opvanghuis, zou ze echt aan zichzelf gaan werken en inchecken in die nieuwe luxe verslavingskliniek voor rijke of bekende

Nederlanders, op Curaçao. Nu nog niet, nu moest ze bij de les blijven. De kinderen werden de hele dag geëntertaind, en Eveline had een stapel boeken mee en haar iPod vol muziek; ze wilde alleen zijn in haar eigen wereld. Ze was begonnen in *Duizend schitterende zonnen* van Khaled Hosseini, en ze had letterlijk duizenden innerlijke tranen gehuild. Hoe die schoft Rasheed de vrouwen had mishandeld, getreiterd, geschopt en geslagen. Vernederd, genegeerd en geterroriseerd. En zij hadden geen uitweg, behalve hem te vermoorden. Maar Rasheed bleef de fantoom van de hoofdpersoon Laila Jo. Met dit zinderende besef had ze het boek neergelegd, overspoeld door emoties.

Ze had het niet moeten doen. Wick, de onschuldige, hartelijke, vrolijke Wick. Eveline kende hem nog maar kort en toch had hij haar willen helpen. Naar een beter leven. Hij had een rotsvast vertrouwen dat het allemaal goed zou komen als ze niet zo vast zou houden aan haar bestaan. Dat ze goed was zoals ze was, haar identiteit niet hoefde te ontlenen aan wat ze deed of wat ze had bereikt. Maar het was een leven dat ze steen voor steen zorgvuldig had opgebouwd. En dat mocht niemand haar afnemen, niet na wat ze allemaal had doorstaan. *Never.* Nu vroeg ze zich af of ze niet had kunnen wennen aan een ander leven. Of ze de juiste keuze had gemaakt. Eveline tuurde over de turkooizen zee met voortkabbelende golfjes, en zag haar kinderen spelen in de branding. De gapende leegte in haar ziel gaf het antwoord.

Wick had alles in een stroomversnelling gebracht. Eveline was gulzig, wilde het leven verslinden. Ze voelde zich sterk, kon alles aan en wilde vooral niets missen. Ze had het gevoel dat ze *on top* was, maar toen ze de eerste naaktfoto's van Rutger onder ogen kreeg, voelde ze haar wereld instorten. Als eerste reactie had ze de dokter zwaardere kalmeringspillen gevraagd. De man begreep haar en schreef het recept uit. Daarna ging het beter, raakten de emoties haar minder, had ze weer overzicht en kon ze weer meedoen met de grote jongens.

Eveline zuchtte en bestelde nog een soda. Was Wick hier maar, dan hadden ze samen kunnen lachen om haar situatie, dan had ze kunnen luisteren naar zijn advies en avonturen. Nu zat ze alleen in het bloedverziekend hete Bodrum, waar een wandeling de berg op al een doodvermoeiende opgave bleek. Waar ze 's nachts ook wakker werd van een indringend getik waar ze doodsbang naar lag te luisteren. Ook hier omklemde haar het zware gevoel, de angst. Ze had nauwelijks oog voor de beeldschone witgepleisterde huisjes, rook de geur van de eucalyptusbomen niet. De aquamarijnkleurige baai, de mooie mensen en het verrukkelijke eten deden haar allemaal niets. Ze had het gevoel dat iedereen het aan haar zag.

Eveline vermeed contact met drie Nederlandse vrouwen die zonder man en kinderen op vakantie waren en haar nieuwsgierig bekeken. Die het soms uitgilden van plezier en het vooral gezellig hadden. Precies wat zij zo miste, maar ze durfde niet. Ze was doodsbang dat ze zichzelf zou verraden, dat ze op een onbewaakt moment weer haar verhaal zou delen. Want ze wist eigenlijk niet meer waar de leugens ophielden en waar de waarheid begon, het was een mistige wirwar van verhalen in haar hoofd. Ze sloot zich op in een onzichtbaar isolement.

Het politiedossier was gesloten bij gebrek aan bewijs, maar Eveline had zichzelf levenslang gegeven.

Roos 25

Charity gala Stichting Teddybeer

Bomen geven me rust. Het bladerdek, de takken die me als gespreide armen beschermen tegen het onheil van de wereld, de geur, de kleuren en de structuur. Ze ontroeren me. Groot, sterk, zonder bedreiging. Als ik in een bos een omgevallen boom zie dan sta ik er even bij stil. De natuur ruimt op, een logisch proces waarin ruimte wordt gegeven aan iets nieuws. Ik deed dat niet, ik rende maar door. Maar het bladerdek biedt me geen bescherming meer, ik moet het nu zelf doen. Wick heeft me laten inzien dat mijn intuïtie me kracht geeft, en ik heb de afgelopen tijd alles uitgeplozen. Zoals de natuur zich vormt door de weersomstandigheden, zo heb ik mijn verhaal geplooid naar de feiten. En Wick heeft me geleid. Hij heeft mensen op mijn pad gebracht die me intuïtief geloofden, me het voordeel van de twijfel gaven: de boekhouder, Nel, Stephan, Bastiaan, Tygo, Rembert, zelfs Rutger. Het was een maandenlange zoektocht naar ontbrekende scherven, pietepeuterige puzzelstukjes die onmogelijk in elkaar konden passen. Die bijgeschaafd moesten worden, omgekeerd en van een andere kant bekeken om ze dan opnieuw in het grote geheel neer te leggen. Stukjes die geheel solitair in de ruimte zweefden en pas later aansloten bij de andere verhalen. Nog nooit had ik me ergens zo in vastgebeten; het was vallen en weer opstaan, telkens opnieuw, met uiterste precisie en discipline. Met geschaafde knieën en kapotte handen, uitgeput en zonder uitzicht maar vastbesloten om de onderste steen boven te krijgen. Sisyfusarbeid. Ik ging door, want met Wick aan mijn zijde wilde ik over Thanatos zegevieren. En dat in het diepste geheim, zodat er geen losse eindjes overbleven die de uiterst geraf-

fineerde Eveline zou kunnen vinden. Dit was mijn toegift, hierna zou het lot zegevieren.

De entree in de Laurenskerk was indrukwekkend: flakkerende kaarsen verlichtten het pad, een rode loper was uitgerold. Limousines reden af en aan, *valet parking boys* namen de kostbare bolides soepeltjes in ontvangst. Een lichtinstallatie zorgde voor een sensationeel effect op de kerk. Zwijgend namen steltlopers de uitnodigingen in ontvangst. Talloze fotografen stonden kleumend in de kou, lieten hun lichten flitsen zodra een Bekende Nederlander, een societyfiguur of een captain of industry voorbijkwam. Dit was het event van het jaar, en je kon zien dat Eveline alles tot in de puntjes had voorbereid. Verlokkelijke geuren stroomden mijn neusgaten binnen en jazzklanken nodigden ons uit om de imposante kerk heupwiegend te betreden. Ik rangschikte mijn chique avondjapon die ik op internet had besteld, en gaf Stephan onwennig een hand. Alsof er niets was gebeurd, alsof het zo hoorde. Hij zag er stijlvol uit in zijn black tie, maar zijn gezicht was ingevallen.

Als altijd keken mensen om wanneer hij binnenliep, maar toch had hij een vleugje van zijn charme in de gevangenis achtergelaten. Ik vond het knap dat hij ondanks alles zijn gezicht durfde te laten zien, want ook op deze avond waren gedupeerden van zijn faillissement aanwezig. Maar in overleg met Eveline had hij zijn schuldeisers afbetaald en het boetekleed aangetrokken; Rutgers naam was volledig gezuiverd.

Een paarsachtig licht scheen over de wit gedekte tafels met zilveren kandelaars. De Laurenskerk was een indrukwekkend gebouw: historisch, stijlvol en zeer sfeervol door haar elf imposante kroonluchters met echte kaarsen. Deze avond zou memorabel worden, met onder andere de lancering van een realitysoap over de stichting, die grote landelijke naamsbekendheid moest opleveren. Een aantal bekende Nederlandse artiesten zou vanavond optreden en ambassadeur worden van Stichting Teddybeer om landelijke aandacht te genereren voor kindermishandeling. De landelijke stuurgroep Aanpak Kindermishandeling steunde het initiatief. Het was dubbel; voor de buitenwereld leek Eveline zo'n goed mens: mooi, succesvol, hartelijk en met een groot hart voor kinderen. Niemand kon de andere kant vermoeden.

Ik liet de ruimte op me inwerken, had geen zin in smalltalk met vreemden. Er stonden hoog opgemaakte bloemversieringen op de tafels, en de statafels waren gedecoreerd met eenvoudige vaasjes met een orchidee en twee takken. Simpel maar van een grote schoonheid. Ik nam een glas champagne aan van een vriendelijke ober en keek op mijn horloge. Nog twee uur. Een groot deel van de kerk was ingericht met ronde tafels waaraan gezelschappen van twaalf mensen konden aanschuiven. Een ander deel was ingericht als knusse loungeplek, met ruime witte banken en bijzettafels. Cameraploegen liepen heen en weer om de belangrijke aanwezigen te interviewen over het goede doel. Want daar ging het uiteindelijk om.

Op elke tafel stond het programma en Stephan stelde me aan iemand voor. Beleefd knikte ik, ik hoorde mezelf praten. Ik was mijlenver weg, geïsoleerd van deze zogenaamde gezelligheid. In de massa zag ik Marlies Dekkers staan, Irene van der Laar, Ans Markus, Ernst Daniël Smid en Leco. Mijn blik schoot alle kanten op, de helft herkende ik waarschijnlijk niet eens. Ik grinnikte. Volgende week kocht ik de bladen wel.

Mijn hart maakte een sprongetje toen ik de kinderen van Eveline en Rutger zag. Ik had er niet bij stilgestaan dat ze er zouden zijn en nu ze opeens binnenkwamen, deed het me meer dan ik had verwacht. Keurig gekleed en met mooi gekamde haren maakten ze met hun moeder hun entree. Ze waren allen in het wit en de meisjes hadden roze linten in hun gevlochten haar, Benjamin droeg een lichtblauw overhemd. Ik kreeg een brok in mijn keel, het gemis van Rutger overmande me. Mijn ogen dwaalden af naar Eveline en mijn adem stokte. Ze zag er adembenemend uit in haar prachtige, zilverkleurige jurk die soepel langs haar lichaam viel. De bovenkant was in een delicate kanten halslijn uitgesneden; de sluiting bestond uit talloze knoopjes en de zijden rok waaierde uit in een sleep. Ze had haar haar losjes opgestoken, en tussen de lokken fonkelden diamantjes. Ze was prachtig opgemaakt met sprekende smokey eyes. Ik merkte dat Stephan als betoverd naar haar keek. Bescheiden nam ze alle complimentjes in ontvangst. Ze straalde maar had ook een bijpassende triestheid over zich. Dapper maar broos. Ze speelde het fantastisch.

Ze begroette iedereen met dezelfde warmte en nam de tijd. Toen ze ons in het oog kreeg, slaakte ze een kreet van blijdschap en ik voelde me even schuldig. Ze omhelsde me en kuste me zacht op de wangen waarbij ik haar parfum rook. Ik sloot mijn ogen en gaf haar de judaskus. De kinderen begroetten ons, overdonderd door alle aandacht. Babette vroeg naar Luna, en ik vertelde dat die bij oma en opa logeerde. Net toen ze iets terug wilde zeggen, dimden de lichten en de gesprekken verstomden.

Elegant pakte Eveline Stephans hand om hem mee te nemen naar haar tafel. Even gemakkelijk en zonder aarzelen. Ik liep erachteraan en werd overmand door onverwerkte emoties. Nu ik hen samen voor me zag met haar hand in de zijne, golfde de jaloezie door mijn lijf, ik schrok ervan.

Maandenlang was ik bezig geweest om Eveline te ontmaskeren, maar daarmee viel ook Stephan van zijn voetstuk. Alles was in een andere context gezet omdat hij vanaf het begin donders goed wist waar hij mee bezig was. Vanaf de eerste kus, nee, het eerste sollicitatiegesprek tot aan het samenlevingscontract. En natuurlijk had hij van mij gehouden en waren zijn gevoelens voor mij echt; maar hoe vaak zouden die twee zich niet rot gelachen hebben om mijn naïviteit. Ik voelde me soms zo'n onnozele gans, en dat maakte me woedend: dat ze boven me meenden te staan en me gebruikten. Kwaad verfomfaaide ik het linnen servet toen ik eraan dacht hoe ik tot diep in de nacht had zitten praten om Stephan te helpen. En hij wist het zo mooi te vertellen, hij wist het allemaal zo goed. Híj was de dupe geworden, híj had het niet zo bedoeld. En het erge was dat hij het zelf nog geloofde ook. Hij nam zijn eigen leugens voor waarheid aan. Naarmate ik meer onderzocht, ontdekte ik dat Eveline en Stephan elkaar minimaal een keer in de twee weken zagen in hotel De Witte Lely in Antwerpen. Ze lunchten met champagne, neukten als een stel konijnen en lachten zich waarschijnlijk een breuk om die onnozele Roos. De tranen prikten achter mijn ogen.

We kregen een amuse geserveerd en ik keek om me heen. Eveline straalde in het verblindende licht, ze zat prima in haar act; en die schaapachtige Stephan acteerde bedeesd mee. Natuurlijk vond hij dit prachtig, de zogenaamde jetset en de glamour, anders had hij zich niet zo laten meeslepen. Hij zou het zo weer doen; het was een kwestie van tijd tot hij weer aan de verleiding zou toegeven. Was het niet met Eveline, dan met een ander. Ik besefte nu dat Stephan niet te vertrouwen was en ik kreeg een brok in mijn keel. Zodra hij een kans kreeg, was hij gevlogen, zonder scrupules, als een jachthond die bloed ruikt. Het was de aard van het beestje, die zou nooit veranderen. Ik zag hem geanimeerd praten en een slok wijn nemen. Dit leven paste bij hem, hier kwam hij tot bloei. Aandacht, rijkdom, mooie mensen, belangrijke namen, de kick om de beste te zijn en iedereen te kennen. Ons soort mensen. Ik had hem de andere kant van het leven laten zien, maar zoals Eveline eens zei: dat burgerlijke leventje verveelde hem na een tijdje. Deze ene keer moest ik haar helaas gelijk geven. Inderdaad, ook die burgerlijkheid was een spel tot het echte werk weer zou beginnen.

Ik zuchtte, moest me niet laten meeslepen door mijn emoties en nam een glas water. Maar nu ik Eveline zo stralend en elegant in Stephans oor zag smoezen, kon mijn haat niet groter zijn. Ik voelde de wrok in mijn buik, ik verachtte het verraad dat ze beiden bewust hadden gepleegd. Ik zag hun lichamen in elkaar verstrengeld, hun gefluister en betekenisvolle blikken als ze samen waren. Dat geniepige gesmoes. Ik had het verdomme al veel eerder moeten zien maar ik was te goed van vertrouwen. Alle vleiende dingen die Stephan ooit had gezegd waren nooit echt bedoeld, ze waren puur om me gedwee te houden. Te binden. Zodat zij hun gang konden gaan.

In de gevangenis jankte hij als een klein kind dat Eveline hem had gemanipuleerd, maar ik geloofde er niets meer van. Ik had een hekel aan mensen die zich in een slachtofferrol verscholen, en Stephan zou zijn deel wel krijgen in het leven, daar zou ik persoonlijk voor zorgen. De oplichter die zijn eigen verhaaltjes geloofde. De pathologische leugenaar die mensen dupeerde en zijn handen in onschuld waste.

Maar ik moest mijn spel goed spelen. Vanavond was eerst Eveline aan de beurt. Zij, de moordenaar van Wick, zou bloeden, daar zou ik óók persoonlijk voor zorgen.

Bart Peters nam de microfoon en heette het gezelschap namens Eveline hartelijk welkom. Hij legde kort uit wat Stichting Teddybeer precies inhield en hoe ze was ontstaan. Hij legde ook uit waarom Eveline zelf het woord niet kon nemen en dat deze avond een emotioneel beladen avond was, niet alleen om wat ze hadden bereikt, maar ook omdat Evelines man Rutger er niet bij kon zijn. Dat Rutger niet alleen heel veel voor haar en de kinderen betekenden maar dat hij ook de drijvende en stuwende kracht achter de stichting was. De liefhebbende echtgenoot die het zijn vrouw zo gunde haar droom te verwezenlijken. En dat deze avond niet alleen een belangrijke avond voor de stichting was maar ook een eerbetoon aan Rutger. Het was muisstil in de zaal en de camera's zoemden in op Eveline. Op een groot scherm zag je hoe haar serene gezicht vocht tegen de tranen. Ik hoorde dat iemand spontaan ging klappen. Veel mensen volgden. Langzaam stonden de mannen in smoking op en het applaus zwol aan tot een staande ovatie. Minutenlang. Op het scherm zag ik dat het Eveline te veel werd, en Stephan reikte haar een servet aan. Mijn god, hoe moest dit ooit nog goed komen?

De rest van de avond ging nagenoeg aan me voorbij. René Froger trad op, Trijntje Oosterhuis zong werkelijk schitterende liedjes van Burt Bacharach en iedereen was op de dansvloer te vinden. De muziek werd afgewisseld met documentaireachtige, aangrijpende stukjes film over mishandelde kinderen, en Bart Peters deed een oproep om dit geweldige initiatief te steunen.

Cees Jan van Hoogwinden van Sotheby's leidde in een rap tempo een veiling van kunstwerken; er werd een recordbedrag opgehaald: 811.700 euro. En een havenbaron doneerde spontaan 25.000 euro aan de stichting. Het gospelkoor zong de sterren van de hemel en de catering was van een exquis niveau. Ik zuchtte. Het plaatje kon niet mooier.

Stephan leunde mijn kant op en fluisterde in mijn oor: 'Hoe vind je het?'

Ik glimlachte wrang. 'Ongelooflijk. En daarom zo moeilijk.'

Hij pakte onder de tafel mijn hand.

'Eén grote poppenkast, Roos, vergeet dat niet...' Ik slikte mijn tranen in. 'Heb je er moeite mee?' Ik kon niets zeggen, de tranen zaten me te hoog. Hij stootte me met zijn schouder aan. 'Je doet het goed, schatje, neem jezelf niets kwalijk.'

Ik staarde naar beneden, friemelde aan mijn servet. Hij leunde nog dichterbij en zei: 'Ze heeft iemand vermoord, Roos, ze is tot alles in staat. Ze is de moordenaar van Wick en ze heeft Rutger levenslang verminkt, ze mag niet ongestraft rondlopen.'

Ik knikte, we hadden het er al zo vaak over gehad. Maar het was makkelijk voor hem om mij te steunen, want dat zou hem voor een groot gedeelte ook vrijpleiten. Maar het verdriet werd er niet minder door. Wick zou nooit meer terugkomen.

Stephans stem drong weer tot me door. 'Je weet toch wat we altijd zeggen?!' Ik schudde mijn hoofd. '*Too good to be true...*'

Vreugdeloos glimlachte ik. '*If it's too good to be true it ain't true...*'

Hij knikte. 'En het is jouw taak om de waarheid te vertellen, Roos, voor eens en altijd.'

Ik applaudisseerde met de zaal mee. Stephan had geen idee hoe dubbel dit verhaal was. Hij wilde graag tegen Eveline getuigen, haar aanwijzen als de zondebok, maar voor mij was deze avond een definitief afscheid van Stephan, een realistisch vertrek en dat deed vreemd genoeg toch pijn. Ik forceerde een uitgelaten lach op mijn gezicht. Michael Bublé kwam op en het publiek explodeerde van enthousiasme. Prachtige dames in galajurken dansten wild en verleidelijk met mannen in smokings.

'Kom, Roos, nog even dansen voor we de bom laten barsten.'

Het was muisstil in de zaal, te stil. Ik stond op het podium en kon wel janken. Ik zag niets, de lichten verblindden me en ik voelde me naakt in het felle licht. Ik had toch nog een paar kilo moeten afvallen, een zonnebank moeten pakken. Ik frummelde aan mijn briefje. Ik had niet alleen een paar slapeloze nachten gehad om deze speech, ik had maandenlang amper kunnen slapen van verdriet. Uit nijd. Woede. Angst. Frustratie.

Ik schraapte mijn keel. 'Beste Eveline...' Verwonderd keek ze me aan, ik zag alleen haar slanke hals en haar schouders. 'Vanaf deze plaats wil ik je allereerst complimenteren met je ongelooflijke inzet voor Stichting Teddybeer. Het is bewonderenswaardig wat jij voor de stichting en voor mishandelde kinderen hebt gedaan, en jouw naam zal altijd eervol aan dit werk verbonden zijn. Je bent toch een beetje de Moeder Teresa van Nederland...' Een applaus steeg op en iedereen lachte. Ik ademde diep in. 'Je hebt nog meer kanten, Eveline, en die wil ik vanavond ook belichten.' Ik merkte dat ik de aandacht had en in een rap tempo somde ik haar kwaliteiten als moeder, als mens en als vrouw op. 'Vanavond is jouw avond, Eveline, en met de realityserie heb je echt iets neergezet. Jouw onuitputtelijke inzet voor de stichting maakt jou tot een goed mens, en de liefde voor je kinderen ook. Eén aspect blijft echter onbelicht in jouw persoonlijkheid, en dat is dat je in je eigen waarheid gelooft.' Ik hoorde een licht geroezemoes in de zaal. 'Eveline, ik wil je danken voor de inzichten die je me de afgelopen tijd hebt gegeven. Het was niet makkelijk en ik wil deze avond niet bederven door over het verleden te praten. Geniet van deze bijzondere gebeurtenis en vier het zoals je dat in gedachten had. *Videre vivenda*: de waarheid zal je bevrijden.' Mijn ogen bleven nog even op Eveline rusten, ze was druk in gesprek met een van haar kinderen.

Met gebogen hoofd liep ik het podium af, Stephan gaf me behulpzaam een hand. Zachtjes hoorde ik een matig applaus en Bart Peters nam de microfoon over. Geconcentreerd liep ik het gangpad af, ik hoorde het publiek alweer lachen om een grap.

'Durfde je het niet?' vroeg Stephan. Buiten adem liep ik door naar de uitgang. Daar stond Natasja van Kerkstee, en ik gaf haar het dossier. Ze pakte het met een stuurs gezicht aan.

'Dus je weet het zeker?'

Ik knikte. 'Alle feiten staan op een rij en er zijn zeker vijf intimi die willen getuigen.' Ik zuchtte diep. 'Wil je me één ding beloven? Dat je tot na het feest wacht? Laat haar hier nog maar van genieten.'

Natasja schoot verbaasd in de lach. 'Waarom?'

De tranen prikten in mijn ogen. 'Ik wil het niet op mijn geweten hebben dat ze...' Ik haperde.

Stephan had mijn jas al gepakt en ik produceerde een spijtig glimlachje.

'De kinderen, zeker?' Ik knikte. 'Vertellen dat Sinterklaas niet bestaat is er niets bij,' merkte Natasja cynisch op.

Ik knikte afwezig. Doordat ik vanavond niet alles had prijsgegeven zouden mensen op haar gaan letten en zich morgen een ongeluk schrikken als ze *De Telegraaf* zouden openslaan. Wekenlang had ik in het diepste geheim met een misdaadverslaggever aan het dossier gewerkt; ik wilde geen valse aantijgingen. De conclusies van zijn diepgaande onderzoek aan de hand van mijn verklaringen bleken te kloppen, Eveline had toch een paar steekjes laten vallen. Hij had het verhaal opgetekend en morgen zou een minutieus verslag over de moord op Wick S. door Eveline van A. in de krant verschijnen. Men zou dan verschrikt reageren en zich niet kunnen voorstellen dat Eveline, met alles wat ze op haar geweten had, zo zorgeloos had kunnen feesten. Alsof er niets aan de hand was. En niet alleen de genodigden van dit gala zouden in shock zijn, ook alle 1,4 miljoen kijkers van de nieuwe realitysoap zouden zich niet kunnen voorstellen dat de directrice en oprichtster van Stichting Teddybeer in staat was te moorden. Dit toneelstuk had drie aktes waarvan morgenochtend de laatste in de krant zou verschijnen.

Natasja bladerde door de bewijsstukken. Foto's, verklaringen over de echtscheiding van Rutgers advocaat, recepten van kalmeringspillen, e-mails van advocaten, het verhaal van Lisa Marie over de dood van hun vader, de verklaring van privédetective Rembert dat Eveline hem had gevraagd Rutger te chanteren, het nummer van en de uitgeschreven telefoongesprekken met haar drugsdealer, bankafschriften uit Virgin Islands, verklaringen van Stephan, facturen van hotel De Witte Lely, een vel met telefoonnummers, de coördinaten van haar gps-systeem, de uitdraai van Wicks mail en als laatste het Chinese gelukspoppetje. Maandenlang had ik met uiterste precisie en in het grootste geheim alles uitgezocht. Daar waar de politie niet genoeg mankrachten inzette of kennis had van Evelines leefsituatie, was ik verdergegaan. Aan de hand van bewijzen had ik iedereen ervan kunnen overtuigen dat Eveline de moord op Wick op haar geweten had. Rutger had, ook al kon hij niet spreken en was hij gedeeltelijk verlamd, het telefoonnummer van zijn advocaat op een papiertje weten te krabbelen. In hanenpoten schreef hij 'echtscheiding'. Stephan had alles in werking gezet om die documenten in zijn bezit te krijgen, want Rutger was zijn zakenpartner en hij moest uitzoeken hoe de verdeling werkelijk zat. Daarna waren er veel puzzelstukjes op hun plaats gevallen. Ik beet me erin vast om alle betrokkenen ervan te overtuigen dat er sprake was van een moord met voorbedachten rade, zowel op Wick als op Rutger, en dat Eveline hulp nodig had.

Natasja hield het plastic zakje met het Chinese gelukspoppetje tegen het licht.

'Die was ze verloren op het plaats delict,' mompelde ik.

Natasja schudde haar hoofd. 'En dan twijfel je nog steeds om haar aan te pakken?' Ze rechtte haar rug. 'Ik weet wel raad met dit soort types. Moord met voorbedachten rade, manipulatie, chantage, fraude en God weet wat nog meer.' Ze schudde haar hoofd. 'Ze had zelf eerder aan de gevolgen moeten denken, ik heb geen medelijden, hoor. Hoe ver ga je om je perfecte leventje in stand te houden?'

Ik lachte schamper. 'Hoe ver gaan mensen voordat hun geweten gaat opspelen...'

Natasja schudde haar hoofd. 'Dat maak ik zo vaak mee. Dat de daders zich totaal niet schuldig voelen, dat ze gewetenloos door het leven gaan. Sterker nog: dat zíj zichzelf ook nog het slachtoffer vinden, dat zij eigenlijk zielig zijn.'

Ik knikte. 'Als je het niet erg vindt, ik heb dringend frisse lucht nodig...'

Natasja glimlachte begrijpend. 'Wij handelen het verder af. We nemen haar in hechtenis. De rechter zal aan de hand van het bewijsmateriaal beslissen hoeveel jaar ze krijgt. En tbs neem ik aan, want haar gekoesterde wraakgevoelens zitten diep. Maar dat weten jullie als geen ander. Het is beter zo.'

Ik zuchtte en keek op mijn horloge. 'Nou, je weet ons te vinden als we nog iets kunnen doen.'

'Zeker. Bedankt voor alles.' Natasja gaf me een ferme hand. 'Je hebt je best gedaan. Zeker veel CSI gekeken?' grapte ze.

Stephan sloeg een jas om mijn schouders. We liepen door de grote deur zonder om te kijken, de duistere nacht in.

'Dat was heel mooi, echt heel goed gedaan.' Vertwijfeld keek ik Stephan aan, ik kon niets meer zeggen. Het voelde allesbehalve goed, het verraad nestelde zich in mijn maag en ik wilde weg van dat gevoel. Op straat stond een undercoverpolitieauto met opnameapparatuur. Ik kende het scenario; talloze keren had ik het gerepeteerd maar nu het moment daar was, voelde ik me verslagen.

'Het viel niet mee, het voelt nog steeds alsof ik haar heb verraden.' Mijn stem trilde en Stephan hield me staande op het trottoir. Hij droogde mijn ogen en omhelsde me stevig.

'Ik weet het, schat, ik weet het.' Zachtjes streek hij mijn haar naar achteren en keek diep in mijn ogen. 'Ik voel me net zo leeg, en zo ongelooflijk verdrietig. Maar we moesten dit doen, voor Rutger, voor Wick. Het doel heiligt de middelen. Je hebt haar niet verraden, je beschermt haar tegen zichzelf. En het volgende slachtoffer.'

'Ja, maar als ik aan haar kinderen denk, dan...'

Stephan knikte, hier hadden we het al zo vaak uitgebreid over gehad. 'Lisa Marie en haar man vangen ze op en wij helpen ze waar we kunnen. Zeker nu Florine mijn kind blijkt te zijn, wil ik ze dicht bij me hebben. Ze hebben niets aan een moeder die in staat is om te moorden. Eveline heeft hulp nodig en daarna kunnen ze alle tijd inhalen. Het rouwproces kan nu pas echt beginnen, Roos.'

De natgeregende keitjes van de Begijnenstraat strekten zich voor ons uit. Zwijgzaam liepen we verder.

'Voel je je beter nu je niet alles heb gezegd, vanavond?'

Ik gaf hem een por. 'Ik durfde het niet, ik kon het gewoon niet over mijn hart verkrijgen. Weet je, ik heb mijn best gedaan. Voor Wick. Het recht zal toch wel zegevieren. Plus dat...'

Het geluid van onze voetstappen weerkaatste in het donkere steegje.

'Plus wat?'

'Ik wil het niet op mijn geweten hebben...'

Stephan schoot onbeholpen in de lach en kuste me op mijn mond. Onstuimig en wild, maar liefdevol.

'Je bent een uniek mens, Roos.'

Hij zoende me nog eens, ditmaal langer, en keek me doordringend aan. Ik glimlachte terug en vond zijn woorden vleiend, maar ik wist: een oude vos verliest zijn streken niet. Ik kon hem niet veranderen. Stephan zou zich aan me vastklampen, maar zodra het nieuwtje eraf was werden de verleidingen weer te groot. Hij zou me weer pijn doen zonder zich schuldig te voelen. Morgen was hij aan de beurt, tot die tijd genoot ik nog even van mijn triomf en liet ik me zijn aandacht en bewondering welgevallen. Ik had in ieder geval goed opgelet en veel van hem geleerd. Hij knipoogde en sloeg zijn arm stevig om me heen. Ik glimlachte in mezelf, nu zou ik hem misbruiken en hem dumpen wanneer het mij uitkwam. De oude, goedgelovige Roos bestond niet meer.

Zelfingenomen stapte Stephan naast me voort en drukte een kus op mijn haar. 'Niet op je geweten willen hebben...' mompelde hij voor zich uit en we liepen de hoek om, naar de auto.

Stephan had gelijk, het rouwproces kon nu pas beginnen. Ik hoorde de kerkklok slaan en dacht aan Wick. Stephan drukte op het knopje van de afstandsbediening en opende galant het portier. 'Je bent een bijzondere vrouw, Roos. Uniek.'

Ik ging zitten op de koude stoel en huiverde. Ik had het allemaal eerder gehoord en geloofde zijn mooie praatjes niet meer. Stephan ging naast me zitten. Terwijl hij de sleutel in het contact stak kuste hij me weer, onze koude neuzen raakten elkaar.

'Je bent geweldig, echt, ik kan het niet vaak genoeg zeggen. Daarom hou ik zo veel van je.'

Ik lachte en gaf hem een knipoog; ik zag mijn reflectie in de ruit. Ik kan het ook al, gniffelde ik in mezelf.

Stephan gaf langzaam gas. Hij keek in zijn zijspiegel en reed zelfverzekerd de Meent op. Zonder me aan te kijken pakte hij mijn hand. 'Kom, we gaan snel naar huis. Baby's maken.'

Dankwoord

Ik dank God voor de kracht, het vertrouwen en de inspiratie die hij me elke dag geeft.

Ik wil mijn hele familie bedanken voor hun onvoorwaardelijke liefde en steun.

Ik dank in het bijzonder mijn zoon Bo voor zijn heerlijke energie en vrolijkheid, mijn ouders voor hun onvoorwaardelijke liefde en Paul met zijn gezin voor hun steun, warmte en gezelligheid.

Ik wil mijn dierbare vriend(inn)en bedanken voor hun warme vriendschap: ik voel me gezegend met zoveel mooie mensen om me heen. Ik wil ook René Salari bedanken voor zijn wijsheid en de prachtige herinneringen – helaas worden de mooiste bloemen als eerste geplukt. Rust zacht, vriend.

Uiteraard wil ik Maaike le Noble, Ilse Arkesteijn, Hajnalka Bata, Femke Meijer en alle medewerk(st)ers van uitgeverij Boekerij bedanken voor hun begeleiding en de realisatie van dit boek, het was een droom om te maken!

En ik wil vooral mijn trouwe lezers bedanken die er voor zorgen dat ik het mooiste beroep ter wereld mag uitoefenen! Jullie maken me erg gelukkig – dank, dank jullie wel!

Ik hoop dat jullie van het verhaal genieten en er inspiratie uit halen voor wat werkelijk belangrijk is in het leven. Leef vanuit liefde en geniet!

Veel leesplezier en liefs, Esther

PS: Een gedeelte van de opbrengst van dit boek gaat naar de Stichting No Kidding, voor hun onvermoeibare strijd tegen kindermishandeling.

Voor meer info: www.estherkreukniet.nl